D0198675

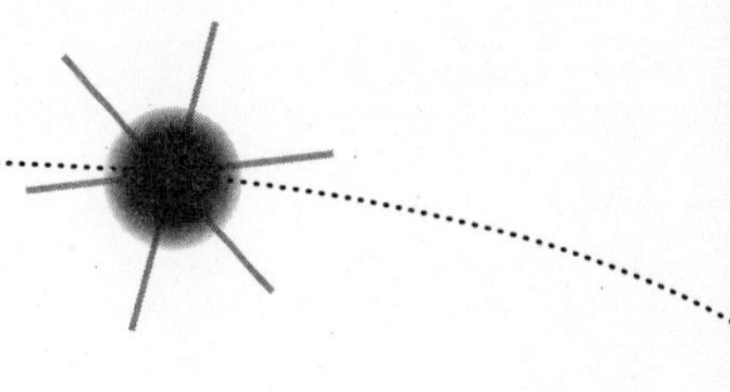

KEN FOLLETT

NULIO ZONA

Jotema

UDK 820-3
Fo-99

Ken Follett
CODE TO ZERO
Penguin Books, England, 2000

Follett, Ken
Fo-99 Nulio zona: [romanas] / Ken Follett; [vertė Ugnius Keturakis]. — Kaunas: UAB „Jotema", 2004. — 368 p.

ISBN 9955-13-009-1

Dvi paros, per kurias pasaulis gali pasidaryti visiškai kitoks... Ir vienas vyras, prabundantis stoties tualete ant grindų ir su pasibaisėjimu suvokiantis, kad jo atmintis švari kaip baltas popieriaus lapas. Jis ničnieko neprisimena, net savo vardo. Tai Lukas Lukasas, Keno Folletto romantinio trilerio *Nulio zona* herojus. Grumdamasis su išdavikais draugais ir padedamas savo jaunystės meilės Bilės, netrukus jis atskleidžia, kad mįslinga jo lemtis susijusi su Kanaveralo kyšulyje starto laukiančios raketos skrydžiu.

UDK 820-3

Redaktorė *A. Kristinavičienė*
J. Vabuolas
Viršelio autorius *A. Arlauskas*
Maketavo *E. Laipanova*

SL 250. 23 sp. l. Užsak. Nr. 4.865
UAB „Jotema", Algirdo g. 54, 50157 Kaunas
Tel. 337695, el. paštas: jotema@omni.lt
Spausdino AB spaustuvė „Spindulys", Gedimino g. 10, 44318 Kaunas

IŠ KOSMONAUTIKOS ISTORIJOS: Pirmojo Amerikos kosminio palydovo *Explorer I* paleidimas buvo numatytas 1958 metų sausio 29-ą, trečiadienį. Tačiau vėlyvą tos dienos vakarą startas nukeltas į rytojaus dieną. Kaip priežastis nurodytos netinkamos oro sąlygos. Kai susirinkusieji Kanaveralo kyšulyje tai išgirdo, tik kraipė galvas: buvo nuostabi saulėta Floridos diena. Tačiau kariškiai pareiškė, kad jiems trukdo nepalankus aukštųjų atmosferos sluoksnių vėjas, vadinamas uraganiniu.

Kitos dienos vakarą startas buvo dar sykį nukeltas, kartojant tą pačią priežastį.

Galų gale palydovą pabandyta paleisti sausio 31-ą, penktadienį.

Nuo pat savo įkūrimo 1947-ais Centrinė žvalgybos valdyba (...) yra skyrusi milijonus dolerių visapusiškai tyrimų programai, ieškodama preparatų ir psichinio poveikio priemonių, kurios leistų visiškai valdyti reikiamus žmones, priverstų juos net prieš savo valią ką nors atlikti, išpasakoti labiausiai slepiamas paslaptis.

Džonas Maksas,
„Mandžiūrijos kandidato" paieškos: CŽV ir sąmonės valdymas, 1979.

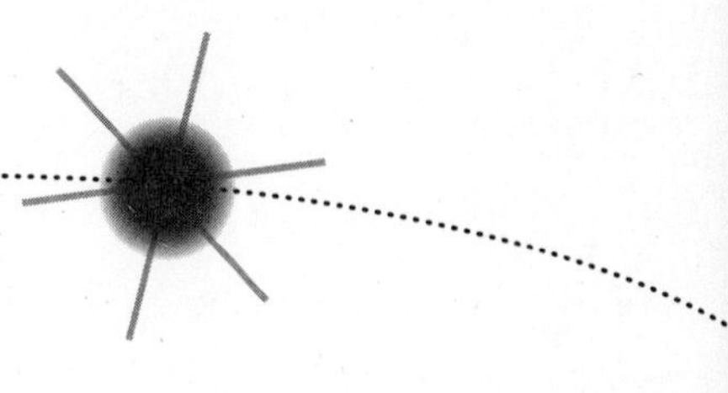

PIRMA DALIS

5 val. ryto

Raketa *Jupiter C* stovi Kanaveralo kyšulyje, 26-oje paleidimo aikštelėje. Slaptumo sumetimais ją visą dengia milžiniškas audeklas, ir kyšo tik jos uodega, niekuo nesiskirianti nuo įprastų karinių *Redstone* raketų. Tačiau jos korpusas, slepiamas maskuojamosios dangos, yra labai neįprastas...

Jis pabudo apimtas baimės.

Tiksliau pasakius, visiškai paklaikęs. Širdis daužėsi krūtinėje, trūko oro, visas kūnas buvo įsitempęs it styga. Tarsi būtų prisisapnavęs koks košmaras, tačiau slogutis neapleido net ir išnirus iš sapno. Jautė, kad jam bus atsitikę kažkas nenusakomai siaubinga, tik nežinojo kas.

Jis pramerkė akis. Blausioje šviesoje, sklindančioje pro durų plyšį, dunksojo kažkokie neaiškūs pavidalai, pažįstami, bet sykiu grėsmingi. Kažkur šalimais šnypšdamas gurgėjo vanduo.

Reikia nusiraminti. Jis giliai įkvėpė, ėmė ritmingai alsuoti ir pamėgino sutelkti mintis. Gulėjo ant kietų grindų. Krėtė šaltis, maudė visą kūną, slėgte slėgė kažkas panašaus į pagirias, gėlė galvą, burna buvo perdžiūvusi, pykino.

Virpėdamas iš baimės atsisėdo. Nuo drėgnų grindų nemaloniai trenkė stipriomis dezinfekcijos priemonėmis. Įsižiūrėjęs prieblandoje pažino pisuarų virtinės kontūrus.

Jis viešajame tualete.

Pasijuto bjauriai. Pasirodo, miegojo ant vyrų tualeto grindų. Kas gi jam, po velnių, atsitiko? Jis susikaupė. Nenuogas, vilki kažkokiu apsiaustėliu ir avi darbiniais batais, nors kažkodėl atrodė, kad šie drabužiai svetimi. Išgąstis mažumėlę atlėgo, užleisdamas vietą tyliai baimei, ne tokiai gyvuliškai, racionalesnei. Jam turėjo atsitikti kažkas labai negera.

Reikia uždegti šviesą.

Jis atsistojo. Apsidairė, stebeilydamasis į pamėklišką prieblandą, spėliodamas, kurioje pusėje durys. Atkišęs į priekį rankas, kad patamsyje į ką nors neatsitrenktų, nuspangino sienos link. Pasiekęs tikslą, ėmė slinkti pasieniui kaip koks krabas, grabinėdamas ją rankomis. Užčiuopė šaltą stiklo paviršių, kaip spėjo, veidrodį, paskui — popierinių rankšluosčių laikiklį, kažkokią metalinė dėžę, greičiausiai rūkalų automatą. Galų gale užčiuopė jungiklį ir jį spragtelėjo.

Ryški šviesa nutvieskė baltas sienas, betonines grindis ir tualetų praviromis durimis gretą. Kampe riogsojo kažkokių senų skarmalų krūva. Mintyse klausė savęs, kaip jis čia atsidūrė. Iš paskutiniųjų stengėsi sutelkti į visas puses šokinėjančias mintis. Kas vakar atsitiko? Niekaip nepajėgė prisiminti.

Kai suvokė, *kad ničnieko neprisimena*, jį vėl apėmė nevaldomas pirmykštis išgąstis.

Stipriai sukando dantis, kad nepratrūktų šaukti. Vakar... Užvakar... Tuščia. Koks jo vardas? Jis nežinojo.

Atsigręžė į pisuarus. Virš jų per visą sieną kabojo ilgas veidrodis. Jame išvydo suskretusį valkatą, apsitaisiusį kažkokiais skarmalais, susivėlusiais į kaltūną plaukais, purvinu veidu ir paklaikusiomis akimis. Kurį laiką spitrijo į tą valkatą, kol žaibu jam trenkė mintis. Sušukęs iš pasibaisėjimo, pasitraukė atatupstas, ir vyriškis veidrodyje tiksliai atkartojo kiekvieną jo judesį. Tasai valkata buvo jis pats.

Ilgiau nebeįstengė suvaldyti it kalnas užgriuvusios baimės. Pravėrė burną ir iš siaubo drebančiu balsu riktelėjo:

— Kas aš toks?

>>><<<

Skarmalų krūva sukrutėjo. Ji apsivertė, joje pasirodė veidas, o balsas sumurmėjo:

— Tu valkata, Lukai, raminkis.

Jo vardas Lukas.

Jis buvo neapsakomai dėkingas už šią žinią. Vardas — ne kažin kokia ypatinga žinia, bet jau leidžia būti kažkuo. Jis nužvelgė savo bendrą. Vyriškis vilkėjo sudriskusiu dvieiliu paltu, per liemenį vietoje diržo persijuosęs jį virvagaliu. Murzinas jaunas jo veidas atrodė suktokas. Vyriškis pasitrynė akis ir burbtelėjo:

— Skauda galvą.

Lukas paklausė:

— O tu kas toks?

— Pitas, pusgalvi, ką, neprisimeni?

— Ne, — sunkiai nurijęs seiles ir gniauždamas kylančią baimę, pratarė Lukas. — Aš praradau atmintį!

— Nesistebiu. Vakar išmaukei beveik visą butelį. Reikia stebėtis, kad tavo galva apskritai dar dirba. — Jis apsilaižė lūpas. — Negavau to sumauto burbono nė pauostyti.

„Pagirios tikriausiai nuo burbono", — pamanė Lukas.

— Bet kuriem velniam man maukti visą butelį?

Pitas vyptelėjęs sukrizeno:

— Kvailesnio klausimo nesu girdėjęs. Tam, kad pasigertum, kam gi daugiau.

Lukas stovėjo priblokštas. Jis — girtuoklis, valkata, nakvojantis tualetuose.

Gerklė buvo visiškai perdžiūvusi. Jis pasilenkė prie kriauklės, atsuko šaltą vandenį ir atsigėrė iš čiaupo. Išsyk pasijuto geriau. Nusišluostė lūpas ir prisivertė dar sykį pažvelgti į veidrodį.

Veidas dabar jau nebeatrodė toks paklaikęs. Siaubą akyse pakeitė išgąstis ir sumišimas. Iš veidrodžio žvelgė smarkiai apšepęs kokių keturiasdešimties metų tamsiaplaukis mėlynakis vyras.

Jis vėl atsigręžė į savo bendrą.

— Lukas, ar ne? — paklausė. — O kokia mano pavardė?

— Lukas... iš kur aš, po paraliais, galiu žinoti?

— Kodėl taip nusigyvenau? Ar jau seniai valkatauju?

Pitas pasikėlė.

— Noriu valgyti, — tarė.

Luko pilvas taip pat urzgė iš bado. Jis suskato raustis po kišenes, ieškodamas pinigų. Išnaršė apsiaustą, švarką, kelnes. Tuščia. Nei pinigų, nei piniginės, netgi nosinės. Ničnieko.

— Aš bankrutavęs, — prisipažino.

— Negali būti! — pašiepė Pitas. — Einam.

Jis išsvirduliavo pro duris. Lukas patraukė įkandin.

Kai išėjo į šviesą, jo laukė dar vienas sukrėtimas. Jiedu buvo milžiniškoje bažnyčioje, tuščioje ir spengiančiai tylioje. Raudonmedžio suolai eilėmis rikiavosi ant marmurinių grindų ir kaip bažnyčios klauptai lūkuriavo, kol juos užpildys į mišias suplūdę žmonės. Aplink visą rūmų erdvę, ant aukštos akmeninės atbrailos virš kolonų, šventovę saugojo tarsi iš pasakų nužengę akmeniniai kariai su šalmais ir skydais. Dar aukščiau virš jų galvų aukštyn šovė skliautuotos, auksintais aštuoniakampiais išdabintos lubos. Lukui netgi šmėkštelėjo visiškai beprotiška mintis, kad jis tapo kokio nors paslaptingo ritualo, ištrynusio jam atmintį, auka.

Apimtas pagarbios baimės, jis užklausė:

— Kur mes esame?

— Centrinė stotis, Vašingtonas, — atsiliepė Pitas.

Ūmai Luko galvoje tarsi trakštelėjo nematomas jungiklis ir viskas stojo į savo vietas. Su palengvėjimu jis pamatė purvinas sienas, prie grindų prilipdytą kramtomąją gumą, kampuose besivoliojančius saldainių popierėlius ir cigarečių pakelius ir pasijuto kvailai. Tai tiesiog didžiulė geležinkelio stotis ankstyvą rytą, todėl joje nesimato nė gyvos dvasios. Jis pats save baugino kaip koks vaikiščias, vaizduodamasis tamsiame palovyje kiūtančias pabaisas.

Pitas patraukė arkos su šviečiančiu užrašu „Išėjimas" link, o Lukas, stengdamasis neatsilikti, skubinosi jam įpėdžiui.

Staiga kažkas piktai riktelėjo:

— Ei! Ei, jūs!

— A-ja-jai, — atsiliepė Pitas ir paspartino žingsnį.

Stambus vyras veržiančia geležinkeliečio uniforma, kupinas teisuoliško pasipiktinimo, ridenosi jų pusėn.

— Iš kur jūs, driskiai, čia išlindot?

Pitas sumurmėjo:

— Mes jau išeinam, išeinam.

Lukui nemaloniai dilgtelėjo, kad iš traukinių stoties jį grūda lauk kažkoks nutukęs tipas.

Tačiau vyras taip paprastai neatstojo.

— Jūs čia nakvojote, ar ne? — piktinosi jis, tiesiog mindamas jiems ant kulnų. — Puikiai žinot, jog draudžiama.

Luką erzino pamokymai kaip kokiam vaikigaliui, nors ir numanė, kad jų nusipelnė. Juk jis iš tiesų *nakvojo* tame sumautame tualete. Tačiau užgniaužė kylantį pyktį ir paspartino žingsnį.

— Čia ne kokia prieglauda, — niekaip neatstojo vyras. — Sumauti smirdžiai, nešdinkitės!

Jis stumtelėjo Luką į petį.

Lukas staigiai apsigręžė ir sustojo priešais tarnautoją.

— Neliesk manęs, — perspėjo jis.

Net jį patį nustebino grėsmingai ledinis savo paties balsas. Storulis sustojo kaip įbestas.

— Mes ir taip išeinam, todėl tau daugiau nederėtų nieko daryti ar sakyti, aišku?

Vyras išsigandęs žengtelėjo atatupstas.

Pitas čiupo Lukui už rankos.

— Einam.

Lukas pasijuto nepatogiai. Tas vyriškis — tikras nusipenėjęs kiaulėnas, tačiau jiedu su Pitu juk valkatos ir geležinkelietis turi teisę išgrūsti juos lauk. Lukui nedera jo užsipulti.

Abu išėjo pro didžiulę arką. Lauke juos pasitiko tamsa. Prie stoties stovėjo keletas automobilių, tačiau gatvėse nesimatė nė gyvos dvasios. Spaudė smagus šaltukas, ir Lukas stipriau susisupstė į savo sudriskusį apdarą. Buvo šaltas Vašingtono žiemos rytas, sausio arba vasario mėnuo.

„Kažin, kurie dabar metai", — pagalvojo jis.

Pitas pasuko į kairę, aiškiai žinodamas, kur traukia.

— Kur mes einam? — pasidomėjo Lukas.

— Žinau bažnytinę prieglaudą H gatvėje, kur galime už dyką papusryčiauti, jeigu tik neatsisakysi sugiedoti vieną kitą giesmę.

— Žarna žarną ryja, sudainuočiau ir visą oratoriją.

Pitas pasitikinčiai žengė darbininkų priemiesčiu vingiuojančia gatve. Miestas tebemiegojo. Namai stūksojo tamsūs, parduotuvių vitrinos buvo užvertos, dar neveikė purvinos krautuvėlės ir spaudos kioskai. Stebeilydamas į miegamųjų langus, uždangstytus pigiomis užuolaidomis, Lukas įsivaizdavo viduje po antklodės pūkais kietai įmigusį, prie šiltos žmonos prigludusį vyrą, ir pavydas jam tiesiog dūrė į širdį. Bet atrodo, kad jo vieta yra čia, gatvėje, tarp priešaušrio bendruomenės vyrų ir moterų, kurie šmėžavo ledinėmis gatvėmis, kai kiti sau šiltai snaudė: vyro darbiniais drabužiais, slenkančio į rytinę pamainą, jauno dviratininko, apsimuturiavusio šaliku ir užsimovusio pirštines, vienišos moters, traukiančios dūmą šviesos užlietame autobuse.

Galvoje spiečiais sukosi mintys. Ar jis jau seniai geria? Ar bandė išsikapstyti? Ar turi šeimą, į kurią galėtų atsiremti? Kur jiedu su Pitu susipažino? Kaip susiveikia išgerti? Tačiau Pitas tylėjo kaip vandens į burną prisisėmęs, ir Lukas užgniaužė viduje kirbančius klausimus, tikėdamasis, kad gavęs ko įsimesti į skrandį Pitas taps draugiškesnis.

Jie priėjo nedidukę bažnytėlę, iššaukiamai stovinčią tarp kino teatro ir tabako krautuvėlės. Įsmuko vidun pro šonines duris ir laiptais nusileido į rūsį. Lukas pasijuto atsidūręs ilgoje patalpoje žemomis lubomis, kaip mintyse spėjo, požeminėje celėje. Viename gale glaudėsi pianinas ir nedidelė sakyklėlė, kitame garavo viralinė. Tarp jų trimis eilėmis stovėjo iš lentų sukalti stalai su suolais. Ten, prie atskirų stalų, jau lūkuriavo trys bastūnai. Virtuvėlėje apkūnoka moteriškė maišė didelį puodą. Šalia jos sėdintis žilabarzdis vyriškis kunigo apykakle pakėlė akis nuo kavos puodelio ir nusišypsojo.

— Prašom, prašom! — svetingai šūktelėjo jis. — Šildykitės.

Lukas su nepasitikėjimu jį nužvelgė, svarstydamas, ar tik tasai nesišaipo.

Viduje *iš tikrųjų* buvo šilta, įėjus iš šalčio netgi tvanku. Lukas atsisagstė purviną apsiaustą. Pitas pasisveikino:

— Labas rytas, pastoriau Loneganai.

Pastorius pasiteiravo:

— Ar jūs kada nors jau čia lankėtės? Primiršau jūsų vardą.

— Aš — Pitas, jis — Lukas.

— Du apaštalai!

Jo draugiškumas, regis, buvo nuoširdus.

— Pusryčiai dar neparuošti, tačiau yra karštos kavos.

Lukas nusistebėjo, kaip Loneganui pavyksta išsaugoti giedrą nuotaiką, kai tenka taip anksti keltis, idant paruoštų pusryčius visai dykūnų šutvei.

Pastorius pylė kavą į didelius puodelius.

— Pieno, cukraus?

Lukas nežinojo, ar jis mėgsta kavą su pienu ir cukrumi.

— Taip, dėkui, — spėjo jis.

Paėmė puodelį ir siurbtelėjo. Kava buvo pernelyg užbalinta ir saldi. Greičiausiai geria ją be nieko. Tačiau ji malšino alkį, todėl godžiai išgėrė.

— Netrukus pasimelsime, — pranešė pastorius. — Kol melsimės, garsioji misis Lonegan avižų košė bus gatava.

Lukas suprato tuščiai įtarinėjęs. Pastorius Loneganas iš tikrųjų buvo toks kaip atrodė — atlapaširdis vyriškis, nuoširdžiai padedantis kitiems.

Lukas ir Pitas susėdo už stalo, sukalto iš storų lentų, ir Lukas įsižiūrėjo į savo bendrą. Prieš tai akis buvo užkliuvusi tik už murzino jo veido ir nudrengtų drabužių. Dabar pastebėjo, kad Pitas neturi jokių seniems girtuokliams būdingų žymių: jokių sutrūkusių kraujagyslių, apšerpetojusios veido odos, mėlynių ir įbrėžimų. Galbūt dėl to, kad dar visai jaunuklis — tik kokių dvidešimt penkerių. Tačiau Pito veidas buvo šiek tiek subjaurotas. Nuo dešiniosios jo ausies iki lūpos švietė raudonas gandragnybis. Dantys buvo išsiklaipę ir pageltę. Tamsūs ūsai greičiausiai želdinti siekiant bent kiek paslėpti dantis nuo tų laikų, kai dar rūpėjo išvaizda. Lukas jautė jo viduje slypintį priešiškumą. Ko gero, Pitas nekenčia viso pasaulio — gal dėl to, kad gimė tokios išvaizdos, o gal ir dėl kokios nors kitos priežasties. Veikiausiai yra įtikėjęs kokia nors sąmokslo teorija, neva šalį alina nekenčiami žmonės: kinai imigrantai, įžūlūs juočkiai arba paslaptingas dešimtukas, slapta valdantis biržas.

— Į ką čia spoksai? — pasišiaušė Pitas.

Lukas tik patraukė pečiais ir nieko neatsakė. Ant stalo gulėjo laikraštis su kryžiažodžiu ir pieštuko galiukas. Lukas atsainiai žvilgtelėjo į kryžiažodį, paėmė pieštuką ir ėmė pildyti atsakymus.

Pasirodė dar daugiau valkatų. Misis Lonegan ištraukė sunkių dubenėlių kaugę ir krūvą šaukštų. Lukas užpildė visus laukelius, išskyrus vieną — „Nedidelė vietovė Danijoje", aštuonios raidės. Pastorius Loneganas dirstelėjo jam pro petį į išspręstą kryžiažodį, nustebęs pakėlė antakius ir tyliai šnibžtelėjo savo žmonai:

— O! Vyriškis tikrai galvotas.

Lukas netrukus rado ir paskutinį tinkamą žodį — HAMLETAS — ir įrašė jį į kryžiažodį. „Iš kur aš tai žinau?"

Jis išskleidė laikraštį ir dirstelėjo į datą pirmame puslapyje. 1958 sausio 29, trečiadienis. Akys užkliuvo už antraštės JAV DIRBTINIS MĖNULIS DAR LIKO ŽEMĖJE. Jis perskaitė:

> *Kanaveralo kyšulys, antradienis: JAV armija dėl daugelio techninių nesklandumų antrąsyk atidėjo kosminės raketos* Vanguard *paleidimą.*
>
> *Toks sprendimas priimtas praėjus dviem mėnesiams po to, kai pirmasis* Vanguard *startas baigėsi gėdinga nesėkme — tuomet raketa sprogo praėjus vos dviem sekundėms po variklių įjungimo.*
>
> *Vienintelė Amerikos viltis paleisti palydovą besivaržant su sovietų* Sputnik *yra karinė raketa* Jupiter.

Sudžeržgė pianinas, ir Lukas pakėlė akis nuo laikraščio. Misis Lonegan skambino jam girdėtos giesmės įžangą. Ji su savo vyru užgiedojo „Geriausias mūsų draugas Jėzus", ir Lukas prisidėjo, maloniai nudžiugęs, kad šią giesmę prisimena.

„Koks keistas burbono poveikis", pamanė. Gali išspręsti kryžiažodį arba atmintinai giedoti, tačiau neprisimena savo mamos vardo. Galbūt jis girtuokliauja jau metų metais ir pagaliau pribaigė savo smegenis? Patylomis svarstė, kaip tai galėtų atsitikti.

Kai pagiedojo, pastorius Loneganas paskaitė keletą eilių iš Šventojo Rašto, o paskui visiems paskelbė, kad jie gali būti išganyti. „Čia susirinkusiems tai tikrai būtų neprošal", — šmėstelėjo mintis

Luko galvoje. Tačiau kad ir kaip ten būtų, pasikliauti vien tiktai Jėzumi jis nebuvo linkęs. Visų pirma reikia išsiaiškinti, kas yra jis pats.

Pastorius improvizuodamas sukalbėjo maldą, jie visi sugiedojo padėkos giesmę, ir tada į eilutę išsirikiavusiems vyrams misis Lonegan įkrėtė avižų košės su sirupu. Lukas sutaršė tris dubenius. Pasisotinęs pasijuto kur kas geriau. Jo pagirios nyko kaip dūmas.

Nekantraudamas sužinoti atsakymus į knietinčius klausimus, prisiartino prie pastoriaus.

— Sere, ar esate mane matęs čia anksčiau? Dingo atmintis.

Loneganas įdėmiai į jį įsižiūrėjo.

— Žinote, neatrodo, kad būčiau matęs. Tačiau čia kiekvieną savaitę užsuka šimtai žmonių, todėl galiu ir suklysti. Kiek tau metų?

— Nežinau, — nepatogiai pasijutęs atsakė Lukas.

— Sakyčiau, apie keturiasdešimt. Dar neilgai gyvenate gatvėje. O ji uždeda savo žymę. Tačiau jūsų žingsnyje dar justi gyvybingumas, oda, nors purvina, bet nesudiržusi, ir jūsų galva veikia kuo puikiausiai, jeigu nesunkiai sprendžiate kryžiažodžius. Tuoj pat meskite gerti ir vėl sugrįšite į normalias vėžes.

Lukas mintyse spėliojo, kiek kartų pastorius yra kartojęs šiuos žodžius.

— Aš pasistengsiu, — pažadėjo jis.

— Jeigu jums reikia kokios pagalbos, nedvejodamas kreipkitės.

Jaunas vyras, iš pažiūros protiškai atsilikęs, be perstojo tapšnojo Loneganui ranką, ir pastorius šypsodamasis atsisuko į jį, pasiruošęs išklausyti.

Lukas kreipėsi į Pitą:

— Kiek laiko mes pažįstami?

— Nežinau, jau kuris laikas sukiojiesi čia aplinkui.

— Kur nakvodavom prieš tai?

— Raminkis, ką? Anksčiau ar vėliau tavo atmintis grįš.

— Privalau išsiaiškinti, kas aš toks.

Pitas dvejojo.

— Labiausiai dabar mums reikėtų alaus, — tarė jis. — Nemeskim kelio dėl takelio.

Jis pasisuko eiti.

Lukas sulaikė jį už rankos.

— Nenoriu alaus, — ryžtingai tarė.

Panašu, Pitas nepageidauja, kad jis aiškintųsi savo praeitį. Gal bijo prarasti sėbrą. Na, ką padarysi. Lukas turi svarbesnių reikalų, nei palaikyti Pitui draugiją.

— Tiesą sakant, — tarė jis, — kurį laiką norėčiau pabūti vienas.

— Tu ką, Greta Garbo?

— Aš rimtai.

— Juk tave reikia paglobоti. Vienas pats savimi nepasirūpinsi. Velniai rautų, juk net nežinai, kiek tau metų.

Pitas skvarbiai jį nužvelgė, tačiau Lukas laikėsi savo.

— Dėkoju tau už rūpestį, tačiau tu nepadedi man aiškintis, kas aš toks.

Pitas kiek patylėjo, paskui gūžtelėjo pečiais.

— Kaip nori.

Jis vėl apsigręžė į duris.

— Na, gal dar kur susitiksim.

— Kas žino.

Pitas dingo už durų. Lukas atsisveikindamas paspaudė pastoriui Loneganui ranką.

— Dėkoju jums už viską, — pasakė.

— Tikiuosi, rasi tai, ko ieškai, — atsakė pastorius.

Lukas užlipo laiptais ir išėjo gatvėn. Netoliese išvydo Pitą, besikalbantį su vyriškiu žaliu lietpalčiu ir tokios pat spalvos skrybėle — kaulijantį pinigų alui, kaip spėjo Lukas. Jis patraukė į priešingą pusę ir pasuko už pirmo pasitaikiusio kampo.

Dar buvo neišaušę. Luko pėdos šalo, ir jis suprato, kad vaikšto be kojinių. Lengvai snyguriuojant, sparčiu žingsniu traukė pirmyn. Tačiau po kelių minučių sulėtino žingsnį. Nėra kur skubėti. Koks skirtumas, ar jis eis lėtai, ar greitai. Žmogus sustojo ir užsiglaudė kažkokiam tarpdury.

Jis neturi kur eiti.

6 val. ryto

Raketa iš trijų pusių prilaikoma paleidimo bokšto. Paleidimo įrenginys iš tikrųjų yra perdirbtas naftos gręžimo bokštelis, įtaisytas ant platformos, keturiais riedmenimis stovinčios ant plačių bėgių. Visas įtaisas, didumo sulig daugiaaukščiu, prieš paleidžiant raketą bus pergabentas 300 pėdų į šoną.

Elspetė pabudo nerimaudama dėl Luko.

Kurį laiką tysojo lovoje rūpesčio dėl mylimojo užgulta širdimi. Paskui įžiebė lempelę, stovinčią ant naktinio stalelio, ir atsisėdo.

Motelio kambarys, kuriame ji apsistojo, buvo išpuoštas kosminiais motyvais. Toršero forma priminė raketą, ant sienų puikavosi stilizuotame nakties danguje išpieštos planetos, pusmėnuliai, orbitos. „Žvaigždėtasis" buvo vienas iš tų naujų motelių, išdygusių tarp smėlio kalvų Kakava Byče, Floridoje, aštuonios mylios į pietus nuo Kanaveralo kyšulio, skirtų atvykstantiems turistams. Dekoratoriui, matyt, pasirodė, kad kosminė puošyba čia bus kaip tik, tačiau nuo jos Elspetė jautėsi taip, lyg nakvotų kokio dešimtmečio berniūkščio kambaryje.

Ji pakėlė ant stalelio greta lovos stovinčio telefono ragelį ir surinko Entonio Kerolio kabineto Vašingtone numerį. Niekas nekėlė ragelio. Pamėgino skambinti jam į namus, tačiau ten irgi niekas neatsiliepė. Gal kas atsitiko? Iš baimės ją net pykino. Tarė sau, kad Entonis greičiausiai jau yra pakeliui į savo kontorą. Po pusvalandžio vėl pamėgins ten paskambinti. Nuvykti į darbą jam tikrai nereikia daugiau nei pusvalandžio.

Prausdamasi po dušu, prisiminė tuos laikus, kai susipažino su Luku ir Entoniu. Jie mokėsi Harvarde, o ji — Redklife, tai dar buvo prieš karą. Vaikinai dainavo Harvardo chore: Lukas — maloniu baritonu, o Entonis — skambiu tenoru. Elspetė vadovavo Redklifo chorui ir sykį surengė bendrą koncertą su Harvardu.

Neperskiriami draugai Lukas ir Entonis iš šalies atrodė keistai. Abu aukšti ir atletiški, tačiau tuo jų panašumas ir baigėsi. Redklifo merginos vadino juos gražuoliu ir pabaisa. Lukas buvo visada elegantiškai apsitaisęs gražuolis juodais garbanotais plaukais. Entonis nebuvo išvaizdus, į akis krito didžiulė jo nosis ir atsikišęs smakras, ir visad atrodė taip, tarsi vilkėtų kažkieno kito drabužiais, tačiau merginas traukė jo gyvumas bei linksmumas.

Elspetė greitai nusiprausė. Vilkėdama chalatu, ji sėdėjo įsitaisiusi priešais veidrodį ir gražinosi. Sau po akimis pasidėjo laikrodėlį, kad žinotų, kada bus praėjusios trisdešimt minučių.

Lygiai taip ir tada sėdėjo prie veidrodžio vienu chalatu, kai pirmąsyk kalbėjosi su Luku. Tai atsitiko per vadinamąjį „apatinių žygį". Vieną vėlų vakarą keletas Harvardo vaikinų, kai kurie jau gerokai įkaušę, įsiropštė į merginų bendrabutį pro pirmo aukšto langą. Dabar, praėjus beveik dvidešimčiai metų, sunku patikėti, kad ji, kaip ir kitos merginos, bijojo tik vieno dalyko: kad kas nenugvelbtų jų apatinių. Gal pasaulis tais laikais tikrai dar buvo skaistesnis?

Lukas atsitiktinai pateko į jos kambarį. Jis buvo matematikos magistrantas, kaip ir ji. Nors slėpė veidą po kauke, ji pažino jo drabužius, pilkšvą airiško kirpimo švarką su raudona nosinaite priekinėje kišenėje. Atsidūręs vienas prieš ją, Lukas sutriko, tarsi jam staiga būtų toptelėję, jog elgiasi vaikiškai. Ji nusišypsojo, ranka parodė į spintelę ir tarė:

— Viršutiniame stalčiuje.

Jis pasičiupo dailias baltas nėriniuotas kojines, ir Elspetei smilktelėjo gailestis — jos buvo ne iš pigiųjų. Tačiau kitą dieną jis pakvietė ją į pasimatymą.

Ji pamėgino susitelkti į savo makiažą. Šįryt gražintis sekėsi sunkiau nei įprastai, nes blogai miegojo. Makiažo pagrindas nuskaistino jos skruostus, o gelsvai rausvi lūpų dažai išryškino lūpas. Ji turi

Redklifo matematikos diplomą, tačiau darbe vis tiek privalo atrodyti kaip manekenė.

Susišukavo plaukus. Jie buvo rusvi, trumpai kirpti pagal naujausią madą iki kaklo ir užpakalyje surišti į daiktą. Įnėrė į žaliomis bei gelsvomis juostelėmis margintą ilgą berankovę suknelę ir susijuosė plačiu tamsios odos diržu.

Nuo mėginimo prisiskambinti Entoniui jau praslinko dvidešimt devynios minutės.

Laukdama, kol prabėgs paskutinė, ji mąstė apie skaičių 29. Tai sveikasis skaičius — jis nesidalija iš jokio kito skaičiaus, išskyrus 1, tačiau šiaip jau nėra kuo nors ypatingas. Įdomus tik tuo, kad prie 29 pridėję $2x^2$ gausime sveikuosius skaičius iki x vertės 28. Mintyse ji įsileido dėstyti šią virtinę: 29, 31, 37, 47, 61, 79, 101, 127...

Pakėlė telefono ragelį ir dar sykį surinko Entonio numerį.

Tyla.

1941

Elspetė Tvoumi įsimylėjo Luką vos jiems pirmąsyk pasibučiavus.

Dauguma Harvardo vaikinų bučiuodavosi visiškai negrabiai. Jie arba karštligiškai įsisiurbdavo į lūpas, arba išsižiodavo taip plačiai, kad pasijusdavai lyg kokia dantistė. Kai ją tamsiame Redklifo bendrabučio kieme penkios minutės prieš vidurnaktį pabučiavo Lukas, bučinys buvo aistringas ir sykiu švelnus. Jis bertė apibėrė ją bučiniais, ne tik jos lūpas, bet ir skruostus, akis ir kaklą. Jo liežuvio galiukas švelniai įsmuko pro jos lūpas, mandagiai prašydamas leidimo užeiti, ir ji net nebandė apsimesti besispyriojanti. Vėliau, sėdėdama savo kambaryje, pažvelgė į veidrodį ir sušnabždėjo savo atvaizdui: „Atrodo, aš įsimylėjau".

Tai įvyko prieš pusmetį, ir nuo to laiko jų jausmai dar labiau sustiprėjo. Dabar jiedu su Luku pasimatydavo kone kasdien. Abu buvo paskutiniųjų kursų studentai. Kasdien jie arba eidavo sykiu pietauti, arba po porą valandų kartu mokydavosi.

Redklifo merginos, baigdamos studijas, neretai susižadėdavo su kokiu vaikinu ar jaunesniu dėstytoju iš Harvardo. Vasarą susitikdavo, išvykdavo ilgam medaus mėnesiui, o grįžę susirasdavo butą. Pradėdavo dirbti, o po metų kitų susilaukdavo kūdikėlio.

Tačiau Lukas niekada neužsimindavo apie vedybas.

Dabar ji žvelgė į jį, sėdintį Flenegano baro gale, besiginčijantį su Berniu Rotsteinu, aukštu aspirantu vešliais juodais ūsais, tikru kietakakčiu. Tamsūs Luko plaukai vis užkrisdavo jam ant akių, ir jis nuolat įprastu sau judesiu braukė juos šalin. Vėliau, kai gavo atsakingą darbą, plaukus, kad šie neišsidraikytų, sutepdavo želė, ir ji kartais tyliai sau pagalvodavo, kad dėl to tapo nebe toks patrauklus kaip anksčiau.

Bernis buvo komunistas, kaip ir dauguma Harvardo studentų bei profesorių.

— Tavo tėvas — bankininkas, — su panieka tarė jis. — Tu irgi būsi bankininkas. Savaime aišku, kapitalizmą tu laikai puikiausiu dalyku.

Elspetė pastebėjo, kaip Luko sprandas nusidažė raudoniu. Jo tėvas neseniai *Time* žurnale buvo pristatytas kaip vienas iš to *dešimtuko*, kuris susikrovė turtus prasidėjus didžiajai depresijai. Tačiau, kaip jai pasirodė, greičiausiai paraudo ne todėl, kad buvo turtingas jaunuolis, o todėl, jog didžiavosi savo šeima ir jį užgavo kritika tėvo atžvilgiu.

Ji taip pat pyktelėjo ant jo ir metė:

— Vaikai juk vertinami ne pagal savo tėvus, Berni!

Lukas tarė:

— Kad ir kaip ten būtų, bankininkystė yra garbinga profesija. Bankininkai žmonėms padeda pradėti verslą ir kuria darbo vietas.

— Taip, kaip jie darė 1929-ais?

— Ir jie padaro klaidų. Kartais padeda ne tiems, kuriems reikėtų. Juk kartais klysta ir kareiviai, — nušauna niekuo nekaltą žmogų, — tačiau aš nevadinu tavęs žudiku.

Dabar buvo Bernio eilė gauti nemalonų dūrį. Jis dalyvavo Ispanijos pilietiniame kare, — buvo trejais ketveriais metais vyresnis už kitus bendramokslius, — ir Elspetė spėjo, kad jo atmintyje iškilo kokia nors nelemta ir tragiška klaida.

Lukas pridūrė:

— Be to, neketinu būti bankininku.

Neskoningai apsirengusi Bernio mergina, Pegė, susidomėjusi net palinko į priekį. Kaip ir Bernis, ji buvo šventai įsitikinusi savo pažiūrų teisingumu, tačiau neturėjo tokio aštraus liežuvio.

— Tuomet kuo?

— Mokslininku.

— Kokios srities?

Lukas ranka parodė į viršų.

— Norėčiau tirti tai, kas yra už mūsų planetos ribų.

Bernis pašiepiamai nusijuokė.

— Kosminės raketos! Vaikučių fantazijos.

Elspetė vėl šoko užsistoti Luko.

— Baik, Berni, tu apie tai neišmanai.

Bernis buvo prancūzų literatūros specialistas.

Tačiau neatrodė, kad Luką būtų užgavusi pašaipa. Galbūt jau buvo įpratęs prie šaipymosi iš jo svajonės.

— Manau, tai jau netolimoje ateityje, — tarė jis. — Ir dar daugiau. Tikiu, kad mokslas paprastiems žmonėms duos daugiau naudos nei komunizmas.

Elspetė atsiduso. Ji mylėjo Luką, tačiau politikoje jis atrodė beviltiškas naivuolis.

— Labai jau paprastai viskas skamba, — tarė ji jam. — Mokslo laimėjimais daugiausia naudojasi tik privilegijuotasis elitas.

— Bet tikrai ne taip, — atsakė Lukas. — Garlaiviai lengvina gyvenimą tiek jūreiviams, tiek keleiviams.

Bernis pasiteiravo:

— Ar esi kada buvęs okeaninio lainerio mašinų skyriuje?

— Taip, ir nė vienas ten nemirė nuo skorbuto.

Stalą uždengė kažkieno šešėlis.

— Ar jūs, vaikučiai, ne per jauni viešai vartoti alkoholinius gėrimus?

Tai buvo Entonis Kerolis, vilkintis melsvu kostiumu, kuris atrodė taip, tarsi būtų su juo ir miegojęs. Šalia jo stovėjo tokia pribloškianti būtybė, kad Elspetė nevalingai kažką sumurmėjo iš nuostabos. Tai buvo neaukšta dailios figūros mergina, pagal naujausią madą apsitaisiusi raudonu švarkeliu ir klostuotu sijonėliu, iš po grakščios skrybėlaitės kyšojo išsprūdusios tamsių banguotų jos plaukų sruogos.

— Susipažinkite su Bile Džozefson, — pristatė ją Entonis.

Bernis Rotsteinas jos paklausė:

— Tu žydė?

Toks tiesmukas klausimas ją mažumėlę suglumino.

— Taip.

— Tada gali tekėti už Entonio, bet negalėsi priklausyti jo kraštiečių klubui.

Entonis paprieštaravo:

— Aš nepriklausau kraštiečių klubui.

— Priklausysi, Entoni, priklausysi, — mestelėjo Bernis.

Lukas, stodamas pasisveikinti, užkabino stalą ir apvertė savo taurę. Šiaip jis nebuvo nerangus, ir Elspetė su apmaudu pagalvojo, kad jį akimirksniu pakerėjo mis Džozefson.

— Esu nustebintas, — tarė jis, visas pražydęs maloniausia šypsena. — Kai Entonis pasakė, kad jo mergina vardu Bilė, įsivaizdavau metro aštuoniasdešimties sunkiaatletę.

Bilė linksmai nusijuokė ir šastelėjusi įsitaisė greta Luko.

— Mano vardas yra Bala, — paaiškino ji. — Tai iš Šventojo Rašto. Ji buvo Rachelės tarnaitė ir Dano motina. Tačiau aš pati užaugau Dalase, kur mane vadindavo Bile Džo.

Entonis, sėdintis prie Elspetės, tyliai šnibžtelėjo jai į ausį:

— Argi ji ne gražutė?

„Ne tokia jau ir gražutė", — pamanė sau Elspetė. Siauro veido, smailianosė, didelėmis spindinčiomis rudomis akimis. Pribloškiantį įspūdį sudarydavo išvaizdos detalės: raudonas lūpdažis, koketiškai pakreipta skrybėlaitė, Teksaso akcentas ir visų labiausia jos gyvumas. Dabar kalbėdamasi su Luku ir pasakodama kažkokią istoriją apie teksasiečius, ji šypsojosi, kilnojo antakius ir grimasomis vaizdavo visokiausias pasakojamas emocijas.

— Ji žavinga, — atsakė Entoniui Elspetė. — Kaip aš anksčiau jos nepastebėjau.

— Ji daug mokosi, nelabai vaikšto po vakarėlius.

— Tai kaip su ja susipažinai?

— Krito į akį Fogo muziejuje. Dėvėjo žalią paltuką ir beretę. Pamaniau, kad atrodo lyg ką tik iš dėžutės išpakuotas žaislinis kareivėlis.

„Na, Bilė tikrai ne toks jau nekaltas žaislelis", — pamanė Elspetė. Ji tikrai kur kas pavojingesnė. Bilė pasileido kvatoti iš kažko, ką pasakė Lukas, ir padaužiškai kumštelėjo jam į alkūnę. Elspetei pasirodė, kad ji gundo. Suirzusi juos pertraukė ir pasiteiravo Bilės:

— Tai šįvakar negrįši į bendrabutį iki komendanto valandos?

Merginos iš Redklifo privalėdavo iki dešimtos vakaro parsirasti į savo kambarius. Būdavo galima gauti leidimą užtrukti ir ilgiau, tačiau tokiu atveju tekdavo užsiregistruoti žurnale ir nurodyti, kur ketinama vykti ir kada numatoma grįžti, ir jų sugrįžimo laikas būdavo patikrinamas. Tačiau merginos buvo nepėsčios, ir keblios taisyklės tik dar labiau įkvėpdavo jas išradingoms gudrybėms. Bilė atsakė:

— Aš turėčiau nakvoti pas tetą, apsistojusią Rico viešbutyje. Kokia tavo pasakėlė?

— Ne pasakėlė, o tiesiog paliktas praviras pirmo aukšto langas.

Bilė, pritildžiusi balsą, pasakė:

— Tiesą sakant, nakvosiu pas Entonio draugus Fenvėjuje.

Entonis pasijuto nepatogiai:

— Pas mano mamos pažįstamus, jie turi didelį butą, — puolė aiškinti Elspetei. — Nežiūrėk į mane taip, tai labai garbingi žmonės.

— Tikiuosi, — nutęsė Elspetė ir su pasitenkinimu pastebėjo, kaip Bilė nuraudo.

Pasisukusi į Luką, ji pasiteiravo:

— Brangusis, kelintą prasideda filmas?

Jis dirstelėjo į laikrodį ant rankos.

— Mums jau metas, — tarė jis.

Lukas savaitgaliui buvo pasiskolinęs automobilį. Atvirą dvivietį fordą, kurio kampuotas kėbulas šalia suapvalėjusių penktojo dešimtmečio pradžios automobilių siluetų atrodė senoviškai.

Lukas pasimėgaudamas mikliai vairavo šį seną automobilį. Jie nuvyko į Bostoną. Elspetei kirbėjo mintis, ar ji tik nebuvo pernelyg nusistačiusi prieš Bilę. „Na, gal truputėlį", — galų gale nusprendė ji, bet nėra ko čia per daug sukti galvą.

Jiedu patraukė į *Loew* kino teatrą pasižiūrėti naujausio Alfredo Hičkoko filmo *Įtarumas*. Tamsoje Lukas apkabino Elspetę, o ji padėjo galvą jam ant peties. Jai buvo šiek tiek apmaudu, kad išsirinko filmą apie nelamingą santuoką.

Apie vidurnaktį jie sugrįžo į Kembridžą ir iš Memorialo kelio pasuko į parką, plytintį šalia Čarlio upės ir prieplaukos. Automobilyje nebuvo šildymo, todėl Elspetė pasistatė savo palto kailinę apykaklę ir šildydamasi prisiglaudė prie Luko.

Jie šnekėjosi apie filmą. Elspetei atrodė, kad tikrame gyvenime Džoanos Fonten vaidinta valdingų tėvų užguita mergina niekada nesusižavėtų Kerio Granto įkūnytu blogiuku.

— Tačiau ji kaip tik ir įsimylėjo dėl to, kad jis pavojingas!

— Argi pavojingi žmonės traukia?

— O kaipgi.

Elspetė pasuko galvą į kitą pusę ir įsistebeilijo į mėnulį, atsispindintį lygiame kaip stiklas vandens paviršiuje. „O Bilė Džozefson tai tikrai pavojinga", — praskriejo galvoje mintis.

Lukas pajuto, kad ji kažkodėl įsitempė, ir pakeitė temą:

— Šiandien po pietų profesorius Deivisas pasakė, kad panorėjęs galėčiau rengti magistro darbą čia, Harvarde.

— O kodėl jis apie tai prašneko?

— Užsiminiau, kad tikiuosi patekti į Kolumbijos universitetą. Jis atsakė: „Kurių galų? Lik čia!" Kažką panašaus. Tarsi negalėčiau tapti rimtu matematiku, jeigu traukia pasimatyti su savo mažąja sesute.

Lukas buvo vyriausias iš keturių vaikų. Jo mama buvo prancūzė. Baigiantis Pirmajam pasauliniam karui, jo tėvas susipažino su Luko motina Paryžiuje. Elspetė žinojo, kad Lukas myli du jaunesnius savo paauglius broliukus ir dievina vienuolikmetę sesutę.

— Profesorius Deivisas yra viengungis. Atsidavęs vien matematikai.

— O tu galvoji apie magistrą?

Elspetės širdis iš džiaugsmo net suvirpėjo.

— Manai, turėčiau?

Nejau siūlo kartu vykti į Kolumbijos universitetą?

— Tu geresnė matematikė nei daugelis Harvardo vyrukų.

— Visada norėjau dirbi vyriausybėje.

— Vadinasi, nori gyventi Vašingtone.

Elspetė buvo tikra, kad Lukas iš anksto nesiruošė šitam pokalbiui. Jis paprasčiausiai balsiai svarstė. Vyrams taip būdinga nė nesusimąsčius pulti svarstyti reikalus, kurie lemia visą tolesnį gyvenimą.

Tačiau išgirdusi, kad jų keliai gali išsiskirti, nusiminė. Ji manė, kad išeitis iš šitos padėties jam turėtų būti tokia pat prikišamai akivaizdi kaip ir jai.

— Ar kada buvai įsimylėjusi? — netikėtai paklausė jis. Suvokęs, jog staiga peršoko nuo vieno dalyko prie kito, pridūrė: — Tai labai asmeniška. Neturiu teisės smalsauti.

— Nieko tokio. — Visos kalbos su juo apie meilę jai buvo prie širdies. — Tiesą sakant, buvau įsimylėjusi.

Mėnesienoje stebėjo jo veidą ir slapta nudžiugo, išvydusi jame šmėstelint pavydo šešėlį.

— Kai man buvo septyniolika, Čikagoje įsisiūbavo plieno liejyklų streikai. Tais laikais buvau labai įsitraukusi į politiką. Kaip savanorė nešiojau atsišaukimus ir viriau kavą. Talkinau jaunam aktyvistui Džekui Largo ir jį įsimylėjau.

— O jis — tave?

— Dievulėliau, ne. Jam buvo dvidešimt penkeri, laikė mane dar visai vaiku. Elgdavosi maloniai, dėmesingai, tačiau toks būdavo su visais.

Ji kiek pagalvojo ir pasakojo toliau:

— Nors vieną sykį mane pabučiavo. — Svarstė, ar derėtų Lukui apie tai atvirauti, tačiau jautė poreikį išsipasakoti. — Dirbome vienudu slaptame kambarėlyje, pakavome atsišaukimus, ir aš kažką pasakiau, kas jį prajuokino, nepamenu ką. „Tu tikras perlas, Ele", — tarė jis (trumpindavo visų vardus, tave, be jokios abejonės, būtų vadinęs Lu). Tada jis mane pabučiavo tiesiai į lūpas. Iš laimės kone numiriau. Bet paskui jis toliau sau pakavo atsišaukimus, tarsi nieko nebūtų įvykę.

— Aš manau, kad jis tave taip pat įsimylėjo.

— Gal.

— Ar palaikote ryšį?

Ji papurtė galvą.

— Jis miręs.

— Toks jaunas!

— Nužudė. — Ji sulaikė akyse susitvenkusias ašaras. Mažiausiai norėtų, jog Lukas pamanytų, kad jos atmintyje vis dar gyva meilė

Džekui. — Du policininkai, nusamdyti liejyklos, ne tarnybos metu patykojo nuošalioje gatvelėje ir mirtinai užtalžė metalo strypais.

— Jėzau Kristau! — Lukas pasibaisėjęs žvelgė į ją.

— Visi žinojo, kieno tai darbas, tačiau niekas nebuvo nubaustas.

Jis suėmė Elspetei už rankos.

— Skaitydavau apie tokius dalykus laikraščiuose, bet nemaniau, kad taip iš tikrųjų nutinka.

— Taip nutiko. Girnos mala visus iš eilės. Kurie pasipainioja po kojomis, tie pašalinami.

— Kai tavęs pasiklausai, pramonė ne geresnė už mafiją.

— Nematau didelio skirtumo. Tačiau nuo to laiko panašiuose reikaluose nedalyvauju. Pakako vieno karto.

Lukas užvedė kalbą apie meilę, o ji kvailai nuklydo į politiką. Todėl susizgribusi grįžo prie ankstesnės temos.

— O tu? — pasiteiravo ji. — Ar buvai kada įsimylėjęs?

— Nesu tikras, — dvejodamas atsakė jis. — Nelabai žinau, kas ta meilė.

Standartinis vyriškas atsakymas. Paskui ją pabučiavo, ir ji nusiramino.

Elspetei patiko glamonėti jį bučiuojantis, glostyti jo smilkinius, smakrą, plaukus, kaklą. Jis kartkartėmis atsitraukdavo ir įsistebeilydavo į ją švelniai šypsodamasis, primindamas jai Hamleto Ofelijos žodžius: „Ir taip įsistebeilijo į mano veidą — lyg piešdamas"*. Pasigėrėjęs iki valiai, vėl imdavo ją bučiuoti.

Po kurio laiko nuo jos atšlijo ir sunkiai atsiduso.

— Stebiuosi, kaip susituokusiems tai gali pabosti, — tarė jis. — Jų niekas nevaržo.

Ši užuomina apie vedybas tiesiog glostė jai širdį.

— Tikriausiai trukdo vaikai, — nusijuokė ji.

— Ar kada norėtum turėti vaikų?

Jos širdis net suplazdėjo kaip paukštė.

— Žinoma, kad taip.

---

* A. Nykos-Niliūno vertimas.

— Aš norėčiau ketverto.

Kaip ir jo tėvai.

— Berniukų ar mergaičių?

— Abiejų.

Elspetė bijojo ir prasižioti. Kurį laiką jiedu sėdėjo tylėdami. Jis staiga atsisuko ir rimtai pažvelgė į ją.

— Kaip tu į tai žiūri? Turėti keturis vaikus?

Tai buvo seniai laukta užuomina. Ji džiugiai nusišypsojo.

— Jeigu tavo vaikus, tuomet mielai, — atsiliepė ji.

Jis dar sykį ją pabučiavo. Dar po kurio laiko sėdėti automobilyje prie upės pasidarė pernelyg šalta, ir jiems nori nenori teko keliauti Redklifo bendrabučių link.

Kai kirto Harvardo aikštę, nuo šaligatvio kažkas ėmė jiems mojuoti.

— Ten Entonis? — negalėdamas patikėti, nusistebėjo Lukas.

Elspetė jau matė, kad tai jis. Drauge su Bile.

Lukas sustojo prie jų, ir Entonis prišoko prie langelio.

— Gerai, kad tave sutikau, — tarė jis. — Reikia paslaugos.

Bilė laikėsi už Entonio, drebėjo nuo nakties šaltuko ir atrodė įsiutusi.

— Ką čia veikiat? — paklausė Entonio Elspetė.

— Nesusipratimas. Draugai iš Fenvėjaus savaitgaliui kažkur išvyko — tikriausiai supainiojo datą. Bilė neturi kur nakvoti.

Elspetė sumetė, kad apie būsimą nakvynę Bilė melavo. Dabar negali parsirasti į savo bendrabutį, kad nepaaiškėtų apgaulė.

— Vedžiausi ją į mūsų pastogę. — Jis turėjo galvoje Kembridžą, kuriame jiedu su Luku gyveno. Harvardo vyrų bendrabučiai buvo vadinami pastogėmis. — Pamaniau, kad galės pernakvoti mūsų kambaryje, o mes su Luku nakčiai prisiglausime bibliotekoje.

— Visiška nesąmonė, — tarė Elspetė.

Įsiterpė Lukas:

— Taip darydavom ir anksčiau. Tai kodėl esate čia?

— Mus pastebėjo.

— O, ne! — šūktelėjo Elspetė.

Merginai būti užkluptai vaikino kambaryje — didelis nusižengimas, o dar naktį. Abu bematant galėjo lėkti iš universiteto.

Lukas pasiteiravo:

— Kas jus užmatė?

— Džeofas Pidžeonas ir dar keletas vyrukų.

— Na, dėl Džeofo galim nesijaudinti, o kas kiti?

— Nesu tikras. Juk prieblanda, be to, jie visi buvo įkaušę. Rytoj ryte su jais pasikalbėsiu.

Lukas linktelėjo.

— O ką darysi dabar?

— Niuporte, Roud Ailende, gyvena Bilės pusbrolis, — tarė Entonis. — Galėtum ją ten nuvežti?

— Ką? — šūktelėjo Elspetė. — Penkiasdešimt mylių kelio!

— Na, užtruksi kokią valandėlę ar dvi, — viltingai atsakė Entonis. — Ką pasakysi, Lukai?

— Žinoma, — sutiko Lukas.

Elspetė žinojo, kad jis sutiks. Pagelbėti draugui jam yra garbės reikalas, kad ir kaip tai būtų nepatogu. Tačiau jai vis tiek buvo pikta.

— Na, ačiū, — linksmai šūktelėjo Entonis.

— Jokių problemų, — mestelėjo Lukas. — Tiesa, viena yra. Mašina dvivietė.

Elspetė atidarė dureles ir išlipo lauk.

— Jauskis kaip namie, — suniurnėjo ji.

Pačiai buvo gėda dėl savo atžarumo. Lukas teisingai elgiasi padėdamas į bėdą pakliuvusiam draugui. Tačiau negalėjo susitaikyti su mintimi, kad jis dvi valandas važiuos šiuo ankštu automobiliu kartu su patraukliąja Bile Džozefson.

Lukas jautė jos nepasitenkinimą ir tarė:

— Elspete, sėskis. Pirma nuvešiu tave namo.

Ji pasistengė atsakyti kuo maloniau:

— Nereikia. Entonis palydės mane iki bendrabučio. O Bilė jau baigia sustirti į ragą.

— Gerai, jeigu iš tikrųjų taip nori, — neprieštaravo Lukas.

Elspetei būtų labiau patikę, jeigu jis būtų bandęs įkalbinėti. Bilė pakštelėjo Elspetei į skruostą.

— Neišmanau kaip tau ir dėkoti, — pasakė ji.

Įsėdo į automobilį ir, nė neatsisveikinusi su Entoniu, užtrenkė dureles.

Lukas pamojavo, ir automobilis trūktelėjo iš vietos.

Entonis su Elspete stovėjo ir stebėjo, kol jis išnyko tamsoje.

— Tai velnias, — tarė Elspetė.

6 val. 30 min.

Ant baltos raketos šono didžiulėmis raidėmis išpurkštos raidės *UE*. Tai nesudėtingas kodas:

H	U	N	T	S	V	I	L	E	X
1	2	3	4	5	6	7	8	9	0

Vadinasi, *UE* yra 29 raketa. Kodas vartojamas siekiant įslaptinti, kiek raketų jau pagaminta.

Į šalčio surakintą miestą nepastebimai sklido šviesa. Vyrai ir moterys, išėję iš savo namų, prisimerkdavo prieš geliantį vėją ir, kietai sučiaupę lūpas, per sambrėškio gatves skubindavosi į šviesias ir šiltas kontoras, parduotuves, viešbučius ir restoranus, kuriuose dirbo.

Lukas pėdino be tikslo — jam tas pat, kuria gatve pasukti. Jis pamanė, jog, galimas daiktas, išniręs iš už kurio nors kampo, sužadintų prisiminimus, gal prisimintų kokią pažįstamą vietą — gal gatvę, kurioje užaugo, arba savo darbovietę. Tačiau kad ir kiek kampų jis apsuko, viskas veltui.

Kadangi prašvito labiau, suskato dairytis į einančius pro šalį žmones. Bet kuris iš jų gali būti jo tėvas, sesuo, netgi sūnus. Tikėjosi, kad gal kuris sutiks jo žvilgsnį, sustos ir apkabinęs ištars: „Lukai, kas atsitiko? Eime namo, aš tau pagelbėsiu!" Tačiau gali būti ir taip, kad koks giminaitis tik šaltai dėbtelės ir nuskubės pro šalį. Galbūt jis nusikalto savo šeimai. O gal jie apskritai gyvena kitame mieste.

Kažkodėl apėmė nuojauta, kad šitaip laukiant laimingo atsitiktinumo nieko neišdegs. Joks praeivis nepuls ir neapkabins jo džiugiai šūkčiodamas, netikėtai neprisimins jis ir savo gimtosios gatvės. Klaidžioti be tikslo, fantazuojant apie kokį laimingą atsitiktinumą — niekam tikusi strategija. Jam reikia plano. Juk turi būti koks nors būdas išsiaiškinti, kas jis toks.

Galvoje šmėstelėjo mintis, kad veikiausiai jis yra dingęs be žinios. Žinojo, kad iškabinami dingusių be žinios žmonių sąrašai su duomenimis apie kiekvieną asmenį. Kur toks sąrašas galėtų kaboti? Greičiausiai policijoje.

Prisiminė, kad prieš kelias minutes lyg ir praėjo pro kažką panašaus į policijos nuovadą. Jis staigiai apsigręžė, ketindamas traukti atgal. Gręždamasis susidūrė su jaunuoliu žalsvu lietpalčiu ir tokios pat spalvos kepure. Jaunuolis jam pasirodė jau kažkur matytas. Jų žvilgsniai susitiko, ir vieną viltingą akimirką Lukui šmėstelėjo mintis, kad vyrukas tuoj prie jo pripuls ir patapšnos per petį, tačiau šis sutrikęs nusuko akis į šalį ir nuėjo.

Nepajėgdamas nuslėpti apmaudo, Lukas bandė atsekti savo kelią. Tai nebuvo lengva, nes jis sukdavo už kampo ar pereidavo į kitą gatvės pusę kaip papuola. Tačiau anksčiau ar vėliau turėtų užtikti kokią policijos nuovadą.

Klajodamas mėgino dedukcijos būdu išsiaiškinti daugiau apie save. Stebėjo, kaip aukštas vyriškis pilka skrybėle prisidega cigaretę ir giliai, su pasimėgavimu, ją užtraukia, tačiau pats nepajuto jokio noro užsirūkyti. Mintyse padarė išvadą, kad jis pats tikriausiai nerūko. Žvelgdamas į automobilius, galėjo pasakyti, kad sportinio tipo, žemėlesnės mašinos, tos, kurios jam labiau patiko, yra naujesnės laidos. Nutarė, kad tikriausiai mėgsta greitus automobilius, ir nė trupučio neabejojo, kad moka vairuoti. Taip pat galėjo išvardinti daugelio šių mašinų gamintojus ir modelių pavadinimus. Tokie dalykai neišsitrynė, kaip ir gimtoji kalba.

Dirstelėjęs į savo atvaizdą krautuvės vitrinoje, išvydo sunkiai nusakomo amžiaus valkatą. Tačiau žvelgdamas į praeivius galėjo pasakyti, kad jie kokių dvidešimties, trisdešimties, keturiasdešimties ir taip toliau. Taip pat užklupo save nesąmoningai skirstantį žmones į jaunesnius ir vyresnius už save. Mąstydamas apie tai suprato, kad trisdešimtmečiai jam atrodo jaunesni už jį, o keturiasdešimtmečiai — senesni, taigi jo amžius turėtų būti maždaug apie vidurį.

Šios menkutės pergalės prieš savo amneziją jam kėlė sunkiai nusakomą džiaugsmą.

Tačiau jis galutinai pasiklydo. Atsidūrė kažkokioje aptriušusioje pigių krautuvėlių gatvelėje: naudoti baldai, lombardai ir maisto prekės, kur priimdavo maisto korteles. Jis staiga sustojo ir atsigręžė atgal, svarstydamas, kur link pasukti. Už penkių metrų nuo savęs pastebėjo vyriškį žalsvu lietpalčiu ir kepure, spoksantį į televizorių krautuvėlės vitrinoje.

Lukas suraukė kaktą. „Jis mane seka?"

Seklys seka vienas, nesinešioja portfelio ar pirkinių krepšelio ir visada atrodo lyg slampinėtų, o ne kur nors žingsniuotų. Visa tai tiko ir žalsvakepuriui.

Tai visiškai nesunku patikrinti.

Lukas nužingsniavo iki sankryžos, perėjo gatvę ir kita jos puse grįžo atgal. Pasiekęs kitą gatvės galą, sustojo ir apsižvalgė. Žalsvasis lietpaltis švietė už penkiolikos metrų. Lukas dar sykį perėjo gatvę. Kad išblaškytų galimus įtarimus, žvalgėsi į duris, tarsi ieškotų kokio nors numerio. Taip sugrįžo į tą pačią vietą, iš kurios ir buvo pradėjęs savo tyrimą.

Lietpaltis neatsiliko.

Visa tai buvo be galo keista, tačiau Luko širdis, švystelėjus vilčiai, iš džiaugsmo ėmė net smarkiau plakti. Jį sekantis vyriškis turėtų ką nors apie jį žinoti — galbūt netgi tai, kas jis toks.

Siekiant galutinai įsitikinti, ar esi sekamas, reikėtų pavažiuoti kokia transporto priemone ir priversti „uodegą" daryti tą patį.

Nors jį buvo apėmęs džiugus jaudulys, proto balsas kuždėjo: „O iš kur tu žinai, kaip patikrinti, ar esi sekamas?" Juk jam net nereikėjo dėl to sukti galvos, paprasčiausiai žinojo tą būdą. Gal jis prieš tapdamas valkata užsiiminėjo kokiais slaptais darbeliais?

Pagalvos apie tai vėliau. Dabar reikia iš kur nors gauti pinigų autobusui. Jo apdriskusių drabužių kišenėse švilpavo vėjai, greičiausiai bus viską iki paskutinio skatiko išleidęs paskutiniam užgėrimui. Tačiau tai ne bėda. Aplink visur pilna pinigų: praeivių kišenėse, krautuvėse, taksi, namuose.

Jis ėmė žvalgytis visai kitomis akimis. Štai kioskas, kurį galima būtų apiplėšti, rankinukas, kurį lengvai išplėštų, kišenės, tik ir laukiančios, kad jas kas apkraustytų. Jis užmetė akį į kavinę, kurioje už baro stovėjo vyras, o padavėja sukosi apie staliukus. Tiks ir čia, koks skirtumas kur. Jis įžengė į vidų.

Akimis apšaudė staliukus, dairydamasis paliktų arbatpinigių, tačiau nieko nepešė. Jis prisiartino prie baro. Per radiją skaitė žinias. „Raketų ekspertai tvirtina, kad Amerikai liko paskutinė galimybė nenusileisti rusams kovojant dėl kosmoso." Vyras už baro darė *espresso*, iš kavos aparato vertėsi garų tumulai, ir Luko šnervės, užuodusios malonų aromatą, išsiplėtė.

Ką valkatos tokiais atvejais paprastai sako?

— Gal kokią seną spurgą?

— Nešdinkis, — šiurkščiai atkirto vyras. — Ir kad daugiau tavęs čia nematyčiau.

Lukas svarstė, ar nepersisvėrus per barą ir neatsidarius kasos, tačiau ši mintis pasirodė pernelyg drastiška, nes jam tereikėjo centų autobusui. Tuosyk akis užkliuvo už to, ko ir dairėsi. Šalia kasos, lengvai pasiekiama, stovėjo skardinė su plyšeliu monetoms mesti. Ant jos buvo pavaizduotas vaikas, o užrašas skelbė: „Neužmirškite tų, kurie akli". Lukas atsistojo taip, kad kūnu užstotų skardinę nuo lankytojų ir padavėjos. Dabar tereikia atitraukti barmeno dėmesį.

— Duok keletą centų, — paprašė jis.

Vyriškis atsiliepė:

— Na, pakaks, tuoj tave išmesiu. Jis trinktelėjęs pastatė puodelį ant stalo ir į prijuostę nusišluostė rankas. Norėdamas išlįsti iš už baro, turėjo pasilenkti ir akimirką išleido Luką iš akių.

Nieko nelaukdamas, Lukas čiupo aukų skardinę ir įsigrūdo į užantį. Apgailestaudamas konstatavo, kad ji labai jau lengva, tačiau viduje dzingtelėjo, taigi skardinė nebuvo visiškai tuščia.

Barmenas sugriebė Luką už pakarpos ir ėmė tempti per kavinę lauk. Lukas nesipriešino, kol prie durų negavo skaudaus spyrio į užpakalį. Užmiršęs savo vaidmenį, atsigręžė pasirengęs susiremti. Tai išvydęs vyriškis pabūgo ir skubiai smuko atgal į kavinę.

Lukui galvoje šmėstelėjo priekaištas, kad jis neturėtų būti nepatenkintas. Užėjo į vidų ieškodamas išmaldos, o paprašytas pasišalinti nepakluso. Na, spirti jam gal ir nebuvo būtina, tačiau juk to nusipelnė — nukniaukė aukas neregiams vaikučiams.

Tačiau jam ne iš karto pavyko užgniaužti įžeistą savigarbą, apsisukti ir nusliūkinti šalin it uodegą pabrukusiam šuniui.

Jis įsmuko į kažkokį skersgatvį, susirado aštrų akmenį ir, išliedamas susikaupusį pyktį, užgulė daužyti skardinę. Netrukus jos dangtelis nulėkė šalin. Viduje, daugiausia centais, buvo, kaip jis spėjo, kokie du ar trys doleriai.

Susižėrė juos į palto kišenę ir patraukė atgal gatvės link. Mintyse dėkojo dangui už malonę ir pasižadėjo, jeigu kada nors vėl pavyks įsikabinti į tvarkingą gyvenimą, paaukoti akliesiems du dolerius.

„Na, gerai, — pamanė sau mintyse, — trisdešimt dolerių".

Vyras žalsvu lietpalčiu, įsitaisęs prie kiosko, sklaidė laikraštį. Netoliese sustojo autobusas. Lukas nežinojo jo maršruto, tačiau tai buvo nesvarbu. Jis įšoko vidun. Vairuotojas įbedė į jį piktą žvilgsnį, tačiau lauk neišmetė.

— Už kiek pavešite tris stoteles? — pasiteiravo Lukas.

— Nesvarbu kiek važiuosi, bilietas septyniolika centų, jei nepriklauso kokia lengvata.

Jis užsimokėjo ką tik nukniauktomis monetomis.

Galbūt jo visai ir neseka. Eidamas į autobuso galą, neramiai žvalgėsi pro langus. Vyriškis žalsvu lietpalčiu traukė kažkur į šalį, po pažastimi pasikišęs laikraštį. Lukas suraukė kaktą. Žalsvasis dabar juk turėtų gaudyti taksi. Panašu, tai visai ne seklys. Lukas pajuto apmaudą.

Autobusas trūktelėjo, ir Lukas atsisėdo.

Galvoje vėl ėmė suktis mintys, iš kur jis visa tai žino? Greičiausiai yra to išmokytas. Tačiau kieno? Gal jis policininkas? Veikiausiai tai bus susiję su karu. Jis žinojo, kad ne taip seniai vyko karas. Amerika kariavo su vokiečiais Europoje ir Japonija Ramiajame vandenyne. Tačiau neįstengė prisiminti, ar dalyvavo jame.

Trečioje stotelėje kartu su grupele keleivių jis išlipo iš autobuso. Apsižvalgė po gatvę. Nesimatė nei taksi, nei vyriškio žalsvu lietpalčiu. Jam taip mindžikuojant vietoje, akis užkliuvo už vieno keleivio, kuris išlipo kartu su juo, stabtelėjo krautuvės tarpdury ir ėmė raustis po kišenes. Lukas stebėjo, kaip jis išsitraukia cigaretę ir pasimėgaudamas giliai užsitraukia dūmą.

Aukštas vyriškis pilkšva skrybėle. Lukas prisiminė, kad jau yra jį matęs.

7 val. ryto

Paleidimo įtaisas yra paprasčiausia plieno konstrukcija ant keturių atramų su anga viduryje, pro kurią išskrieja raketa. Apačioje įrengtas apvalus deflektorius nukreipia raketą horizontaliai.

Entonis Kerolis važiavo Konstitucijos aveniu penkerių metų senumo kadilaku „Eldorado", priklausančiu jo mamai. Pasiskolino jį prieš metus, kad galėtų parvažiuoti į Vašingtoną iš Virdžinijos, kur gyvena jo tėvai, ir niekaip neištaikė progos jo grąžinti. Greičiausiai mama jau bus įsitaisiusi naują automobilį.

Jis įsuko į Q namo Abėcėlės gatvėje — paskubomis per karą iškilusių, į barakus panašių pastatų rėžis parke greta Linkolno memorialo — stovėjimo aikštelę. Tiesą sakant, kvartalas nebuvo mielas akiai, tačiau jam čia patiko, nes beveik visą karą praleido čia, dirbdamas CŽV pirmtakėje — Strateginių tyrimų tarnyboje. Tai buvo senieji gerieji laikai, kai slaptoji tarnyba dar galėjo daryti ką panorėjusi ir neprivalėjo atsiskaityti niekam, išskyrus prezidentą.

CŽV dabar tapo sparčiausiai besipučiančia biurokratine struktūra Vašingtone, ir anapus Potomako upės, Langlyje, Virdžinijoje, jau kilo erdvi, ne vieną milijoną kainuosianti būstinė. Kai ji bus galutinai įrengta, Abėcėlės kvartalą nugriaus.

Entonis kaip įmanydamas priešinosi būstinės Langlyje statybai, ir ne vien dėl to, kad Q namas saugojo malonius prisiminimus. Dabar CŽV kabinetai buvo išmėtyti trisdešimt viename pastate — vyriausybinių įstaigų kvartale, vadinamajame Rūkų Pakraščiu. Entonis aršiai kovojo, kad taip ir liktų. Užsienio agentams buvo labai keblu nustatyti valdybos dydį ir galią, kai jos padaliniai buvo išmėtyti pramaišiui su kitomis tarnybomis. Tačiau jei bus perkelta į Langlį, bet kas važiuodamas pro šalį galės nesunkiai įvertinti slaptosios tarnybos pajėgumą, darbuotojų kiekį ir netgi gaunamas lėšas.

Tačiau šis jo argumentas buvo atmestas. Valdžia nutarė sutrumpinti CŽV pavadėlį. Entonis laikėsi nuomonės, kad slaptosioms užduotims labiausiai tinkami nutrūktgalviai, nebijantys jokių pavojų. Per karą taip ir buvo. Tačiau dabar ėmė vyrauti tušinukais besidarbuojančios kabinetinės žiurkės.

Jam buvo skirta atskira vieta automobiliui, pažymėta „Techninio skyriaus vadovas", tačiau jis aplenkė ją ir pastatė automobilį prie pat įėjimo. Kai žvelgė į atgrasų pastatą, šmėstelėjo mintis, ar neišvengiamai artėjantis jo nugriovimas tiktai nežymi kokios nors eros pabaigos. Dabar ne sykį tekdavo nusileisti biurokratams. Jis vis dar buvo labai įtakinga CŽV figūra. Pavadinimas „Techninio skyriaus vadovas" tebuvo priedanga padaliniui, užsiiminėjančiam įsilaužimais, vagystėmis, pokalbių telefonu pasiklausymu, bandymais su cheminiais preparatais ir kitokiomis nelegaliomis veikomis. Jį vadindavo Juodadarbiu. Entonio paskyrimą į šį postą lėmė jo nuopelnai Antrajame pasauliniame ir aibė sėkmingų šaltojo karo operacijų. Tačiau kai kurie žmonės norėjo CŽV paversti tuo, kuo visuomenė ir įsivaizdavo ją esant: žinias renkančia įstaiga.

„Tik per mano lavoną", — pamanė jis sau mintyse.

Tačiau jis turėjo ne vieną priešą: kitus vadovus, kuriuos akiplėšiškai užsipuldavo, nevykėlius agentus, kurių paskyrimui prieštaraudavo, plunksnagraužius, kurie apskritai kratėsi minties, kad vyriausybė gali vykdyti slaptas operacijas. Visi tik ir laukė progos jį išėsti, jeigu kur nors kluptelėtų.

O dabar jis išsišoko labiau nei kada anksčiau.

Žengdamas į vidų, mintyse atidėjo rūpesčius į šalį, kad galėtų visiškai susitelkti ties opiausiu savo galvos skausmu — daktaru Klodu Lukasu, vadinamu Luku, pavojingiausiu žmogumi visoje Amerikoje, kuris kėlė grėsmę viskam, dėl ko Entonis gyveno.

Jis praleido savo kabinete beveik ištisą naktį ir parvyko į namus tik nusiskusti ir pasikeisti marškinius. Sargybinis vestibiulyje jį išvydęs nustebo ir pasisveikino:

— Labas rytas, misteri Keroli... Jau vėl į darbą?

— Sapne man pasirodė angelas ir tarė: „Grįžk į darbą, tinginy". Labas labas.

Sargybinis nusikvatojo.

— Misteris Makselis laukia jūsų kabinete, sere.

Entonis suraukė kaktą. Pitas Makselis turėtų būti su Luku. Gal kas atsitiko?

Jis užbėgo laiptais į viršų.

Pitas sėdėjo kėdėje priešais Entonio stalą dar nepersirengęs suplyšusių savo drapanų, purvas ant jo veido slėpė įgimtą raudoną žymę jame. Įėjus Entoniui, jis baugščiai stryktelėjo nuo kėdės.

— Kas atsitiko? — pasiteiravo Entonis.

— Lukas nutarė vienas patraukti savo keliais.

Entonis tą buvo numatęs iš anksto.

— Kas perėmė sekimą?

— Stivas Saimonsas, Betsas atsarginis.

Entonis susimąstęs linktelėjo. Lukas jau atsikratė vieno agento, gali atsikratyti ir kito.

— O kaip jo atmintis?

— Švarut švarutėlė.

Entonis nusivilko paltą ir atsisėdo už stalo. Dėl Luko jau kyla keblumų, tačiau Entonis to tikėjosi ir buvo tam pasirengęs.

Jis nužvelgė vyrioką priešais. Pitas buvo geras agentas, sumanus ir patikimas, tik žalias. Tačiau besąlygiškai ištikimas Entoniui. Visi jaunieji agentai žinojo, kad 1942 metais Alžyre per Kalėdas suorganizuotas prancūzų fašistinės Viši vyriausybės nario Darlano nužudymas yra Entonio rankų darbas. CŽV agentai kartais, nors ir nedažnai, šalindavo žmones, ir jaunesnieji darbuotojai žvelgė į Entonį su baiminga pagarba. Tačiau už kai ką Pitas jam jautė ir ypatingą dėkingumą. Savo anketoje Pitas sumelavo niekada nepažeidęs įstatymų, o Entonis vėliau išsiaiškino, kad jis yra baustas — mat studijuodamas San Franciske buvo nusipirkęs mergšę. Pitas už šio fakto nuslėpimą turėjo būti pašalintas, tačiau Entonis niekam apie tai neprasitarė, ir Pitas už tai buvo be galo jam dėkingas.

Pitas jautėsi prastai — graužėsi nuvylęs Entonį.

— Nesinervink, — tėviškai nuramino jį Entonis. — Papasakok viską smulkiai, kaip ten buvo.

Pitas, apimtas dėkingumo, vėl klestelėjo į savo kėdę.

— Jis pakirdo visai pametęs galvą, — leidosi pasakoti. — Šaukė „Kas aš toks?" ir taip toliau. Apraminau jį... Tačiau padariau klaidą. Pavadinau jį Luku.

Entonis buvo įsakęs Pitui stebėti Luką, bet nė menkiausia užuomina neprasitarti apie jo praeitį.

— Nieko tokio — tikrasis jo vardas kitoks.

— Tada jis pasidomėjo, kas aš toks, ir atsakiau „Pitas". Tiesiog išsprūdo, nes tuo metu tik rūpėjo, kad kuo greičiau nustotų klykęs.

Pitas nusižeminęs išpažino jam savo nuodėmes, tačiau jos nebuvo mirtinos, ir Entonis tik numojo ranka.

— O paskui kas?

— Nusivedžiau jį į prieglaudą koplyčios rūsyje, kaip ir buvome planavę. Tada jis puolė klausinėti visokių sumanių klausimų. Norėjo sužinoti, ar pastorius yra jį matęs anksčiau.

Entonis linktelėjo.

— Nenuostabu. Karo metu jis buvo geriausias mūsų agentas. Prarado atmintį, bet ne sugebėjimus.

Jis ranka persibraukė per veidą, tarsi norėdamas nusikratyti susikaupusio nuovargio.

— Mėginau sukliudyti jam kapstytis po savo praeitį. Tačiau greičiausiai jis tai suuodė. Tada pareiškė toliau eisiąs savo keliais vienas pats.

— Ar rado už ko užsikabinti? Ką nors, kas galėtų jam padėti prisikasti iki tiesos?

— Ne. Skaitinėjo laikraštyje straipsnį apie kosminę programą, tačiau, regis, tai nesukėlė jam jokių ypatingų minčių.

— Ar niekas nesistebėjo jo elgesiu?

— Pastorius nustebo, kad Lukas išsprendė kryžiažodį. Daugelis tų valkatų net nemoka skaityti.

Taip, bus nelengva, tačiau įveikiama, kaip Entonis ir tikėjosi.

— Kur dabar Lukas?

— Nežinau, sere. Pirmai progai pasitaikius, Stivas su mumis susisieks.

— Kai paskambins, keliauk pas jį ir padėk sekti. Nieku gyvu nevalia jo išleisti iš akių.

— Aišku.

Ant Entonio darbo stalo suskambo baltas telefonas, tiesioginė jo linija. Kurį laiką nekeldamas ragelio dėbsojo į jį. Šį numerį žinojo vos keli žmonės.

Jis pakėlė ragelį.

— Tai aš, — išgirdo Elspetės balsą. — Kas ten pas jus atsitiko?

— Nusiramink, — tarė jis. — Viską kontroliuojame.

7 val. 30 min.

Raketa yra 68 pėdų ir 7 colių ilgio, sveria 64 000 svarų, tačiau didžiumą svorio sudaro kuras. Pats palydovas yra tik 2 pėdų ir 10 colių ilgio ir sveria vos 18 svarų.

„Uodega" sekė paskui Luką jau ketvirtį mylios, kol jis traukė į pietus Aštuntąja gatve.

Jau buvo visiškai prašvitę, ir nors gatvėse zujo daugybė žmonių, Lukas lengvai akimis susirasdavo pilkšvą skrybėlę, šmėkščiojančią tarp žmonių, susibūrusių prie sankryžų ar lūkuriuojančių autobusų stotelėse. Tačiau kai perkirto Pensilvanijos gatvę, skrybėlė kažkur prapuolė. Jį vėl apniko abejonės, ar tik nebus viso to išsigalvojęs. Jis atsibudo kažkokiame aukštyn kojomis apvirtusiame pasaulyje, kuriame kai kas buvo neaišku. Galimas daiktas, jam tik vaidenasi, kad yra sekamas. Bet širdies gilumoje jis tuo nė kiek neabejojo ir netrukus pastebėjo iš duonos krautuvės išnyrantį žalsvą lietpaltį.

— *Toi, encore,* — sau po nosimi sumurmėjo jis. — Ir vėl tu.

Pats nustebo, kad prašneko prancūziškai, tačiau atidėjo šią mįslę vėlesniam laikui. Dabar turi ir svarbesnių rūpesčių. Neliko nė menkiausios abejonės — jį pagal iš anksto parengtą kruopštų tvarkaraštį pasikeisdami seka dviese. Greičiausiai tikri sekliai.

Jis ėmė sukti galvą, ką tai galėtų reikšti. Skrybėlė ir Lietpaltis gali būti policininkai — gal jis padarė kokį nusikaltimą, ką nors nužudė išgėręs. Galėtų būti ir šnipai, KGB ar CŽV, tačiau sunku patikėti, kad kas nors šnipinėtų tokį driskių kaip jis. Veikiausiai jie bus pasiųsti žmonos, kurią paliko prieš daugelį metų ir kuri dabar, norėdama išsiskirti, nusamdė privačius detektyvus įrodyti, kaip jis nusirito. (Galimas daiktas, ji prancūzė.)

Nei viena, nei antra, nei trečia neatrodė labai jau patraukliai. Tačiau jis širdyje nudžiugo. Kad ir kokiu tikslu jį seka, jie turėtų žinoti, kas jis toks. Bet kuriuo atveju jie žino daugiau nei jis.

Nusprendė priversti juos išsiskirti ir tada šnektelėti akis į akį su jaunesniuoju.

Užsuko į tabako krautuvę ir už nukniauktas monetas nusipirko pakelį *Pall Mall.* Kai išėjo į lauką, Lietpaltis jau buvo išgaravęs, o jį pakeitė skrybėlėtasis.

Prie šaligatvio stovėjo *Coca cola* sunkvežimiukas, kurio vairuotojas krovė gėrimo dėžes ir nešė jas į valgyklą. Lukas žengtelėjo į gatvę ir, nupėdinęs iki sunkvežimio galo, atsistojo taip, kad matytų gatvę, o pats liktų nematomas tuoj iš už kampo išnirsiančiam sekliui.

Po keleto sekundžių pasirodžiusi Skrybėlė sparčiu žingsniu šniukštinėjo Luko, užmesdamas akį pro krautuvių duris ir vitrinas.

Lukas parkrito ant žemės ir pasirideno po sunkvežimiu. Apsižvalgęs akimis susirado melsvas seklio kelnes ir geltonus pusbačius.

Vyras dar labiau paspartino žingsnį, greičiausiai pamanęs, jog Lukas įsuko į kokią nors šalutinę gatvelę. Bet paskui apsisuko ir sugrįžo atgal. Įėjo į užkandinę ir vėl pasirodė. Apėjęs sunkvežimį, dar kiek pasisukiojo ant šaligatvio ir pasileido tekinas.

Lukas tyliai džiaugėsi. Nežinojo, iš kur jis išmoko tokių gudrybių, tačiau, regis, kuo puikiausiai gebėjo žaisti katę ir pelę. Jis nušliaužė sunkvežimio priekio link ir stryktelėjo ant kojų. Apsižvalgė užsiglaudęs už automobilio sparno. Skrybėlė sparčiai tolo gatve.

Lukas sugrįžo ant šaligatvio ir, pasukęs už kampo, įsitaisė elektros prekių krautuvės tarpduryje. Žvelgdamas į plokštelių grotuvą, kainuojantį aštuoniasdešimt žaliųjų, jis praplėšė cigarečių pakelį, išsitraukė cigaretę ir, nenuleisdamas akių nuo gatvės, lūkuriavo.

Pasirodė Lietpaltis.

Jis buvo aukštas, — maždaug Luko ūgio, — tvirtai suręstas, tačiau kokia dešimčia metų jaunesnis, o jo veidas išdavė susirūpinimą. Vidinis Luko balsas šnibždtelėjo, kad šis seklys dar žalias.

Jis pastebėjo Luką ir nervingai pasimuistė. Lukas stovėjo įbedęs akis tiesiai į jį. Vyras žvelgė kažkur į šoną ir traukė jo link, sukdamas atokiau prie šaligatvio krašto, tarsi šalindamasis valkatos.

Lukas pastojo jam kelią. Įsimetė cigaretę į burną ir pasiteiravo:

— Gal turi ugnies, bičiuli?

Lietpaltis nežinojo, kaip pasielgti. Jis sutriko, sunerimo. Vieną akimirksnį Lukui pasirodė, kad praeis pro šalį neprataręs nė žodžio, tačiau staiga vyriškis apsisprendė ir sustojo.

— Žinoma, — atsiliepė jis, stengdamasis elgtis natūraliai.

Pasirausęs lietpalčio kišenėje, išsitraukė degtukų dėžutę ir brūkštelėjęs vieną uždegė.

Lukas išsiėmė cigaretę iš burnos ir paklausė:

— Juk tu žinai, kas aš toks, ar ne?

Vaikinas jau visai išsigando. Jo niekas nemokė atsakinėti į sekamojo klausimus. Netekęs žado seklys kurį laiką spoksojo į Luką, o degtukas rankoje jau baigė smilkti.

— Nesuprantu, apie ką čia šneki, draugeli.

— Seki mane, — rėžė Lukas. — Turėtum žinoti, kas aš toks.

Lietpaltis toliau dėjosi nenutuokiąs, apie ką kalbama.

— Tu ką nors pardavinėji?

— Ar tau mano drabužiai panašūs į pardavėjo? Baik, neišsisukinėk.

— Aš nieko neseku.

— Sekei įkandin jau visą valandą, kol pradingau iš akių!

Vyriokas nutarė nesivelti į pokalbį.

— Tau galvoj negerai, — tarė jis ir pabandė Luką apeiti.

Lukas ėmė šokčioti į šalis, neleisdamas jam praeiti.

— Prašyčiau praleisti, — mestelėjo Lietpaltis.

Lukas nenorėjo jo paleisti iš savo rankų. Sučiupo už lietpalčio atlapų ir prispaudė prie krautuvės vitrinos, kad net subarbėjo stiklai. Iš nevilties ir įsiūčio jis visai padūko.

— *Putain de merde!** — užriko jis.

---

* Šūdgabali (*pranc.*).

Lietpaltis buvo jaunesnis ir stipresnis, tačiau visiškai nesipriešino.

— Patrauk rankas nuo manęs, — ramiai tarė jis. — Aš tavęs neseku.

— Kas aš? — rėkė jam į veidą Lukas. — Sakyk, kas aš?

— Iš kur man žinoti?

Vyriškis sugriebė Lukui už riešų ir pabandė atplėšti rankas nuo savęs.

Lukas nubloškė jo gniaužtus šalin ir griebė vyrioką už gerklės.

— Aš nejuokauju, — gergždžiančiu balsu prakošė jis. — Greitai man klok, kas čia dedasi.

Lietpalčio šaltakraujiškumas išgaravo, akys išsiplėtė iš siaubo. Jis ėmė muistytis, bandydamas išsilaisvinti iš Luko gniaužtų. Kai neišdegė, ėmė velėti Lukui šonus. Nuo pirmo smūgio net nudiegė, ir Lukas krūptelėjo iš skausmo, tačiau neatleido rankų ir prisispaudė prie pat vyro, todėl kiti smūgiai jau nebepasiekė tikslo. Lukas įrėmė nykščius į savo priešininko gerklę ir pradėjo jį dusinti. Pritrūkus oro, vyruko akys paklaiko.

Už nugaros pasigirdo kažkokio sunerimusio praeivio balsas:

— Ei, kas čia dedasi?

Lukas atsitokėjo. Juk jis tą vyrioką tuoj nužudys! Jis atleido savo letenas. Kas jam užėjo? Gal jis iš tikrųjų žudikas?

Lietpaltis išsilaisvino iš Luko gniaužtų. Šis stovėjo priblokštas savo paties agresyvumo. Jo rankos sunkiai nusviro žemyn.

Vyras atsitraukė atatupstas.

— Tu — pamišėlis, — metė jis. Akys dar buvo sklidinos baimės. — Vos manęs nenugalabijai!

— Man reikia išsiaiškinti teisybę, o tu ją žinai.

Lietpaltis patrynė sau kaklą.

— Asilas, — jis ir toliau laikėsi savo. — Tavo galva tuščia kaip puodynė.

Luko viduje vėl užvirė pyktis.

— Meluoji! — sugriaudėjo jis ir vėl metėsi prie vyrioko.

Lietpaltis apsigręžė ir pasileido bėgti.

Aišku, Lukas galėjo jį pasivyti, tačiau dvejojo. O kokia prasmė? Ką jis darys pagavęs tą vaikiščią — kankins jį?

Be to, šaukštai jau po pietų. Trys praeiviai, sustoję saugiu atstumu, buvo išsirikiavę pasižiūrėti kivirčo ir dabar spoksojo į Luką. Kiek pastovėjęs, jis patraukė į priešingą pusę, nei dingo sekliai.

Viduje dar labiau graužė nerimas nei anksčiau, visas net drebėjo prisimindamas juodą savo pykčio protrūkį, iš apmaudo, kad nieko nepešė, šleikščiai maudė. Tiedu, be jokios abejonės, žinojo, kas jis toks.

— Puikiai pasidarbavai, Lukai, — sumurmėjo sau po nosimi. — Visiškai nieko nepešei.

Jis vėl žingsniavo visiškai vienas.

8 val. ryto

Jupiter C yra keturių pakopų raketa. Didžiausioji pakopa yra patobulinta *Redstone* balistinė raketa. Tai raketa nešėja, pagrindinė pakopa, neįprastai galingas įtaisas, kurio užduotis — išplėšti raketą iš galingos Žemės traukos.

Daktarė Bilė Džozefson jau vėlavo. Ji pažadino savo mamą, padėjo jai apsivilkti vatiniu chalatu, įsistatyti klausos aparatą ir pasodino virtuvėje prie puodelio kavos. Prikėlė savo septynmetį sūnų Larį, pagyrė, kad neprišlapino į lovą, ir pasakė, jog vis tiek reikės praustis. Tada sugrįžo į svetainę.

Jos mama, nedidukė apkūni septyniasdešimtmetė, vadinama Mamyte Beke, garsiai pasileidusi klausėsi radijo. Peris Komas dainavo „Pagauk krintančią žvaigždę". Bilė įmetė duonos riekeles į skrudintuvą, ištraukė iš šaldytuvo sviesto su vynuogių džemu ir padėjo Mamytei Bekei. Lariui į dubenėlį šiūptelėjo avižinių dribsnių, pripjaustė bananų ir užpylė pienu.

Sutepė sumuštinį su riešutų sviestu ir džemu ir įdėjo jį į Lario priešpiečių dėžutę kartu su obuoliu, šokoladėliu ir mažu buteliuku apelsinų sulčių. Įtaisė priešpiečių dėžutę kuprinėje, neužmiršdama skaitinių knygos ir beisbolo pirštinės — tėčio dovanos.

Radijo žurnalistas šnekino žiūrovus, kurie laukė raketos starto pajūryje netoli Kanaveralo kyšulio.

Laris neužrištais batų raišteliais ir kreivai užsagstytais marškiniais įtipeno į virtuvę. Bilė paliepė jam susitvarkyti, pasodino prie dribsnių, o pati ėmėsi kepti kiaušinienę.

Jau buvo penkiolika po aštuntos, o ruošai galo nematyti. Ji mylėjo savo sūnelį ir mamą, tačiau širdies gilumoje bodėjosi to kasdieninio šokinėjimo apie juos.

Radijo žurnalistas dabar jau kalbėjosi su kariuomenės atstovu spaudai.

— Ar šiems smalsuoliams niekas negresia? O jeigu raketa nukryps nuo kurso ir nukris kur nors šalia jų į pajūrį?

— Nėra nė menkiausio pagrindo bijoti, sere, — užtikrino atstovas spaudai. — Visose raketose įtaisytas sprogdinimo įrenginys. Vos ji nukryps nuo kurso, tuoj pat susprogs dar ore.

— Kaip įmanoma susprogdinti lekiančią raketą?

— Sprogstamasis užtaisas paleidžiamas radijo signalu.

— Tai neatrodo labai saugu. Koks nors atsitiktinis radijo mėgėjas netyčia gali susprogdinti tą užtaisą.

— Sprogstamasis įrenginys suveikia tik po tam tikros radijo signalų sekos, savotiško kodo. Šios raketos labai brangios, mes apsidraudžiame nuo visų įmanomų netikėtumų.

Laris tarė:

— Šiandien mokykloje meistrausime raketas. Ar galiu pasiimti jogurto indelį?

— Ne, jis dar puspilnis, — atsakė ji.

— Bet man reikia kokių nors dėžučių! Misis Peidž supyks, jeigu ateisiu tuščiomis. — Jis beregint susigraudino ir jau vos nežliumbė.

— Kam tau reikia tų dėžučių?

— Darysim raketą! Praeitą savaitę sakė atsinešti.

Bilė atsiduso.

— Lari, tai reikėjo *man* ir pasakyti praeitą savaitę, būčiau tau sukaupusi jų visą krūvą. Kiek sykių turėsiu kartoti, kad neatidėliotum visko iki paskutinės minutės?

— Tai ką man dabar daryti?

— Ką nors suieškosiu. Supilsime jogurtą į dubenėlį, ir... Kokių tau dėžučių reikia?

— Panašių į raketą.

Bilė mintyse burnodama svarstė, ar tos mokytojos bent pagalvoja, kiek papildomų rūpesčių užkrauna ir taip užimtoms mamoms, kai nesukdamos sau galvos paliepia vaikams ką nors atsinešti iš namų į mokyklą. Ji pritepė tris lėkštes skrebučių su sviestu, patiekė kiaušinienę, tačiau pati nevalgė. Išnaršiusi namus, aptiko apvalią valymo miltelių dėžutę, plastmasinį buteliuką nuo skysto muilo ir širdies formos šokolado dėžutę.

Beveik visos pakuotės vaizdavo tuos produktus vartojančias šeimas — dažniausiai dailią namų šeimininkę, du linksmus vaikučius ir kiek tolėliau pypkę traukiantį šeimos galvą. Bilę sudomino, ar ir kitoms moterims šis saldus paveikslėlis toks pat atgrasus kaip ir jai. Ji niekada neturėjo tokios šeimos. Jos tėvas, neturtingas Dalaso siuvėjas, mirė, kai ji dar buvo visai kūdikis, ir jos motinai teko auginti penketą vaikų didžiausiame skurde. Bilė išsiskyrė, kai Lariui buvo dveji. Juk ne taip jau mažai našlaujančių, išsiskyrusių arba, kaip sakydavo anksčiau, puolusių moterų, gyvenančių be vyrų. Tačiau ant javainių pakelių tokių šeimų niekas nevaizduoja.

Ji sudėjo daiktus Lariui į kuprinę.

— Oho, lažinuosi, kad pas mane bus daugiausia! — šūktelėjo jis. — Ačiū, mama.

Jos pusryčiai jau ataušo, tačiau Lario veide dabar švietė šypsena.

Lauke supypė automobilio signalas, ir Bilė probėgšmais dirstelėjo į savo atvaizdą spintelės durelių stikle. Jos vilnijantys plaukai buvo paskubomis sušukuoti, veidas — nepadažytas, išskyrus paryškintus antakius, kurių nenusivalė iš vakaro, ji vilkėjo apsmukusiu rausvu megztuku. Tačiau apskritai atrodė visai patraukliai.

Galinės durys prasivėrė, ir tarpdury pasirodė Rojus Brodskis. Rojus buvo geriausias Lario draugas, ir jiedu džiaugsmingai pasisveikino, tarsi jau būtų nesimatę ištisus mėnesius, o ne kelias valandas. Bilė atkreipė dėmesį, kad dabar Laris draugauja tik su berniukais. Darželyje viskas dar buvo kitaip, berniukai ramiausiai žaidė drauge su mergaitėmis. Įdomu, kas pasikeičia vaiko galvelėje penktaisiais gyvenimo metais, kad ima linkti prie tos pačios lyties.

Rojų atlydėjo ir tėvas, Haroldas, išvaizdus švelnių rudų akių vyriškis. Haroldas Brodskis našlavo: Rojaus mama žuvo autoavarijoje. Haroldas dėstė chemiją Džordžo Vašingtono universitete. Jiedu su Bile susitikinėdavo. Jis susižavėjęs ją nužvelgė ir prabilo:

— Jėzau, atrodai dieviškai.

Ji šyptelėjo ir pakštelėjo jam į skruostą.

Kaip ir Laris, Rojus tempėsi pilną įvairiausių dėžučių maišelį.

Bilė tarė Haroldui:

— Tikriausiai turėjai atlaisvinti visas virtuvines dėžutes?

— Panašiai. Dar liko mažų indelių nuo drožlinio muilo, dėžučių nuo šokolado ir sūrio. Ir dar šeši rulonai tualetinio popieriaus be kartoninių tūtelių vidury.

— Oho, niekad nebūčiau pamaniusi apie tualetinio popieriaus ritinėlius!

Jis nusijuokė ir paklausė:

— Gal norėtum šįvakar pas mane pavakarieniauti?

Ji nesitikėjo tokio pasiūlymo.

— Tu pats gaminsi?

— Ne visai. Pamaniau, paprašysiu mis Raili ką nors paruošti, kad galėtume pasišildyti.

— Mielai, — sutiko ji.

Jis dar nebuvo kvietęs vakarienės. Paprastai eidavo į kiną, klasikinės muzikos koncertus arba dėstytojų vakarėlius. Bilė svarstė, kodėl jis staiga kviečiasi ją pas save.

— Rojus šįvakar eina į pusbrolio gimtadienį, pasiliks ten nakvoti. Galėsime nekliudomi pabendrauti.

— Gerai, — susimąsčiusi atsiliepė Bilė.

Aišku, nekliudomi pabendrauti jiedu galėtų ir restorane. Haroldas kviečia ją pas save, kai jo vaikis nakvos ne namie, dėl kitokių priežasčių. Bilė pažiūrėjo į jį. Haroldas žvelgė į ją atvirai, be jokių užuolankų — numanė, kokios mintys dabar sukasi jos galvoje.

— Bus labai smagu, — tarė ji.

— Užsuksiu tavęs apie aštuntą. Nagi, berniukai!

Jis išbukštino berniukus pro galines duris. Laris išėjo neatsisveikinęs, vadinasi, kaip Bilė sau buvo išsiaiškinusi, viskas yra gerai. Jeigu dėl ko nors nerimautų arba prastai jaustųsi, pripultų prie jos ir prisiglaustų...

— Haroldas geras vyras, — prabilo mama. — Nesnausk ir tekėk už jo, kol nepersigalvojo.

— Jis nepersigalvos.

— Nedalink jam kortų, kol nepadės pinigų ant stalo.

Bilė, žvelgdama į mamą, nusišypsojo.

— Nuo tavęs nieko nepaslėpsi, Mamyte.

— Aš sena, tačiau ne kvaila.

Bilė nurinko stalą ir nušlavė savo pusryčius į šiukšliadėžę. Tiesiog bėgte paklojo savo, mamos bei Lario lovas ir sumetė paklodes į skalbinių krepšį. Parodė jį Mamytei Bekei ir priminė:

— Neužmiršk, tau tereikia juos paduoti skalbėjui, kai ateis, gerai, Mamyte?

Jos motina atsiliepė:

— Baigėsi mano piliulės širdžiai.

— Viešpatie aukštielninkas! — Ji retai keikdavosi prie mamos, tačiau dabar galutinai neteko kantrybės. — Mama, šiandien laukia begalė reikalų ir visiškai neturiu laiko eiti pas tą prakeiktą vaistininką!

— Ką aš padarysiu, tiesiog baigėsi.

Mamytė Bekė labiausiai ir siutindavo, kai iš supratingos mamos akimirksniu virsdavo bejėgiu kūdikiu.

— Galėjai man pasakyti *vakar*, kad baigiasi tos piliulės — vakar kaip tik apsipirkinėjau! Negaliu kasdien lakstyti po parduotuves, juk turiu dirbti.

Mamytė Bekė pravirko.

Bilė akimirksniu atsileido.

— Atsiprašau, Mamyte, — tarė ji. Mamytė Bekė tuoj pat apsipildavo ašaromis, visai kaip Laris. Prieš penkerius metus, kai jie trise apsigyveno po vienu stogu, Mamytė padėdavo prižiūrėti Larį. Tačiau dabar jai užtekdavo jėgų iš mokyklos grįžusį berniuką paganyti vos kelias valandas. Visiems būtų lengviau, jeigu Bilė susituoktų su Haroldu.

Suskambo telefonas. Ji patapšnojo Mamytei per petį ir pakėlė ragelį. Skambino Bernis Rotsteinas, buvęs jos vyras. Jiedu su Bile, nors ir išsiskyrę, gerai sutardavo. Jis du ar tris sykius per savaitę aplankydavo Larį ir tvarkingai mokėjo alimentus. Jiedu smarkiai pykdavosi, bet tai jau praeitis. Dabar ji pasilabino:

— Labutis, Berni. Šįryt ankstyvas.

— Aha. Nieko negirdėjai iš Luko?

Ji nustebo.

— Luko Lukaso? Dabar? Ne. Ar kas nors atsitiko?

— Nežinau, gal.

Bernis su Luku mėgdavo pasiginčyti. Būdami jauni galėdavo kirstis be galo be krašto. Iš šalies jų ginčai dažnai atrodydavo aštroki ir pikti, tačiau tiek aukštojoje, tiek per karą jiedu išliko artimi bičiuliai.

— Kas atsitiko? — pasiteiravo Bilė.

— Netikėtai paskambino man pirmadienį. Pastaruoju metu retokai susisiekiam.

— Aš irgi.

Bilė pamėgino prisiminti.

— Regis, paskutinįsyk matėmės prieš porą metų.

Sumetusi, kad tai jau ilgokas laiko tarpas, nusistebėjo taip apleidusi bičiulystę. Na, greičiausiai visą tą laiką ji buvo labai užimta. Dėl to pajuto apmaudą.

— Šią vasarą gavau iš jo žinutę, — tarė Bernis. — Skaitė mano knygas savo sesers vaikui.

Bernis buvo *Neklaužadų dvynukų*, populiarios knygų serijos vaikams, autorius.

— Sakė, kad knygos jį pralinksmino. Gražus laiškas.

— Tai dėl ko jis tau paskambino pirmadienį?

— Pranešė, kad vyksta į Vašingtoną, ir norėjo susitikti. Tikriausiai kažkas atsitiko.

— Ar jis apie ką nors užsiminė?

— Kad ne. Tik pasakė: „Tai reikalai, panašūs į tuos, kuriais užsiimdavom per karą".

Bilė susirūpinusi suraukė kaktą. Lukas su Berniu karo metais drauge tarnavo STT, veikė priešo teritorijoje, prisidėjo prie Prancūzijos pasipriešinimo. Tačiau juk jiedu grįžo iš ten 1946-ais, o gal ne?

— Kaip tu manai, ką jis turėjo galvoje?

— Neįsivaizduoju. Sakė, kad atvykęs į Vašingtoną paskambins.

Pirmadienio vakare įsiregistravo „Karltono" viešbutyje. Šiandien trečiadienis, o jis dar nepaskambino. Jo kambarys šiąnakt buvo tuščias.

— Iš kur tu žinai?

Bernis prunkštelėjo.

— Bile, juk tu irgi tarnavai STT. Ką pati būtum dariusi?

— Greičiausiai patepčiau kambarinę keletu dolerių.

— Būtent. Taigi šiąnakt jis negrįžo į viešbutį.

— Galbūt šėlioja.

— Galbūt popiežius ne katalikas, bet man taip neatrodo, o tau?

Bernio teisybė. Lukas seksualiai labai aktyvus, tačiau net Bilė galėjo paliudyti, kad jis labiau vertino kokybę, o ne kiekybę.

— Ne, man irgi taip neatrodo.

— Duok žinią, jeigu jis tau paskambins, gerai?

— Gerai, žinoma.

— Iki pasimatymo.

— Iki.

Bilė padėjo ragelį.

Ir, pamiršusi visus buities rūpesčius, sėdėdama prie virtuvės stalo, ėmė galvoti apie Luką.

1941

138-asis kelias pro Masačiūsetsą vingiavo į pietus Roud Ailendo link. Vaiskus mėnulis liejo šviesą ant užmiesčio kelių. Senutėliame forde nebuvo šildytuvo. Bilė kiūtojo susisupsčiusi į paltą, apsimuturiavusi šaliku ir užsimovusi pirštines, tačiau kojos vis tiek sustiro. Bet jai buvo nė motais. Anoks čia vargas praleisti keletą valandų automobilyje vienudu su Luku Lukasu, net jei jis priklauso kitai. Iš patirties žinojo, kad išvaizdūs vyrai dažniausiai nuobodoki ir blankūs, tačiau šis atrodė išimtis.

Nuvažiuoti iki Niuporto trunka ištisą amžinybę, tačiau atrodė, kad Luko ilga kelionė nė trupučio nevargino. Kai kurie Harvardo vyrukai nejaukiai jausdavosi su gražuolėmis, be perstojo traukdavo cigaretes, gurkšnodavo iš gertuvių, vis braukdavo sau per plaukus ir tiesindavo kaklaraištį. Lukas jautėsi laisvai, puikiai vairavo ir leidosi į kalbas. Automobilių buvo nedaug, todėl žvelgė į ją taip pat dažnai kaip ir į kelią.

Jiedu kalbėjosi apie karą Europoje. Ryte Redklife priešingų pažiūrų studentai susirinko į mitingą ir iškėlė savo plakatus, intervencionistai karštai pasisakė už Amerikos įsikišimą į karą, o izoliacionizmo šalininkai lygiai taip pat užsidegę tvirtino priešingai. Apie juos susirinko daugybė žmonių, vyrų ir moterų, studentų ir profesorių. Tai, kad tarp pirmųjų karo aukų būtų ir Harvardo studentų, tik dar labiau pakurstė aistras.

— Turiu pusbrolių ir pusseserių Paryžiuje, — pasakė Lukas. — Būtų gerai, jei ten įsiveržtume — išgelbėtume juos. Tačiau tai labai asmeniška priežastis įsitraukti į karą.

— Aš taip pat turiu asmenišką priežastį, aš žydė, — tarė

Bilė. — Tačiau užuot siuntusi amerikiečius žūti Europoje, atverčiau sienas pabėgėliams. Gelbėtume gyvybes, užuot žudę žmones.

— Entonis irgi tokios nuomonės.

Bilė vis dar nebuvo jam atleidusi už šį vakarą patirtą fiasko.

— Negaliu apsakyti, kaip pykstu ant Entonio, — pasakė ji. — Privalėjo įsitikinti, kad tikrai galėsime nakvoti pas jo pažįstamus.

Tikėjosi iš Luko susilaukti užuojautos, tačiau jai teko nusivilti.

— Regis, jūs abu buvot nusiteikę pernelyg lengvabūdiškai.

Pratarė su draugiška šypsenėle, tačiau negalėjai neišgirsti smerkiamos intonacijos.

Bilei net dilgtelėjo. Tačiau kadangi jautė begalinį dėkingumą už tai, kad sutiko ją pavežti, susilaikė neatsikirtusi, nors žodžiai jau kirbėjo ant liežuvio galo.

— Gerai, kad gini bičiulį, — švelniai prabilo ji. — Tačiau man atrodo, kad saugoti gerą mano vardą yra jo pareiga.

— Aišku, bet tavo pačios — irgi.

Ją nustebino aštri jo kalba. Iki šiol atrodė toks mielas.

— Kaip suprantu, tu tai laikai mano kalte!

— Pavadinčiau nepalankiai susiklosčiusiomis aplinkybėmis, — atsakė jis. — Tačiau Entonis aplaidžiai leido judviem atsidurti tokioje padėtyje, kurioje menkiausia nepalanki aplinkybė galėjo pridaryti daugybę rūpesčių.

— Teisybė.

— O tu tam neužkirtai kelio.

Luko nepalankumas ją mažumėlę žeidė. Troško sudaryti kuo geresnį įspūdį — nors ir nežinojo, kodėl jai tai parūpo.

— Kad ir kaip ten būtų, daugiau tai nepasikartos, su niekuo, — karštai išrėžė ji.

— Entonis — geras vyrukas, galvotas, na, šiek tiek ekscentriškas.

— Sukelia merginoms norą juo rūpintis, šukuoti jam plaukus, lyginti kostiumą ir virti sriubą.

Lukas nusijuokė.

— Ar galiu tavęs paklausti vieną asmenišką klausimą?

— Pamėginkim.

Jis pažvelgė jai tiesiai į akis ir paklausė:

— Tu jį myli?

Tai buvo visiškai netikėta, tačiau jai patiko gebantys nustebinti vyrai, todėl atsakė atvirai, be užuolankų:

— Ne, jis man patinka, smagu kartu leisti laiką, bet aš jo nemyliu.

Galvoje šmėstelėjo mintis apie Luko merginą. Elspetė — neginčijamai dailiausia universiteto gražuolė, aukšta, ilgais lygiais plaukais ir skaisčiu, didingu it kokios skandinavų karalienės veidu.

— O tu pats? Ar myli Elspetę?

Jis vėl nusigręžė į kelią.

— Nelabai žinau, kas ta meilė.

— Išsisukinėji.

— Tavo teisybė. — Jis tiriamai nužvelgė Bilę ir, regis, nusprendė, kad ja galima pasikliauti. — Na, jeigu atvirai, arčiau meilės dar nesu buvęs, tačiau vis tiek dar abejoju, ar šis jausmas — tas tikrasis.

Jai staiga smilktelėjo kaltės pajauta.

— Įdomu, ką pasakytų Entonis su Elspete, jei išgirstų mūsų pokalbį, — tarė ji.

Jis sutrikęs kostelėjo ir pakeitė temą.

— Apmaudžiausia, kad bendrabutyje susidūrėte su tais vyrukais.

— Tikiuosi, nepaaiškės, jog su manim buvo Entonis. Antraip jį gali pašalinti.

— Ir ne jį vieną. Ir tu susilauktum nemalonumų.

Ji vijo panašias mintis šalin.

— Nemanau, kad mane kas pažino. Girdėjau, kaip kažkas mestelėjo „kekšė".

Jis pažvelgė į ją nustebęs.

Bilė susizgribo, kad Elspetė tikriausiai nebūtų ištarusi tokio žodžio, bet per vėlai prikando liežuvį.

— Ko gero, pati to nusipelniau, — pridūrė ji. — Juk vidurnaktį vaikštinėjau po vyrų bendrabutį.

Jis tarė:

— Nemanau, kad galima pateisinti bet kokį chamiškumą.

Ji susierzino pajutusi, kad tai sykiu ir jai, ir žodį mestelėjusiam vyrukui skirtas sugėdinimas. Lukas rėžia tiesiai į kaktą. Jis ją pykdė — tačiau kaip tik dėl to ir traukė prie savęs. Ji nutarė nusimauti baltas pirštinaites.

— O tu pats? — pasiteiravo ji. — Labai jau pamokslauji apie mane su Entoniu. Tačiau ar pats šį vakarą neįstūmei Elspetės į keblią padėtį vežiodamas ją iki vėlumos?

Jos nuostabai, Lukas tik linksmai nusijuokė.

— Taip, tikrai, aš tiesiog pasipūtęs liurbis, — sutiko jis. — Visi kartais rizikuojame.

— Tai jau taip. — Ji net pasipurtė. — Net neįsivaizduoju, ką reikėtų daryti, jeigu mane išmestų.

— Greičiausiai stotum studijuoti kur kitur.

Ji papurtė galvą.

— Laikausi iš stipendijos. Tėtis miręs, o mama neturtinga našlė. Ir jeigu mane pašalintų už nusižengimą dorovei, vargu ar gaučiau kitą stipendiją. Ko taip nustebai?

— Jeigu atvirai, iš tavo aprangos nepasakytum, jog vertiesi iš stipendijos.

Jai buvo malonu, kad jis pastebėjo, kaip ji apsitaisiusi.

— Tai Lyvenvorto stipendija, — paaiškino ji.

— Oho.

Lyvenvorto stipendija buvo viena didžiausių, paraiškas jai pateikdavo tūkstančiai pačių gabiausių studentų.

— Tada tu tikrai genijus.

— Na, nesu tuo tikra, — atsiliepė ji, pamaloninta jo balse nuskambėjusios pagarbos. — Net neužteko proto įsitikinti, kad turėsiu kur pernakvoti.

— Kita vertus, būti išmestam iš universiteto — dar ne pasaulio pabaiga. Iškrenta net patys gabiausieji ir, žiūrėk, vėliau tampa milijonieriais.

— Man tai būtų pasaulio pabaiga. Visai netrokštu būti milijoniere, verčiau pagelbėti sergantiems žmonėms.

— Ruošiesi tapti gydytoja?

— Psichologe. Norėčiau perprasti, kaip veikia žmogaus galva.

— Kodėl?

— Tai labai paslaptinga ir sudėtinga. Na, logika ir apskritai mąstymas. Arba ko nors įsivaizdavimas, ko visai nėra po akimis. Gyvūnai to nesugeba. Gebėjimas atsiminti. Ar žinai, kad žuvys neturi atminties?

Jis linktelėjo.

— Ir kaip kone kiekvienas sugeba pažinti muzikinę oktavą? — pridūrė jis. — Dvi natos, viena dvigubai aukštesnė už kitą, kaip smegenys tai suvokia?

— Kaip matau, tau irgi tai įdomu!

Bilę džiugino, kad ir jis neabejingas jos domesiui.

— Nuo ko mirė tavo tėvas?

Bilė sunkiai nurijo šiltą kamuolį gerklėje. Ūmai širdį suspaudė liūdesys. Iš paskutiniųjų valdėsi, kad nepravirktų. Vienas atsitiktinis žodis, ir iš kažkur užgriūdavo toks aštrus liūdesys, kad net atimdavo amą.

— Atleisk, — pratarė Lukas. — Nenorėjau tavęs liūdinti.

— Tu čia niekuo dėtas, — atsakė Bilė.

Ji giliai įkvėpė.

— Išprotėjo. Vieną sekmadienio rytą ėmė ir nudrožė maudytis į Trejybės upę. Reikalas tas, kad nemėgo vandens, nemokėjo plaukti. Man regis, norėjo nusižudyti. Tardytojas laikėsi tokios pat nuomonės, tačiau teisėjas mūsų pasigailėjo ir įvardijo kaip nelaimingą atsitikimą, tad gavome gyvybės draudimą. Šimtą dolerių. Metus iš jų maitinomės. — Ji dar sykį giliai giliai įkvėpė. — Pakalbėkim apie ką nors kitką. Papasakok man apie matematiką.

— Na. — Jis kiek pamąstė ir prabilo. — Matematika ne mažiau keista nei psichologija, — tarė jis. — Kad ir skaičius pi. Kodėl apskritimo ilgio ir skersmens santykis yra būtent trys kablelis šimtas keturiasdešimt du? Kodėl ne šeši arba du su puse? Kas taip nulėmė ir kodėl?

— Ketini tirti kosmosą.

— Mano įsitikinimu, tai bus pats nuostabiausias žmonijos nuotykis.

— O mane traukia pakeliauti po sąmonę. — Ji šyptelėjo.

Skausmas dėl artimųjų netekties jau malšo. — Žinai, mes panašūs — abu siekiame didelių tikslų.

Jis nusijuokė ir pradėjo stabdyti automobilį.

— Ei, jau privažiavome kryžkelę.

Ji įžiebė lempelę ir, išlanksčiusi sau ant kelių žemėlapį, suskato jį tyrinėti.

— Suk į dešinę, — nurodė.

Jiedu jau artėjo prie Niuporto. Kelionė neprailgo. Jai dilgtelėjo gailesys, kad kelionė tuoj tuoj baigsis.

— Net nežinau, ką pasakysiu savo pusbroliui, — tarė ji.

— O koks jis?

— Savotiškas.

— Savotiškas? Ką turi galvoje?

— Homoseksualus.

Jis nustebęs dirstelėjo į ją.

— Aišku.

Ją erzino vyrai, kurie apie intymius dalykus iš moterų laukia tik nedrąsių užuominų.

— Ir vėl tave pribloškiau, ar ne?

— Tavo žodžiais tariant — šventa teisybė.

Bilė prajuko. Tai teksasiečių posakis. Jai buvo miela, kad pro jo akis ir ausis neprasprūsta net tokios smulkmenėlės.

— Ten keliai šakojasi, — pranešė jis.

Ji vėl užmetė akį į žemėlapį.

— Trumpam sustokim, niekaip nerandu.

Lukas sustabdė automobilį ir pasilenkė prie švieselės nušviesto žemėlapio. Šiek tiek jį pavertė, ir sustirusią jos ranką palytėjo šilti jo pirštai.

— Gal čia, — tarė jis, rodydamas pirštu.

Užuot žvelgusi į žemėlapį, ji nevaliojo atitraukti akių nuo jo veido. Buvo neryškiai apšviestas mėnesienos ir blyškios automobilio lempelės. Jam ant kairiosios akies užkrito plaukų sruoga. Po akimirkos Lukas pajuto jos žvilgsnį ir pakėlė į ją akis. Bilė tarsi sapne lėtai pakėlė ranką ir savo mažyliu piršteliu paglostė jam skruostą. Luko akys smigo tiesiai jai į akis, ir Bilė jose išvydo sumišimą ir aistrą.

— Kuriuo keliu suksime? — sušnibždėjo ji.

Lukas staiga atsilošė ir įjungė pavarą.

— Suksim... — Jis atsikrenkštė. — Suksim į kairę.

Bilė mintyse savęs klausė, ką ji čia dabar daro. Lukas vakarą praleido su pačia gražiausia universiteto mergina. Bilė vaikštinėjo su Luko kambario kaimynu. Ką ji sau galvoja?

Jos jausmai Entoniui nebuvo tokie jau stiprūs net ir iki šio vakaro konfūzo. Kad ir kaip ten būtų, su juo susitikinėja, todėl tikrai nederėtų koketuoti su geriausiu jo bičiuliu.

— Kaip tave suprasti? — piktokai paklausė Lukas.

— Nežinau, — atsakė ji. — Savaime taip išėjo. Pristabdyk.

Jis dideliu greičiu pralėkė posūkį.

— Nenoriu tau to pajusti! — tarė jis.

Jai staiga užėmė kvapą.

— Ko pajusti?

— Tiek to.

Į automobilį padvelkė jūros gaiva, ir Bilė suprato, kad pusbrolio namas čia pat. Kelias jau buvo pažįstamas.

— Dabar į kairę — nurodė ji. — Jeigu nepristabdysi, prašoksi.

Lukas pristabdė ir įsuko į lauko keliuką.

Viena vertus, Bilė norėjo kuo greičiau atvykti į reikiamą vietą, išlipti ir pabėgti nuo nenumaldomo geismo. Antra vertus, geidė taip važiuoti su Luku ištisą amžinybę.

— Čia, — pranešė ji.

Jiedu sustojo prie dailaus vienaaukščio karkasinio namelio neaukštu stogeliu ir žiburiu virš durų. Fordo šviesos iš tamsos išplėšė katiną, ramiai tupintį ant palangės ir abejingai juos stebintį — tarsi niekintų bet kokią žmogaus jausmų sumaištį.

— Užeik, — pasiūlė Bilė. — Denis pavaišins kava, kad grįždamas neužsnūstum.

— Ačiū, ne, — atsakė jis. — Tik palauksiu ir įsitikinsiu, kad jis tikrai namie.

— Tu man labai geras. Nemanau, kad to nusipelniau.

Ji ištiesė jam ranką.

— Draugai? — paklausė jis, spausdamas jai rankutę.

Ji pakėlė jo ranką sau prie lūpų, švelniai pabučiavo ir, priglaudusi sau prie skruosto, užsimerkė. Jis tyliai sudejavo. Atmerkusi akis, sutiko kaitrų jo žvilgsnį. Jo ranka apkabino jos galvą, prisitraukė arčiau, ir jų lūpos susiliejo į karštą bučinį. Ją glamonėjo švelnios jo lūpos, jautė karštą alsavimą ir pirštus, švelniai glostančius kaklą. Ji sugriebė jo palto atlapą ir prisispaudė arčiau. Ji žinojo, kad jeigu dabar imtų glamonėti, nesipriešintų. Ta mintis kaitino lyg liepsna. Apsvaigusi ji įsisiurbė jam į lūpas ir krimstelėjo savo dantukais.

Išgirdo, kaip Denis šaukia:

— Kas ten?

Ji atšoko nuo Luko ir žvilgtelėjo pro langą. Name degė šviesos, o tarpduryje raudonu šilkiniu chalatu stovėjo Denis. Ji atsigręžė į Luką.

— Per penkias minutes įsimylėčiau tave be proto, — tarė ji. — Nemanau, kad galime likti tik draugai.

Ji žvelgė į jį, Luko akyse matydama tą pačią draskyte draskančią sumaištį, kaip ir savo širdyje. Paskui nusigręžė, giliai įkvėpė ir išlipo iš automobilio.

— Bile? — savo akimis negalėjo patikėti Denis. — Dėl Dievo meilės, ką čia veiki?

Ji perėjo kiemelį, užlipo ant verandos ir įsikniaubė jam į krūtinę.

— Deni, kad tu žinotum — sušnibždėjo ji. — Aš myliu tą vyrą, o jis priklauso kitai!

Denis švelniai patapšnojo jai nugarą.

— Brangute, aš tai jau *žinau*, kaip tu jautiesi.

Ji išgirdo nuvažiuojant automobilį ir atsigrįžo pamojuoti. Jam sukant pro šalį, sušmėžavo Luko veidas, ir kažkas blykstelėjo jam ant skruosto.

Paskui jis pranyko tamsoje.

8 val. 30 min.

Ant *Redstone* raketos nosies įtaisyta didžiulį inkilą primenanti sekcija smailiu stogeliu su viduryje kyšančiu smaigu. Šioje 13 pėdų ilgio sekcijoje įrengtos antroji, trečioji ir ketvirtoji raketos pakopos bei pats palydovas.

Amerikos slaptųjų tarnybų darbuotojai niekada nei prieš tai, nei po to nebuvo tokie galingi, kaip 1958 metų sausį.

CŽV direktorius Alenas Dalesas buvo Džono Fosterio Daleso, prezidento Eizenhauerio valstybės sekretoriaus, brolis, taigi valdyba turėjo tiesioginį kontaktą su prezidento administracija. Tačiau būta ir kitos priežasties.

Dalesas valdė keturis departamentus, iš kurių svarbiausias buvo Analizės departamentas. Analizės departamentas kitaip dar buvo vadinamas ST — Slaptąja tarnyba, ir būtent šis padalinys parengė ir įvykdė žygius prieš kairuoliškas Irano bei Gvatemalos vyriausybes.

Eizenhauerio prezidentūra niekaip negalėjo atsistebėti, kad šios operacijos įvykdytos be didelių išlaidų ir kraujo, ypač jeigu jas lyginsime su tikru karu Korėjoje. Todėl vyrukus iš Analizės departamento didžiai gerbė vyriausybiniai sluoksniai, nors to nepasakytum apie plačiąją visuomenę: laikraščiai pranešė, kad abi perversmo operacijas įvykdė antikomunistinės jėgos.

Analizės departamentui priklausė ir Technikos skyrius, Entonio Kerolio vadovaujamas padalinys. Jį pakvietė dirbti, vos tik 1947-ais buvo įkurta CŽV. Jis nuo seno veržėsi dirbti Vašingtone, — Harvarde baigė valstybės administravimo magistrantūrą, — o be to, karo metu pasižymėjo STT. Nusiųstas į Berlyną šeštajame dešimtmetyje, iškasdino tunelį iš amerikiečių zonos iki telefono mazgo sovietų pusėje ir prisijungė prie KGB telefono kabelio. Sovietai susizgribo tik po pusmečio, per kurį CŽV sukaupė kalnus neįkainojamos informacijos. Tai buvo sėkmingiausia žvalgybos operacija šaltojo karo metais, ir už tai Entonio laukė puiki karjera.

Teoriškai Technikos skyrius turėjo apmokyti žvalgus. Virdžinijoje jam priklausė senos fermos, kuriose naujokai mokėsi įsilaužinėti ir įtaisinėti slaptą pasiklausymo įrangą, šifruoti ir naudotis slaptu rašalu, šantažuoti užsienio diplomatus ir spausti informatorius. Tačiau „žvalgų rengimas" buvo ir puiki priedanga įvairiausioms slaptoms operacijoms šalies viduje. Nors tai daryti CŽV draudė įstatymai, tačiau tai viso labo buvo menkutis nepatogumas. Bet kas, ką tik sumanydavo Entonis, nuo profsąjungų vadų pokalbių klausymosi iki cheminių preparatų bandymo su kaliniais, galėjo būti pavadinta žvalgų ruošimo pratybomis.

Luko sekimas buvo kaip tik toks atvejis.

Entonio kabinete susirinko šeši patyrę agentai. Tai buvo erdvus kambarys, apstatytas vos keliais pigiais karo laikų baldais: nedidelė lenta, plieninė kartotekos spinta, neišvaizdus stalas ir keletas sudedamųjų kėdžių. Žinoma, naujajame štabe Langlyje puikuosis minkštasuoliai ir švies raudonmedis, tačiau Entoniui labiau prie širdies buvo spartietiška aplinka.

Pitas Makselis pasiuntė per rankas Luko fotografiją profiliu ir iš priekio bei jo drabužių aprašą, o Entonis davinėjo instrukcijas.

— Mūsų objektas — vidurinės grandies vyriausybės tarnautojas, dirbęs su labai slapta informacija, — kalbėjo jis. — Jį ištiko nervų krizė. Atskrido čia pirmadienį iš Paryžiaus, nakvojo „Karltono" viešbutyje, o antradienį užpylė iki sąmonės netekimo. Vakar negrįžo į viešbutį, o šiandien nuslinko į benamių prieglaudą. Grėsmė saugumui akivaizdi.

Vienas seklys, Raudonasis Rifenbergas, kilstelėjo ranką.

— Vienas klausimas.

— Varyk.

— Kodėl tiesiog nečiupus jo už pakarpos ir neišsiaiškinus, ką jis čia išsidirbinėja?

— Vėliau taip ir padarysime.

Atsidarė Entonio kabineto durys, ir tarpduryje pasirodė Karlas Hobartas. Apkūnus, pliktelėjęs, akiniuotas vyriškis vadovavo Ypatingajam skyriui, kuriam priklausė Šifravimo bei Technikos padaliniai. Teoriškai jis buvo tiesioginis Entonio viršininkas.

Entonis vogčiomis atsiduso, mintyse melsdamas, kad Hobartas nesutrukdytų jo reikalams nei dabar, nei apskritai niekada. Jis toliau tęsė instruktažą:

— Bet prieš jį prispausdami norime išsiaiškinti, ką objektas daro, kur lankosi, su kuo susitinka. Gali būti, kad jis tiesiog susiriejo su žmona. Tačiau neatmestina prielaida, kad perduoda informaciją priešams — dėl ideologinių įsitikinimų arba dėl to, kad yra šantažuojamas ir dabar tiesiog neatlaikė nervai. Jeigu jis įsipainiojęs į kokią nors panašią išdavystę, *prieš* suimdami turime surinkti kaip įmanoma daugiau informacijos.

Įsiterpė Hobartas.

— Ką čia svarstote?

Entonis lėtai pasuko į jį galvą.

— Pratybėlės. Sekame įtariamą diplomatą.

— Perduok jį FTB, — burbtelėjo Hobartas.

Hobartas per karą tarnavo laivyno žvalgyboje. Jo supratimu, žvalgybos uždavinys — tiesiog aptikti priešą ir išsiaiškinti, ką jis ten rezga. Jis nemėgo STT senbuvių ir nešvarių jų žaidimėlių. Valdyba šiuo požiūriu buvo tarsi suskilusi perpus. STT vyrukai buvo avantiūristai, išmokę taip dirbti per karą ir pro pirštus žiūrėję į tokius dalykus kaip išlaidos ar protokolas. Valdininkus siutino jų lengvapėdiškumas. Entonis buvo tipiškas avantiūristas: arogantiškas nutrūktgalvis, užsiimantis žmogžudystėmis, nes šioje srityje neturėjo sau lygių.

Entonis šaltai dėbtelėjo į Hobartą.

— Kodėl?

— Gaudyti komunistų šnipus — FTB darbas, ne mūsų, pats kuo puikiausiai žinai.

— Turime prisikasti iki grėsmės šaltinio. Toks atvejis, jeigu viską atliksime kaip reikiant, gali atskleisti ištisą informacijos nutekėjimo grandinę. O federalams tik rūpi gerai pasirodyti visuomenės akyse tupdant komunistus į elektros kėdę.

— Turime paisyti įstatymų!

— Abu puikiai žinom, kad jie tik didžiulė mėšlo krūva.

— Vis tiek.

Abi CŽV viduje besivaržančios stovyklos sutartinai nekentė FTB ir didybės manijos apsėsto jų direktoriaus Dž. Edgaro Hūverio. Entonis pasiteiravo:

— Na, kada paskutinįsyk mums kuo nors padėjo FTB?

— Paskutinįsyk niekada, — atsakė Hobartas. — Tačiau šiandien turiu tau kitą užduotį.

Entonis pajuto kylantį pyktį. Kada tas šiknius išsinešdins? Ne jo darbas vykdyti nurodymus.

— Apie ką tu?

— Baltieji rūmai paprašė išanalizuoti būdus, kaip būtų parankiausia susitvarkyti su maištininkais Kuboje. Šįryt įvyks aukščiausio lygio posėdis. Man reikia, kad su savo geriausiais vyrais paruoštum reziumė.

— Prašai pateikti medžiagą apie Fidelį Kastrą?

— Ką tu. Apie Kastrą žinau pakankamai. Man reikia rekomendacijų, kaip tvarkytis su maištininkais.

Entonis nekentė tokių aptakių kalbų.

— Tai sakyk tiesiai, ko tau reikia. Nori patarimo, kaip juos sudoroti.

— Galbūt.

Entonis paniekinamai prunkštelėjo.

— Na, o ką mes ten dar galėtume su jais daryti — įsteigti sekmadieninę mokyklą?

— Tai spręs Baltieji rūmai. Mūsų reikalas — pateikti pasiūlymus. Surašyk man savo idėjas.

Entonis dėjosi esąs visiškai abejingas, tačiau iš tikrųjų viduje įsitempė. Dabar nėra kada blaškytis, o visi geriausi vyrai turi neišleisti iš akių Luko.

— Pažiūrėsiu, gal ką ir sugalvosiu, — tarė Entonis, tikėdamasis šiuo miglotu pažadu Hobartą užganėdinti.

Deja.

— Dešimtą pas mane posėdžių salėje kartu su savo vyrais ir jokių atsiprašymų.

Jis apsigręžė išeiti.

Entonis apsisprendė.

— Ne, — metė jis.

Hobartas tarpduryje sustojo ir atsisuko.

— Tai ne prašymas, — pasakė jis. — Įsakau ten būti.

— Dabar atidžiai paklausyk, ką tau pasakysiu, — pratarė Entonis.

Hobartas nenoromis įsmeigė akis į Entonį.

Pabrėždamas kiekvieną raidę, Entonis prakošė:

— Eik tu šikt.

Vienas iš agentų sukrizeno.

Hobarto plikė net paraudo.

— Tau dar atsirūgs, — tarė jis. — Ir dar kaip.

Jis trinktelėjęs durimis išėjo. Visi prapliupo juoku.

— Na, prie reikalo, — tęsė Entonis. — Dabar objektą seka Saimonsas su Betsu, bet juos jau reikėtų pakeisti. Kai jie paskambins, sekimą perims Raudonasis Rifenbergas ir Ekis Horvicas. Dirbsim keturiom pamainom po šešias valandas, atsarginiai sėdi čia ir laukia skambučio. Kol kas tiek.

Sekliai išgužėjo pro duris, tačiau Pitas Makselis dar pasiliko. Buvo jau nusiskutęs, persivilkęs kostiumu ir pasirišęs madingą kaklaryšį. Dabar raudonas jo gandragnybis ir kreivi dantys dar labiau krito į akį, kaip kokie įskilę naujo namo langai. Jis buvo nedrąsus ir neturėjo daug draugų, galbūt dėl to šiek tiek buvo kalta ir jo išvaizda, o turimiems keliems buvo be galo atsidavęs. Dabar susirūpinęs užklausė Entonio:

— Nebijote susilaukti Hobarto keršto?

— Kad jis šiknius.

— Vis dėlto jūsų viršininkas.

— Neleisiu jam sužlugdyti svarbios operacijos.

— Tačiau jūs sakėte jam netiesą. Gali išsiaiškinti, kad iš tikrųjų Lukas nėra diplomatas iš Paryžiaus.

Entonis gūžtelėjo pečiais.

— Tada suriesiu jam kokią kitą istoriją.

Pito tai nenuramino, tačiau jis tik pritariamai linktelėjo ir patraukė durų link.

Entonis prabilo:

— Tu teisus. Truputį perlenkiau lazdą. Jei kas nors bus ne taip, Hobartas nepraleis progos, ir mano galvelė nulėks.

— Ir aš taip manau.

— Pasistenkim, kad viskas eitųsi kaip sviestu patepta.

Pitas pasišalino. Entonis įsmeigė akis į telefoną, stengėsi nusiraminti ir atgauti pusiausvyrą. Jį erzino naujoji valdybos politika, bet tokie hobartai painiodavosi kiekviename žingsnyje. Po penkių minučių suskambo telefonas, ir jis pakėlė ragelį.

— Kerolis klauso.

— Vėl įžeidei Karlą Hobartą.

Tai buvo seno gėrovo, nuo mažų dienų dūmijusio ir girtavusio, balsas.

— Labas rytas, Džordžai, — pasisveikino Entonis.

Džordžas Kupermanas buvo vyriausiasis visų operacijų vadas ir senas karo laikų bičiulis, šiuo metu tiesioginis Hobarto viršininkas.

— Tegu nesipainioja man po kojom.

— Užeik pas mane, tu pasipūtęs diege, — linksmai tarė Džordžas.

— Ateinu.

Entonis padėjo ragelį, atidarė stalčių ir išsitraukė iš jo aplanką su storu dokumentų kopijų pluoštu. Užsivilko savo puspaltį ir nužingsniavo į visai šalia, pastate P, esantį Kupermano kabinetą.

Kupermanas buvo aukštas, suzmekęs, kokių penkiasdešimties metų vyras be laiko susenusiu veidu. Sėdėjo užsimetęs kojas ant stalo. Po ranka stovėjo milžiniško dydžio kavos puodelis, burnoje smilko cigaretė. Rankose laikė *Pravdą* — Prinstone studijavo rusų literatūrą.

Išvydęs Entonį, švystelėjo laikraštį ant stalo.

— Kodėl negali su tuo storu šikniumi elgtis gražiai? — suurzgė jis. Kalbėjo neišsiimdamas cigaretės iš burnos. — Žinau, kad sunku susivaldyti, tačiau bent dėl manęs galėtum pasistengti.

Entonis įsitaisė kėdėje.

— Pats pradeda. Jau galėjo ir įsikirsti, kad gauna tik tada, kai pristoja prie manęs su tom savo šnekom.

— Na tai kuo tu šįkart užsiėmęs?

Entonis švystelėjo aplanką ant stalo. Kupermanas jį pakėlė ir permetė akimis kopijas.

— Brėžiniai, — tarė jis. — Regis, raketos. Na ir?

— Jie visiškai slapti. Rasti pas sekimo objektą. Jis šnipas, Džordžai.

— Kodėl nepasakei to Hobartui?

— Noriu sekti šitą tipelį, kol išaiškinsiu visą jų tinklą, o tada per tą vyruką paskleisiu dezinformaciją. Hobartas viską perduotų FTB; šie čiuptų tą vyrioką už pakarpos, įgrūstų cypėn, o jo bendrai išsilakstytų kas sau.

— Po velnių, tas tai teisybė. Kad ir kaip ten būtų, privalai dalyvauti posėdyje. Aš pirmininkausiu. Tačiau tavo vyrai tegu seka toliau. Jeigu kas, galės tave išsikviesti iš posėdžių salės.

— Dėkui, Džordžai.

— Ir dar kai kas. Šįryt Hobartą pasiuntei visų vyrų akivaizdoje?

— Na, taip.

— Kitą sykį pasistenk prikąsti liežuvį, gerai? — Kupermanas vėl pakėlė *Pravdos* numerį. Entonis atsistojo ir pasiėmė aplanką su brėžiniais. Kupermanas pridūrė: — Tik žiūrėk, kad darbelis vyktų sklandžiai. Jeigu be to, kad užgauliojai viršininką, dar ir susimausi, man gali nepavykti apsaugoti tavo kailio.

Entonis išėjo iš kabineto.

Tačiau jis išsyk nepatraukė atgal pas save. Pasmerktų nugriauti pastatų virtinė, kurioje buvo įsikūrę ir keli CŽV padaliniai, rikiavosi žemės lopinėlyje tarp Konstitucijos aveniu ir parkelio su tvenkiniu. Vis dėlto Entonis pasuko ne į gatvę, o pro užpakalinius vartus atsidūrė parkelyje. Žingsniavo guobomis apsodinta alėja, skaniai traukė šaltą gryną orą, gerte gėrė į save senų didelių medžių ir lyg veidrodis lygaus tvenkinio paviršiaus ramybę. Šį rytą netrūko keblių situacijų, tačiau iš visų pavyko išsisukti pamėtėjant po naują melų porciją.

Jis pasiekė alėjos galą ir sustojo pusiaukelėje tarp Linkolno memorialo ir paminklo Vašingtonui. „Tai tik jūsų kaltė", — pamanė jis sau, mintyse kreipdamasis į abu prezidentus. „Privertėte žmones patikėti, kad galima būti laisviems. Aš kovoju už jūsų idealus. Netgi nesu tikras, kad tikiu kokiais nors idealais, tačiau dabar būtų negarbinga atsitraukti. Tikriausiai jūs irgi taip jaučiatės".

Prezidentai neatsiliepė, ir jis, kiek pastovėjęs, sugrįžo į Q pastatą.

Kabinete jo jau laukė Pitas su Luką sekančiais porininkais: Saimonsu, dėvinčiu pilkšvą skrybėlę, ir Betsu, kuris vilkėjo žalsvu lietpalčiu. Šalia sėdėjo ir vyrai, turėsiantys juos pakeisti: Rifenbergas ir Horvicas.

— Kokia čia velniava? — smilktelėjus blogai nuojautai, pasiteiravo Entonis. — O kas su Luku?

Skrybėlė Saimonso rankose sudrebėjo.

— Niekas, — atsiliepė jis.

— Kas atsitiko? — užriaumojo Entonis. — Kas, po velnių, nutiko, jūs, avigalviai?

Kiek patylėjęs prabilo Pitas:

— Mes, eee...

Jis sunkiai nurijo seilę.

— Mes jį pametėm.

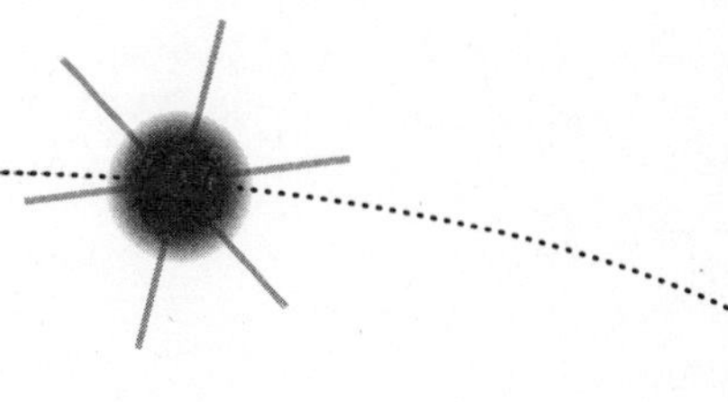

ANTRA DALIS

9 val. ryto

Jupiter C kariuomenės užsakymu pagamino Kraislerio bendrovė. Didįjį raketos variklį pirmojoje pakopoje gamino Šiaurės Amerikos aviacijos bendrovė. Antrąją, trečiąją ir ketvirtąją pakopas sukūrė ir išbandė Reaktyvinės jėgos laboratorija netoliese Pasadenos.

Lukas pyko ant savęs. Pats viską sugadino. Susidėjo su žmonėmis, kurie greičiausiai žinojo, kas jis toks, o jis juos išbaidė.

Dabar vėl atsidūrė apšiurusiame priemiestyje, netoli tos pačios prieglaudos H gatvėje.

Aušo nauja žiemos diena, ir jos šviesoje gatvės pasirodė purvinesnės, namai — visiškai apšepę, praeiviai — apskurę. Pastebėjo du valkatėles uždarytos krautuvės tarpdury, paeiliui siurbčiojančius alaus butelį. Jis pasipurtė ir, paspartinęs žingsnį, praėjo pro šalį.

Netikėtai jam toptelėjo, kad tai keistoka. Girtuoklis tik ir dairosi, kur išgerti. Tačiau jį vien mintis apie alų purtė iš paties ryto. Vadinasi, nutarė tyliai džiaugdamasis, jis — ne girtuoklis. Tačiau jeigu taip, tai galų gale kas jis toks?

Sudėjo į daiktą visas žinias apie save. Jam per trisdešimt metų. Nerūko. Nepaisant išvaizdos, nėra girtuoklis. Yra dalyvavęs slaptosiose užduotyse. Moka „Jėzus mūsų draugas" žodžius. Graudžiai mažoka.

Žingsniavo dairydamasis policijos nuovados, tačiau nė vienos pakeliui nepasitaikė. Nutarė pasiklausti kelio. Dar kiek paėjęs, traukdamas pro neveikiančią automobilių stovėjimo aikštelę, aptvertą vietomis išlaužyta gofruoto metalo lakštų tvora, išvydo pro tvoros skylę išlendantį policininką.

Lukas nutarė nepraleisti progos ir užklausė:

— Kur galėčiau rasti artimiausią nuovadą?

Policininkas buvo tikras mėsos kalnas rusvais ūsais. Jis paniekinamai dėbtelėjo į Luką ir iškošė:

— Nuvešiu tave ten, smirdžiau, įgrūdęs į bagažinę, jeigu mikliai nedingsi man iš akių.

Luką nustebino toks šiurkštus atsakymas. Ko jis čia draskosi? Tačiau jam jau buvo pabodę aklai klaidžioti po gatves, todėl neatlyžo.

— Man tik reikia sužinoti, kaip nueiti iki nuovados.

— Daugiau nekartosiu, šūdžiau.

Lukas pyktelėjo. Kuo jis čia save laiko?

— Mandagiai jūsų paklausiau, misteri, — sušnypštė jis.

Iš tokio drimbos nebūtum galėjęs laukti tokio staigumo. Jis šoko, sugriebė Luką už atvartų ir švystelėjo pro angą tvoroje. Lukas neišsilaikė ant kojų ir parkrito ant asfalto, skaudžiai užsigaudamas ranką.

Luko nuostabai, aikštelėje jis buvo ne vienas. Netoliese išvydo ir ryškiai išsidažiusią jauną moterį šviesintais plaukais. Jos paltas buvo atsagstytas, po juo plaikstėsi suknelė, šviesiaplaukė mūvėjo aukštakulniais, virš kurių švietė suplyšusios kojinės. Ji movėsi apatines kelnaites. Lukas sumetė, kad tai prostitutė, kuria ką tik pasinaudojo šis patrulis.

Policininkas įvirto vidun pro angą tvoroje ir spyrė Lukui į paširdžius.

Išgirdo plaštakę sakant:

— Dieve, Sidai, ką jis tau padarė? Nusispjovė ant šaligatvio? Palik tą vargšelį ramybėje!

— Pamokysiu tą smirdžių šiek tiek mandagumo, — suurzgė faras.

Akies krašteliu Lukas išvydo, kaip jis išsitraukia „bananą" ir juo užsimoja. Lukas pasivertė į šoną, kad išvengtų smūgio. Tačiau nespėjo, ir „bananas" drožė jam per kairį petį, akimirksniu nutvilkydamas skausmu visą ranką. Faras vėl užsimojo.

Luko galvoje žaibu švystelėjo sprendimas.

Užuot raitęsis į šonus, jis metėsi ant juodkepurio. Tas neišsilaikė ant kojų ir išsitiesė kaip ilgas, išleisdamas iš nagų lazdą. Lukas vikriai stryktelėjo ant kojų. Farui atsistojus, prisispaudė prie jo, kad šis nevaliotų jam vožti kumščiu. Lukas čiupo družkį už atlapų ir, staigiu judesiu trūktelėjęs prie savęs, galva smogė jam į veidą. Sutraškėjo lūžtanti faro nosis. Vyras sustūgo iš skausmo. Lukas paleido atlapus, padarė piruetą ir iš šono spyrė jam į kelį. Savo apiplyšusiais batais nepavyko sulaužyti jam kaulo, tačiau kelis sunkiai atlaiko spyrį iš šono, ir drimba susmuko.

Lukui šmėstelėjo mintis, ir iš kur jis, po galais, išmoko šitaip muštis.

Farui iš nosies ir burnos plūdo kraujas, tačiau jis pasirėmęs alkūne kilstelėjo ir dešiniąja ranka siekė revolverio.

Vos spėjo išsitraukti ginklą, kai Lukas ant jo užgriuvo. Sugriebęs tešliaus dešiniąją už riešo, iš visų jėgų trinktelėjo ją į betoną. Revolveris išsprūdo jam iš delno. Tada pasuko faro ranką, ir šis kakta plojosi žemę. Toliau laužant jam ranką, Lukas keliais įsirėmė jam į nugarą ir užspaudė vyriokui kvapą. Paskui suėmė nykštį ir ėmė jį laužti.

Faras pratrūko rėkti. Lukas dar smarkiau užlaužė nykštį. Pasigirdo trekštelėjimas, ir priešininkas prarado sąmonę.

— Dabar kurį laiką tikrai nekulsi jokio valkatos, — iškošė Lukas. — Šūdžiau.

Plaštakė stovėjo išpūtusi akis.

— Tu ką, Eliotas Nesas? — nusistebėjo ji.

Lukas nužvelgė ją. Moteris buvo liesa, bet ir po storu dažų sluoksniu nepajėgė paslėpti nelabai dailaus savo veido.

— Nežinau, kas aš toks, — atsiliepė jis.

— Na, bet jau tikrai ne valkata, — patikino ji. — Dar nebuvau sutikusi girtuoklio, kuris įstengtų partiesti tą riebalų maišą Sidą.

— Ir man taip atrodo.

— Verčiau garuojam iš čia, — paragino ji. — Atsigaivelėjęs ims klykauti.

Lukas pritariamai linktelėjo. Jis nebijojo Sido, bet netrukus čia gali išdygti ir daugiau farų, tad iki to laiko derėtų nuskuosti kuo toliau. Jis pro skylę tvoroje išlindo į gatvę ir sparčiu žingsniu patraukė tolyn. Jam iš paskos, kaukšėdama šaligatvį kulniukais, tipeno moteris. Jis sulėtino žingsnį, kad jinai galėtų prisivyti, jausdamas lyg ir kokį bendrumą su šia moteriške. Su jais abiem faras Sidas elgėsi negražiai.

— Smagu buvo stebėti, kaip Sidas užsirovė, — prabilo ji. — Aš tau už tai dėkinga.

— Ką tu.

— Na, kai bus stačias, rasi mane tame name.

Lukas pamėgino nuslėpti savo pasibjaurėjimą.

— Kuo tu vardu?

— Didi.

Jis nustebęs kilstelėjo antakį.

— Na, iš tikrųjų Dorisė Debs, — paaiškino plačiau. — Tačiau linksmai moteriškai reikia skambesnio vardo.

— O aš Lukas. Nežinau pavardės. Nieko neatsimenu.

— Oho. Tikriausiai jautiesi... keistokai?

— Pasimetęs.

— Aha, — tarė ji. — Sukosi ant liežuvio galo.

Jis dirstelėjo į ją. Jos veide švietė kreiva šypsenėlė. Suprato, kad ji iš jo šaiposi, ir jis pats nesusilaikė nešyptelėjęs.

— Aš pamiršau ne tik pavardę ar savo adresą, — paaiškino jis. — Net nežinau, kas apskritai esu.

— Kaip tai?

— Pavyzdžiui, nežinau, ar esu doras? — Galvoje šmėstelėjo mintis, kad kvaila išlieti širdį gatvinei, tačiau daugiau nebuvo kam. — Ar esu ištikimas vyras, mylintis tėvas ir geras darbuotojas? O gal koks nors nusikaltėlis? Ta nežinia tiesiog kamuoja.

— Branguti, jeigu tave tai jaudina, aš tau iš karto galiu pasakyti, koks tu. Nusikaltėlis klaustų savęs: ar aš turtingas? ar mušu mergšes? ar žmonės manęs bijo?

Jos žodžiuose buvo tiesos. Lukas pritariamai linktelėjo. Tačiau širdyje vis tiek kirbėjo abejonės:

— Galima tik norėti būti garbingu žmogumi, o gyventi visiškai priešingai.

— Sveikas atvykęs į žmonių pasaulį, branguti, — mestelėjo ji. — Visiems panašiai atrodo.

Tarpduryje ji dar stabtelėjo.

— Ilga buvo naktelė. Mano stotelė čia.

— Iki.

Ji kažko dvejojo.

— Nori patarimo?

— Klok.

— Jeigu nepageidauji, kad žmonės tave laikytų paskutine šiukšle, pasitempk. Nusiskusk, susišukuok, įsitaisyk padoresnį paltą, nes šis lyg ištrauktas iš šiukšlyno.

Lukui dingtelėjo, kad jos teisybė. Jeigu jis atrodys kaip koks šiukšlė, niekas neims su juo bendrauti, o ką jau kalbėti apie pagalbą.

— Ko gero, tu teisi, — sutiko jis. — Dėkui.

Jis apsigręžė ir nuėjo.

Ji dar šūktelėjo pavymui:

— Ir susirask kepurę!

Jis apsičiupinėjo galvą, o paskui apsižvalgė aplinkui. Iš visų praeivių tik jis vienas nedėvėjo kepurės. Tačiau iš kur driskiui traukti naujus drabužius? Už saujelę smulkių, kurie žvangėjo kišenėje, tikrai nieko nenusipirksi.

Staiga galvoje — blykst — nušvito išeitis. Arba galvosūkis visai nesudėtingas, arba jis jau buvo atsidūręs panašioje padėtyje. Patrauks į geležinkelio stotį. Stotyje visada pilna keleivių su drabužių prikimštais lagaminais, paprastai vyrai dar įsimeta ir skustuvą bei kitus tualetinius reikmenis.

Priėjęs pirmą sankryžą, perskaitė gatvių pavadinimus. A ir Septintosios sankryža. Išeidamas iš Centrinės stoties šįryt atkreipė dėmesį, kad ji dunkso netoli F ir Antrosios sankryžos.

Jis patraukė ton pusėn.

10 val. ryto

Pirmoji raketos pakopa sujungta su antrąja skląsčiais, užtaisytais sprogmenimis ir apsuptais spyruoklių. Raketos nešėjos kurui išdegus, sprogmenys detonuos, o spyruoklės nusvies šalin tuščią pirmąją pakopą.

Džordžtauno psichiatrijos ligoninė buvo įsikūrusi Viktorijos laikų pastate su moderniu plokščiastogiu priestatu. Bilė Džozefson pastatė savo raudoną fordą „Thunderbird" stovėjimo aikštelėje ir nuskubėjo į vidų.

Jautėsi nepatogiai dėl tokio savo vėlavimo. Galėjo pasirodyti nepagarbi darbui ir kolegoms. O jų visų darbas tikrai ypatingas. Lėtai ir kruopščiai jie gilinosi, kaip veikia žmogaus psichika. Tarsi tyrinėtų kokią nepažįstamą planetą, kurios paviršiaus lopinėlis tik retkarčiais blykstelėtų pro storus debesis.

Pasivėlino dėl mamos. Išleidusi Larį į mokyklą, Bilė turėjo lėkti piliulių širdžiai ir, grįžusi namo, rado Mamytę Bekę su visais drabužiais gulinčią ant lovos ir sunkiai gaudančią orą. Iškviestas daktaras netruko pasirodyti, bet jis tik pakartojo jau ne sykį girdėtus nurodymus. Mamytės širdelė streikuoja. Ėmus trūkti oro, reikia nedelsiant prigulti. Neužmiršti išgerti vaistų. Nesijaudinti.

Bilei knietėjo pasiteirauti:

— O man? Ar stresas man nekenkia?

Tačiau užuot paklaususi ėmėsi puldinėti apie mamą.

Ji stabtelėjo prie registratūros ir užmetė akį į budėjimo žurnalą. Vakar naktį, jai jau išėjus namo, atvežė naują pacientą: Džozefas Belou, šizofrenija. Pavardė pasirodė labai girdėta, tačiau nevaliojo prisiminti kur. Bilė nustebusi perskaitė, kad paryčiais jis jau buvo išrašytas. Keista.

Pakeliui į savo kabinetą praėjo poilsio kambarį. Įjungtame televizoriuje reporteris, stovintis smėliu sūkuriuojančiame paplūdimyje, pasakojo: „Čia, Kanaveralo kyšulyje, visiems ant liežuvio galo sukasi vienintelis klausimas: kada leisime raketą? Tai turėtų įvykti artimiausiomis dienomis".

Kambarys buvo pilnas Bilės pacientų, vieni žiūrėjo televizorių, kiti ką nors žaidė ar skaitė, treti abejingai spoksojo priešais save. Ji pasisveikindama pamojavo Tomui, jaunuoliui, kuris nepajėgė suvokti žodžių reikšmių.

— Kaip laikais, Tomi? — šūktelėjo ji.

Jis šyptelėjo ir atsakydamas pamojavo jai. Jis kuo puikiausiai suprasdavo kūno kalbą ir dažnai atsiliepdavo tarsi suprasdamas, kas jam sakoma, todėl Bilei prireikė ištisų mėnesių įsitikinti, jog jis nesupranta nė menkiausio žodelio.

Kampe Marlena, serganti alkoholizmu, flirtavo su jaunu sanitaru. Jai buvo penkiasdešimt metų, tačiau iš galvos iškrito viskas, kas įvyko nuo tada, kai ji buvo devyniolikos. Todėl laikė save vis dar jauna mergina ir nenorėjo pripažinti, kad ją mylintis ir globojantis „senis" yra jos vyras.

Pokalbių kambaryje išvydo Ronaldą, gabų architektą, susižalojusį galvą autoavarijoje. Jis popieriuje pildė testus. Vyras visiškai prarado gebėjimą skaičiuoti. Paprašius sudėti tris ir keturis, ilgiausiai kankindavosi, be galo lenkdamas pirštus.

Daugelis čia sirgo šizofrenija, kitaip sakant, buvo praradę ryšį su pasauliu.

Kai kuriems iš jų dar galima pagelbėti, vaistais ar elektrošoku, bet Bilė užsiimdavo tikslia jų ligos diagnoze. Tirdama nesunkius psichikos sutrikimus, atskleisdavo bendruosius žmogaus psichikos dėsnius. Architektas Ronaldas, pažvelgęs į priešais išrikiuotus daiktus, sugebėdavo pasakyti, ar jų yra trys, ar keturi, tačiau sustačius dvylika objektų, skaičiuodavo ilgai ir tai dar kartais suklysdavo. Iš to Bilė padarė išvadą, kad gebėjimas vienu žvilgsniu apmesti daiktų kiekį skiriasi nuo gebėjimo juos sąmoningai suskaičiuoti.

Tokiu būdu ji palengva braižė žmogaus proto žemėlapį: atmintis čia, kalba ten, matematika dar kitur. Ir jeigu sutrikimų sukeldavo nesunkus smegenų pažeidimas, Bilė galėdavo daryti prielaidą, kad koks nors gebėjimas kaip tik ir saugomas toje smegenų dalyje, kuri pažeista. Galų gale išaiškės, kokioje smegenų dalyje slypi koks gebėjimas.

Dirbant tokiais tempais kaip dabar, tai užtruks kokius du šimtus metų. Juk ji darbuojasi be niekieno pagalbos, viena. Jeigu turėtų pagalbininkų, stumtųsi į priekį kur kas greičiau. Gal dar suspėtų savo akimis išvysti tokį žemėlapį. Tai jos svajonė.

Nuo to laiko, kai nusižudė jos tėvas, psichiatrija labai pažengė į priekį. Tačiau psichika mokslininkams vis dar lieka didžiąja paslaptimi. Jeigu tik Bilė galėtų savo tyrimus vykdyti spėriau. Galbūt tada būtų galima padėti tokiems kaip jos tėtis.

Ji užlipo laiptais į antrą aukštą, mintyse stebėdamasi paslaptingu pacientu. Džozefas Belou. Skamba, lyg būtų išgalvota. Kaip jį galėjo išrašyti paryčiais?

Ji įėjo į savo kabinetą ir užmetė akį į po langais vykdomas statybas. Prie ligoninės kilo naujas priestatas, ir tai reiškė naujai atsirasiančias pareigas: tyrimų vadovė. Bilė padavė prašymą tam darbui. Kaip ir vienas bendradarbis, dr. Leonardas Rosas. Leonas buvo vyresnis už Bilę, tačiau ji buvo labiau patyrusi ir paskelbusi daugiau publikacijų: keliolika straipsnių ir knygą *Psichologiniai atminties apmatai*. Neabejojo, kad yra pajėgi nukonkuruoti Leoną, tačiau nežinojo, ar į šį postą nepretenduoja dar kas nors. Ji labai troško šito darbo. Gavusi darbą, vadovautų mokslininkų grupei ir galėtų sparčiau varytis į priekį su savo tyrimu.

Statybų aikštelėje ji tarp darbininkų pastebėjo ir kostiumuotų vyrų būrelį. Atrodė, tarsi apžiūrinėtų statybas. Geriau įsižiūrėjusi, tarp jų atpažino ir Leoną Rosą.

Ji pasiteiravo savo sekretorės:

— Ką ten po statybas vedžioja Rosas?

— Jie iš Sauerbio fondo.

Bilė susiraukė. Fondas finansuoja tą naująją pareigybę. Jų žodis renkant vadovą bus labai svarus. Ir Leonas ten jiems gerinasi.

— Ar žinojai, kad jie atvyksta šiandien?

— Leonas sakė, kad pasiuntė tau žinutę. Iš pat ryto buvo užsukęs pasikviesti ir jūsų, bet nerado.

Bilė buvo tikra, kad nebuvo jokios žinutės. Leonas tyčia apie tai nutylėjo.

— Po velnių, — susikeikė Bilė ir tekina pasileido į statybų aikštelę.

Džozefą Belou dar sykį prisimins tik po keleto valandų.

11 val. ryto

Kadangi raketa surinkta skubant, antrojoje ir trečiojoje pakopose įtaisyti ne nauji, o jau ketverius metus gaminami varikliai. Inžinieriai pasirinko sumažintą raketą *Sergeant*. Viršutines pakopas neš keliolika šių nedidelių raketų, vadinamų *Baby Sergeant*, sudėtų į krūvą.

Traukdamas Centrinės stoties link, Lukas kas minutę apsižvalgydavo, ar kas nors jo neseka. Sekliai pametė jį prieš kokią valandą ir, galimas daiktas, dabar jo ieško. Ši mintis jį gąsdino ir glumino. Kas jie tokie ir ką rezga? Intuicija jam kuždėjo, kad iš jų gero nelauk. Priešingu atveju — kam slapta jį sektų?

Jis išvaikė tokias mintis sau iš galvos. Spėliojimai — tik tuščias laiko gaišimas. Reikia pačiam išsiaiškinti. Bet pirmiausia reikia pačiam apsišvarinti. Jis buvo sumanęs nudžiauti kokio keleivio lagaminą. Jautė, kad kažkada jam yra tekę tai daryti. Galvoje kažkodėl blykstelėjo sakinys prancūzų kalba: *La valise d'un type qui descend du train.*

Tai nebus taip paprasta. Jo purvini apdriskę drabužiai tarp dailiai apsitaisiusių keleivių visiems bematant kris į akį. Reikės žaibiškai išgaruoti. Tačiau kito kelio nėra. Gatvinė Didi buvo teisi. Niekas su driskiumi net į kalbas nesileis.

Jeigu jį sučiuptų policija, nieku gyvu nepatikėtų, kad jis iš tikrųjų ne valkata. Atsidurtų kalėjime. Nuo tos minties net nugara nuėjo pagaugais. Ne tiek baugino mintis būti patupdytam į cypę, kiek ilgi nežinios mėnesiai, sukant galvą, kas jis toks.

Prieš akis Masačiūsetso aveniu išvydo baltą granitinį Centrinės stoties kupolą, primenantį kokią nors romanišką Normandijos katedrą. Kai mintyse perkratė būsimos vagystės planą, jis neabejojo, kad po visko reikia akimirksniu dingti. Parankiausia — automobiliu. Vos tik toptelėjo ši mintis, jis jau žinojo, kaip tai padaryti.

Prie stoties stovėjo daugybė automobilių. Dauguma greičiausiai palikti keleivių, atvykusių į traukinį. Jis sulėtino žingsnį, išvydęs netoliese sustojantį automobilį. Tai buvo melsvas fordas „Fiesta", pakankamai naujas, bet neišsiskiriantis. Puikiausiai tiks. Užvedamas rakteliu, ne svirtele, tačiau nebus keblu išplėšti laidus ir aplenkti užraktą.

Mintyse klausė savęs, kur galėjo išmokti tokių vingrybių.

Iš fordo išlipo vyriškis tamsiu lietpalčiu, iš bagažinės išsitraukė lagaminą ir patraukė stoties link.

Kažin ar ilgam jis išvyksta. Gali būti, kad tik trumpam užsuks į stotį ir po penkių minučių sugrįš. Ir praneš, kad pavogtas automobilis. Tokiu atveju Lukas rizikuotų bet kurią akimirką būti sučiuptas. Nieko gero. Būtina išsiaiškinti, kur tas vyras vyksta.

Ir nusekė paskui jį į stotį.

Stotis, rytą dar atrodžiusi lyg kokia apleista bažnyčia, dabar tiesiog ūžė kaip bičių avilys. Jis suprato, kad šioje išsipuošusių žmonių jūroje iš karto atkreips į save dėmesį. Daugelis nusukdavo akis į šalį, tačiau pasitaikė ir pasibjaurėjimo ar net paniekos kupinų žvilgsnių. Jam dingtelėjo, kad tik nesusidurtų su ryte juos iš čia išvijusiu tarnautoju. Kiltų triukšmas. Tas vyriokas bematant jį atpažintų.

Fordo savininkas stojo į eilę prie bilietų. Lukas atsistojo už jo. Nudelbė akis į grindis, stengdamasis nesutikti kieno nors žvilgsnio, kad neatkreiptų į save dėmesio.

Eilė pajudėjo, ir jo taikinys atsidūrė prie langelio.

— Į Filadelfiją, atgalinis vakare, — paprašė jis.

Lukui tik tiek ir reikėjo. Iki Filadelfijos geras gabalas kelio. Vyro nebus visą dieną. Kol negrįš, niekas nesuuos, kad jo automobilis nuvarytas. Iki pat vakaro bus galima ramiausiai juo naudotis.

Lukas išsmuko iš eilės ir nuskubėjo lauk.

Lauke jautėsi kur kas laisviau. Gatvėse netgi valkatos gali sau nekliudomi vaikščioti. Jis grįžo į Masačiūsetso aveniu ir susirado fordą. Kad vėliau netektų gaišti, nutarė išlaužti jį iš anksto. Apsidairė aplinkui. Vis šmėkštelėdavo koks praeivis ar prabirbdavo automobilis. Blogiausia, kad jis atrodo lyg koks nusikaltėlis. Tačiau taip gali stovėti čia iki pat vakaro ir laukti, kol nieko arti nebus. Tiesiog būtina viską atlikti mikliai.

Jis nužengė nuo šaligatvio, apėjo automobilį ir sustojo prie vairuotojo durelių. Delnus prispaudęs prie stiklo, užgulė jį. Jis nė nesujudėjo iš vietos. Lukui net išdžiūvo burna. Jis skubiai apsižvalgė: kol kas jo niekas nepastebėjo. Pasistiebė ant pirštų galų ir užgulė stiklą visu svoriu. Galų gale tas per plyšelį prasivėrė.

Pravėręs jį plačiau, įkišo ranką ir atspaudė durų užraktą. Įsmuko vidun, sukdamas rankenėlę vėl pakėlė stiklą ir uždarė duris. Viskas dabar paruošta greitai atsitraukti.

Pasvarstė, ar nevertėtų užvesti variklio ir palikti jį veikti, tačiau pabijojo atkreipti pro šalį einančio policininko ar šiaip kokio smalsaus praeivio dėmesį.

Lukas sugrįžo į Centrinę stotį. Nepajėgė atsikratyti nerimo, kad prie jo prikibs koks tarnautojas. Ne, nebūtinai tas, su kuriuo tada susikirto — bet kuris pedantiškesnis darbuotojas gali pajusti teisuolišką pareigą išgrūsti jį lauk, panašiai kaip pakelti ir išmesti kokį saldainių popierėlį. Kaip įmanydamas stengėsi nekristi niekam į akis. Ėjo ramiu žingsniu, stengdamasis laikytis arčiau sienų, saugojosi, kad neitų kam skersai kelio ir vengė susitikti kieno nors žvilgsnį.

Patogiausia nugvelbti lagaminą perone, kai atvykus traukiniui plūsteli žmonių jūra. Jis ėmėsi studijuoti traukinių atvykimo ir išvykimo grafiką. Po dvylikos minučių atvyksta Niujorko ekspresas. Tiks.

Jam taip tyrinėjant grafiką, aiškinantis, kuriame kelyje sustos traukinys, staiga nugara nuėjo pagaugais.

Jis apsidairė aplinkui. Ko gero, pastebėjo kažką akies krašteliu, kažką, kas siuntė pavojaus signalą. Tačiau ką? Širdis ėmė smarkiau plakti. Kas jį taip išgąsdino?

Kad nebūtų toks pastebimas, pasitraukė tolėliau nuo tvarkaraščio ir, sustojęs prie spaudos kiosko, pradėjo skaitinėti laikraščių antraštes:

RAKETA RUOŠIAMA DIENĄ NAKTĮ

SUČIUPTAS DEŠIMTIES ŽMONIŲ ŽUDIKAS

DALESAS REMIA BAGDADO VALDŽIĄ

PASKUTINIS ŠANSAS KANAVERALO KYŠULYJE

Po kurio laiko jis atsargiai žvilgtelėjo sau per petį. Keliasdešimt keleivių šmižinėjo po laukimo salę, skubėdami į peroną arba iš jo. Antra tiek sėdėjo įsitaisę raudonmedžio suoluose, giminės ir šoferiai ramiai stoviniavo, laukdami Niujorko ekspreso. Prie restorano durų, laukdamas ankstyvų lankytojų, sustingo virėjas. Penki nešikai, traukiantys dūmą draugėje...

Ir du sekliai.

Jis tuo visiškai neabejojo. Du jauni vyrai, tvarkingai apsirengę lietpalčiais, skrybėlėti ir iki blizgesio nušveistais batais. Tačiau juos labiau išdavė ne išvaizda, o elgesys. Jie be perstojo šaudė akimis po salę, tyrinėjo žmonių veidus, žvalgėsi po kiekvieną kertelę... Žiūrinėjo visur, išskyrus traukinių tvarkaraštį. Juos domino viskas, tik ne kelionės.

Lukui kilo pagunda juos užkalbinti. Net pats nustebo, kad žmogui taip reikia paprasčiausio žmogiško kontakto su tais, kurie jį bent šiek tiek pažįsta. Kaip būtų smagu išgirsti: „Labutis, Lukai, kaip laikaisi? Senokai matėmės!".

Tačiau šiedu greičiausiai jam pasakytų: „Mes iš FTB, jūs suimamas". Lukas net su tam tikru palengvėjimu pagalvojo apie tokią perspektyvą, tačiau instinktyviai susilaikė nuo tokio žingsnio. Traukė prieiti prie jų, tačiau protas kuždėjo, kad nesekiotų jam vogčiomis iš paskos, jeigu neregztų ką nors nelemta.

Jis nusisuko į kitą pusę ir pasišalino, stengdamasis laikytis taip, kad jį nuo seklių užstotų spaudos kioskas. Prie pat išėjimo vogčiomis dirstelėjo per petį. Tiedu žengė skersai salę.

Kas, po velnių, jie tokie?

Jis išėjo iš stoties pastato, pasivaikščiojo keletą žingsnių pasieniui ir apsisukęs vėl įsmuko vidun. Dar spėjo išvysti, kaip prie galinio išėjimo sušmėžavo dviejų seklių nugaros.

Lukas dirstelėjo į laikrodį. Praėjo jau dešimt minučių. Niujorko ekspresas pasirodys po dviejų minučių. Jis nuskubėjo prie atvykimo kelio ir atsistojo už laukiančiųjų nugarų.

Pasipylus pirmiesiems keleiviams, įtampa atlėgo, ir Lukas ėmė juos atidžiai tyrinėti. Buvo trečiadienis, pats savaitės vidurys, todėl išlipo daugybė verslininkų ir kariškių, tačiau turistų nebuvo daug, o moterų ir vaikų apskritai vos saujelė. Lukas dairėsi panašaus savo ūgio ir sudėjimo vyro.

Keleiviai plūstelėjo iš perono į salę, laukusieji metėsi pirmyn, ir susidarė tikra maišalynė. Žmonės iš pradžių susigrūdo prie išėjimo iš perono, o paskui ėmė sklaidytis po šalis, į vidų vis irzliai besispraudžiant keleiviams. Lukas pastebėjo savo ūgio vyriškį, tačiau šis vilkėjo kelionine striuke ir greičiausiai savo krepšyje nesiveža išeiginio kostiumo. Lukas praleido ir vieną pagyvenusį vyriškį, kuris buvo tinkamo ūgio, tačiau per liesas. Kitas atitiko ir ūgiu ir sudėjimu, tačiau nešėsi tik rankinę.

Pro šalį jau praėjo koks šimtas keleivių, tačiau nesimatė jų galo. Laukimo salę užplūdo skubančių išeiti keleivių banga. Kartu su jais pasirodė ir toks vyras, kokio Lukas ir laukė. Tokio paties ūgio, sudėjimo ir amžiaus. Po prasegtu pilkšvu lietpalčiu vilkėjo sportinį švarką ir vilnones kelnes, vadinasi, gelsvame lagamine, kurį nešėsi dešiniojoje rankoje, greičiausiai guli išeiginis kostiumas. Vyriškis sparčiai žengė susirūpinusiu veidu, tarsi vėluotų į skubų susitikimą.

Lukas įsimaišė į minią ir, prisiyręs prie vyro, prisiklijavo prie nugaros.

Spūstis slinko į priekį sraigės lėtumu, ir Luko sekamasis irzliai slinko kartu su srautu. Vėliau grūstis praretėjo, ir vyras išsyk nėrė priekin į susidariusį tarpą.

Lukas nieko nelaukdamas pakišo jam koją, ir vyriškis, riktelėjęs iš nuostabos, išsitiesė kaip ilgas. Krisdamas paleido lagaminą ir saugodamasis ištiesė rankas priešais save. Griūdamas įsirėžė į kailiniuotą moterį priešais ir ši, partrenkta nuo kojų, klyktelėjusi parvirto. Vyras smarkiai dunkstelėjo į marmuro grindis, jo skrybėlė nuriedėjo į pašalį. Šalia tysojo ir moteris, išleidusi iš rankų prašmatnų odinį lagaminą.

Aplinkui juos tučtuojau susispietė klausinėjantys žmonės:

— Jūs nesusižeidėte?

Lukas sau ramiai pakėlė gelsvą lagaminą ir sparčiu žingsniu patraukė prie artimiausio išėjimo. Nesidairė atgal, tačiau įtempęs ausis klausėsi, ar nepasigirs kokie šauksmai jam pavymui. Jei jį vytųsi, jis pasileistų tekinas — taip lengvai naujų savo drabužių neatiduos, ir kažkodėl buvo tikras, kad sugebėtų pasprukti net ir su lagaminu rankoje. Tačiau sparčiu žingsniu žengdamas išėjimo link jautėsi taip, lyg visų akys būtų įsmeigtos į jį.

Prie durų vogčiomis dirstelėjo pro petį. Žmonės vis dar būriavosi apie tą pačią vietą. Nesimatė nei pargriauto vyro, nei tos kailiniuotos moters. Tačiau kažkoks aukštas vyriškis rimta veido išraiška skvarbiai žvalgėsi po laukimo salę, tarsi ko nors ieškotų. Staiga jis grįžtelėjo į Luką.

Lukas skubiai nėrė pro duris.

Atsidūręs lauke, patraukė Masačiūsetso aveniu. Po kokios minutės jau buvo prie fordo „Fiestos". Mašinaliai priėjo prie bagažinės pasidėti nugvelbtą lagaminą, tačiau ji buvo užrakinta. Prisiminė, kad savininkas ją užrakino. Pro petį dar dirstelėjo stoties pusėn. Aukštasis vyriškis, šmėžuodamas tarp automobilių, bėgo jo link. Faras civiliniais drabužiais? Detektyvas? Smalsus prašalietis?

Lukas metėsi prie vairuotojo durelių, nusviedė lagaminą ant užpakalinės sėdynės ir įšoko vidun. Pasikrapštęs po vairu, abipus užvedimo spynelės užčiuopė laidus, išplėšė juos ir brūkštelėjo vieną į kitą. Nieko. Kaktą išpylė prakaitas, nors buvo žiema. Kodėl variklis neužsiveda? Staiga jam toptelėjo: ne tas laidas. Vėl griebėsi čiupinėti po vairu. Užvedimo spynelės dešinėje aptiko dar vieną laidą. Nutraukė jį ir dabar brūkštelėjo į kairįjį.

Sugaudė starteris.

Jis nuspaudė akceleratorių, ir variklis užsivedė.

Įjungė pirmąją pavarą, nuleido stovėjimo stabdį, įžiebė žibintus ir trūktelėjo iš vietos. Automobilis stovėjo nosimi į stotį, todėl jis apsisuko ir nuvažiavo.

Veidą nušvietė šypsena. Jeigu tik sėkmė nuo jo visiškai nenusisuko, lagamine turėtų gulėti nauji drabužiai. Pajuto, kad pagaliau darosi savo gyvenimo šeimininkas.

Dabar reikia surasti vietą, kur galėtų nusiprausti ir persirengti.

Vidudienis

Antrąją pakopą sudaro vienuolika *Baby Sergeant* apjuostas cilindras. Trečiąją trauks trys *Baby Sergeant*. Virš trečiosios pakopos įtaisyta ketvirtoji — raketa su palydovu, pritvirtintu jos viršūnėje.

Minutes skaičiuojančiame laikrodyje iki raketos paleidimo valandos X švietė skaičius 630, ir Kanaveralo kyšulyje darbas tiesiog virte virė.

Tokie jau tie raketų kūrėjai: jei vyriausybei taip reikia, padarys kokį ginklą, tačiau tikra svajone visada likdavo kosmosas. *Explorer* komanda yra sukūrusi ir paleidusi daugybę raketų, tačiau ši pirmoji turės išsiplėšti iš Žemės traukos ir įskrieti į atvirą kosmosą. Šiąnakt numatomas startas daugumai reikš didžiausios gyvenimo svajonės išsipildymą. Elspetė jautėsi lygiai taip pat.

Visa komanda išsibarsčiusi dirbo angaruose D ir R, kurie stovėjo visai greta vienas kito. Įprastiniai lėktuvams skirti angarai kuo puikiausiai tiko ir raketoms: viduje daug erdvės, o šonuose dviem aukštais įrengtos patalpos kabinetams ir nedidelėms laboratorijoms.

Elspetė darbavosi R angare. Jos stalas su rašomąja mašinėlė stovėjo viršininko Vilio Frederiksono, paleidimo vadovo, kabinete, nors jo paties čia beveik niekada ir nebūdavo. Jos užduotis buvo tikslinti ir visiems išdalyti paleidimo tvarkaraštį.

Bėda tiktai ta, kad tvarkaraštis be paliovos keitėsi. Amerikoje iki šiol dar niekas nėra paleidęs į kosmosą raketos. Vis kildavo kokių nors nenumatytų nesklandumų, ir inžinieriams tekdavo nuolat sukti galvą, kaip išspręsti vieną ar kitą kebeknę.

Taigi Elspetei tekdavo nuolat tikslinti tvarkaraštį. Ji privalėjo nuolat palaikyti ryšį su visomis darbo grupėmis, pasižymėti darbų plano pakeitimus savo bloknote, vėliau juos išspausdinti ir padauginus visiems išdalyti. Privalėjo žinoti viską iki menkiausios smulkmenos. Atsiradus kokiai kliūčiai, tučtuojau ją sužinodavo, viena pirmųjų išgirsdavo ir apie rastą sprendimą. Ji ėjo sekretorės pareigas, gaudavo sekretorės atlyginimą, tačiau tokį darbą galėjo dirbti tik žmogus, turintis aukštąjį išsilavinimą. Tačiau menku užmokesčiu ji nesiskundė. Jautė pasitenkinimą dirbti nuolat pasitempusi. Kai kurios bendrakursės iš Redklifo vis dar barškina mašinėlėmis pilkais kostiumais vilkinčių vyriškių diktuojamus raštus.

Vidurdienio pataisos jau buvo paruoštos, ir ji, pasičiupusi popierių šūsnį, suskubo juos išnešioti. Jau buvo visai nusiplūkusi, tačiau tai padėjo pamiršti nerimą dėl Luko. Jeigu pasiduotų savo nerimui, tai tik sėdėtų prie telefono ir kas penkias minutes skambintų Entoniui teiraudamasi naujų žinių. Tačiau tai nebūtų išmintinga. Ji sau kartojo, kad jeigu kas vyktų ne taip, jai bematant praneštų. O dabar verčiau susitelkti ties savo darbu.

Iš pradžių ji pasuko į ryšių su visuomene skyrių, kurio darbuotojai sėdėjo užgulę telefonus ir pranešinėjo saviems žurnalistams, kad šiąnakt numatomas paleidimas. Kariuomenė norėjo savo triumfą įamžinti. Tačiau žinia gali būti paskelbta jau po paleidimo. Numatyti raketos startai, iškilus netikėtoms kliūtims, dažnai atidėlioti ar net apskritai atšaukti. Iš savo karčios patirties raketininkai žinojo, kad dar vienas paleidimo nukėlimas dėl techninių priežasčių laikraščiuose gali atsispindėti kaip visiškas žlugimas. Todėl tarp jų ir pagrindinių žinių tarnybų galiojo abipusis susitarimas: Kanaveralo kyšulio darbuotojai pranešdavo apie numatomą startą tik su sąlyga, kad apie tai nebus nieko skelbiama, kol raketa „neužsiliepsnos", kitais žodžiais tariant, kol nebus paleistas jos variklis.

Čia triūsė vieni vyrai, ir dauguma jų įsispitrijo į ją, kai kaukšėjo prie kito patalpos galo įteikti tvarkaraštį skyriaus vedėjui. Ji žinojo, kad traukia vyrų dėmesį skaisčiu veidu ir aukšta, stotinga figūra, tačiau, antra vertus, kažką turėjo tokio, kas vyrus ir sulaikydavo, — gal kietai sučiauptos lūpos ar šaltas žalsvų akių žvilgsnis. Vyrams taip ir knietėdavo švilptelėti jai pavymui ar šūktelti.

Raketų paleidimo laboratorijoje prie darbastalio užtiko penketą rankoves pasiraitojusių inžinierių, kurie suraukę kaktas apžiūrinėjo kažkokį metalo lakštą; jis atrodė lyg būtų ką tik ištrauktas iš ugnies. Grupės vadovas dr. Keleris pasilabino:

— Laba diena, Elspete.

Kalbėjo laužyta anglų kalba. Kaip ir daugelis kitų mokslininkų, jis buvo vokietis, karo pabaigoje sučiuptas ir atgabentas į Ameriką vykdyti kosmoso programos.

Elspetė ištiesė jam tvarkaraštį, jis paėmė kopiją nė nežvilgtelėjęs. Elspetė galva linktelėjo į metalo lakštą ant stalo ir pasiteiravo:

— O kas čia?

— Raketos sparnas.

Elspetė žinojo, kad pirmosios pakopos apačioje įtaisyti sparnai.

— O kas atsitiko?

— Degantis kuras išėda metalą, — paaiškino jis.

Jam įsileidus į pasakojimą apie savo darbus, vokiškas akcentas dar labiau sustiprėdavo.

— Na, kažkiek visada nuėda. Tačiau užpylus įprasto skystojo kuro sparnai atlaiko kiek reikia. Šiandien išbandėme naują kurą, hidiną, kuris dega ilgiau ir didesne galia, tačiau visiškai suėda sparnus ir raketa tampa nevaldoma.

Susierzinęs jis skėstelėjo rankomis.

— Neturėjome pakankamai laiko bandymams.

— Na, man tik reikėtų sužinoti, ar dėl to teks atidėti skrydį.

Nuolatiniai atidėliojimai ir laukimas ją tiesiog pribaigs.

— Kaip tik tai ir svarstome.

Keleris apvedė akimis kolegas.

— Ir manau, kad mūsų atsakymas bus toks: surizikuosim.

Visi tik niauriai linktelėjo. Elspetei net palengvėjo.

— Laikysiu špygas, — tarė ji ir apsisuko eiti.

— Ir mums nieko kito nelieka, — atsiliepė Keleris, ir visi karčiai nusijuokė.

Ji vėl išėjo į plieskiančią Floridos saulę. Angarai stovėjo smėlio aikštėje, kuri buvo švariai išvalyta — nebelikę kyšulį želiančių neaukštų krūmokšnių, — palmyčių, žemų ąžuoliukų ir dygios žolės, į kurią eidamas basas susipjaustytum kojas. Ji kirto dulkiną aikštelę ir įžengė į angarą D, kurio šešėlis palietė veidą lengvu šaltuku.

Telemetrijos skyriuje išvydo Hansą Miulerį, visų vadinamą Henku. Jis parodė į ją pirštu ir tarė:

— Šimtas trisdešimt penki.

Tai buvo jų žaidimas. Ji turėdavo pasakyti, kuo koks nors skaičius ypatingas.

— Visiškai lengva, — atsiliepė ji. — Prie pirmojo skaičiaus pridėjus antrąjį skaičių kvadratu ir trečiąjį kubu, gausime tą skaičių, kurį pasakei.

Ji užrašė lygtį:

$$1^1+3^2+5^3=135$$

— Ką gi, — tarė jis. — O koks kitas, aukštesnis skaičius, kuriam tinka ši lygtis?

Ji gerokai pamąstė ir atsakė:

— Šimtas septyniasdešimt penki.

$$1^1+7^2+5^3=175$$

— Teisingai! Laimėjai aukso puodą.

Jis pasirausė kišenėse ir ištraukė dešimt centų.

Ji juos paėmė.

— Aha.

Jis suraukė kaktą.

— Palauk. Sudėk skaičių kubus.

$$1^1+3^3+6^3=244$$

— Dabar pakartok tą patį su suma ir gausi pirmąjį skaičių!

$$2^3+4^3+4^3=136$$

Ji grąžino dešimt centų jam atgal ir padavė tvarkaraštį.

Jau išeidama iš kambario, akimis užkliuvo už prismeigtos prie sienos telegramos: PADARIAU SAVO MAŽĄJĮ PALYDOVĄ, DABAR TAVO EILĖ. Miuleris pastebėjo, kad ji skaito telegramą ir paaiškino:

— Tai nuo Štiulingerio žmonos.

Štiulingeris vadovavo visam tyrimų skyriui.

— Ji pagimdė berniuką, — šyptelėjo Elspetė.

Ryšių skyriuje ji sutiko ir Vilį Fredriksoną, kuris drauge su dviem inžinieriais bandė teletaipo ryšį su Vašingtonu. Viršininkas buvo aukštas liesas vyras pliku lyg kokio vienuolio viršugalviu. Teletaipas vis strigo, ir Vilis buvo suirzęs, tačiau paimdamas iš jos rankų popierius nusišypsojo ir tarė:

— Elspete, tu mūsų brangakmenis.

Netrukus prie Vilio prisistatė dviese: jaunas karininkas su diagrama ir Stimensas, vienas iš mokslininkų grupės. Karininkas pranešė:

— Turim bėdą.

Jis ištiesė Viliui diagramą ir paaiškino:

— Reaktyvinis vėjas pasisuko į pietus, greitis šimtas keturiasdešimt šeši mazgai.

Elspetei net paširdžius sugniaužė. Ji suprato, ką tai reiškia. Reaktyviniu vadinamas aukštuminis vėjas, pučiantis stratosferoje nuo trisdešimties iki keturiasdešimties tūkstančių pėdų aukštyje. Šiaip pučia šalia Kanaveralo kyšulio, tačiau gali ir pasisukti. Ir jeigu vėjo greitis pernelyg didelis, gali nukreipti raketą nuo kurso. Vilis pasiteiravo:

— Kiek jis pasislinko į pietus?

— Kabina visą Floridą, — atsakė karininkas.

Vilis atsigręžė į Stimensą.

— Mes tam pasiruošę, ar ne?

— Ne visai, — atsiliepė Stimensas. — Teoriškai esame paskaičiavę, kad raketa gali atsilaikyti prieš šimto dvidešimties mazgų gūsius.

Vilis atsigręžė į karininką.

— Kokios prognozės šiai nakčiai?

— Vėjas — iki šimtas septyniasdešimt septynių mazgų; nepanašu, kad reaktyvinis vėjas vėl pasisuktų į šiaurę.

— Velniava.

Vilis persibraukė delnu glotnų savo viršugalvį. Elspetė žinojo, kokios mintys dabar sukasi jo galvoje. Gali tekti paleidimą nukelti rytdienai.

— Paleiskite oro zondą, — paliepė jis. — Penktą valandą dar sykį patikrinsime.

Elspetė pasižymėjo, kad reikia į tvarkaraštį įtraukti oro aptarimą penktą valandą ir, nukabinusi nosį, prislėgta naujausių žinių, išėjo. Galima ištaisyti techninius nesklandumus, tačiau oro niekaip nepaveiksi.

Lauke įlipo į džipą ir nuvažiavo 26 paleidimo aikštelės link. Per krūmokšnius ten vedė dulkėtas neasfaltuotas kelias, ir džipas siūbuodamas kratėsi vėžėmis. Ji pastebėjo elnią, geriantį iš pakelės griovio, kuris, išvydęs džipą, nėrė į brūzgynus. Šiuose krūmokšniuose apstu gyvūnijos. Girdėjo pasakojant, kad esama net aligatorių ir Floridos panterų, tačiau Elspetei nepasitaikė jų sutikti.

Ji privažiavo prie blokinio pastato ir pažvelgė į stovintį už šimto metrų paleidimo įrenginį 26 B. Tai buvo perdirbtas naftos gręžinio bokštas, siekiant apsaugoti jį nuo drėgno ir druskingo Floridos oro, nudažytas oranžiniais antikoroziniais dažais. Visas stovas padirbtas žiauriai praktiškai, atrodė negrabiai, ir Elspetė pagalvojo, kad šios struktūros išvaizda visiškai nesvarbi, svarbu, kad ji veiktų.

Aukšta ilga *Jupiterio C* raketa stovėjo apraizgyta oranžinių santvarų kaip koks žiogas, susipainiojęs voratinklyje. Vyrai, nors forma ir panėšėjo į falą, vadindavo raketą „ji", ir Elspetė taip pat laikė ją moteriškos giminės. Atgabentos čia raketos viršutinės pakopos iš karto buvo lyg kokios nuotakos uždengtos audeklu nuo pašalinių akių; dabar jis jau buvo nuimtas, raketa stovėjo visu savo gražumu ir saulė blyksėjo ant šviečiančio dažais jos korpuso.

Mokslininkams politika nelabai rūpėjo, tačiau netgi jie žinojo, kad viso pasaulio akys šiuo metu nukreiptos į juos. Beveik prieš keturis mėnesius Sovietų Sąjunga apstulbino pasaulį, paleidusi pirmąjį kosminį palydovą *Sputniką*. Visame pasaulyje, kuriame nuo Indijos iki Italijos, Lotynų Amerikoje, Afrikoje ir Indokinijoje aršiai grūmėsi kapitalizmas ir komunizmas, visiems prikišamai buvo parodyta, kad komunistinis mokslas yra pats pažangiausias. Po mėnesio sovietai paleido antrą palydovą su šunimi *Sputniką 2*. Amerika buvo sugniuždyta. Šiandien skrenda šuo, rytoj — jau žmogus.

Prezidentas Eizenhaueris pažadėjo, kad iki metų pabaigos Amerika paleis savo palydovą. Pirmą gruodžio penktadienį, penkiolika minučių po vidurdienio, pasaulio žiniasklaidos akivaizdoje JAV oro pajėgos paleido raketą *Vanguard*. Ji pakilo per kokį metrą nuo žemės, apsipylė liepsnomis, pasiūbavo į šonus, tėškėsi į žemę ir subiro į šipulius. TAI KRITUOLNIKAS! — skelbė viena antraštė.

Jupiteris C liko paskutinė Amerikos viltis. Daugiau trauktis nėra kur. Jeigu ir šįkart viskas žlugs, JAV beviltiškai atsiliks lenktynėse dėl kosmoso. Propagandinis pralaimėjimas dar nebūtų pats blogiausias dalykas. JAV kosminė programa užklimptų, ir artimiausioje ateityje kosmose vienvaldiškai šeimininkautų Sovietų Sąjunga.

„Ir viskas, — pagalvojo Elspetė, — priklauso tik nuo šitos vienos raketos".

Prie paleidimo aikštelės buvo draudžiama privažiuoti, išskyrus sunkvežimius su kuru, todėl ji paliko savo automobilį ir nuo blokinio pastato pėsčiomis patraukė starto aikštelės link, sekdama tarp jų nutiestu kabeliu. Bokšto apačioje ant žemės stovėjo ilga metalinė kabina tokios pat oranžinės spalvos, kurioje buvo įsikūrusi aparatinė. Elspetė atidarė metalines duris ir įžengė į vidų.

Bokštelio prižiūrėtojas Haris Leinas, įnikęs į brėžinius, su šalmu ir auliniais batais, sėdėjo ant sulankstomosios kėdės.

— Labutis, Hari! — linksmai šūktelėjo ji.

Jis kažką sumurmėjo atsakydamas. Nemėgo, kad kokios moterys sukiotųsi apie starto aikštelę, ir jokie džentelmeniški sentimentai jo negraudino.

Ji švystelėjo tvarkaraštį ant geležinio stalelio ir pasišalino. Sugrįžo į skrydžio stebėjimo centrą, žemą šviesų pastatą siaurais storo žalio stiklo langais. Storos durys buvo praviros, ir ji įžengė per slenkstį. Viduje buvo trys skyriai: stebėjimo aparatūros, užimantis pusę viso pastato, ir du stebėjimo galai, — A kairėje ir B dešinėje, — pasukti į dvi paleidimo aikšteles, valdomas šito skrydžio stebėjimo centro. Elspetė patraukė į A galą.

Ryški saulė, besiskverbianti pro žalią stiklą, metė keistą šviesą, ir viduje jauteisi tarsi akvariume. Palei langą, prie kontrolinių skydelių eilės, sėdėjo virtinė mokslininkų. Visi kaip vienas pasiraitoję rankoves, tarsi tai būtų kokia uniforma. Per garsiakalbį ir ausines jie palaikė ryšį su paleidimo aikštele. Pakėlę galvą nuo prietaisų skydelių, jie galėjo pačią raketą matyti pro langus arba šalia įtaisytuose monitorių ekranuose. Palei galinę skrydžių valdymo skyriaus sieną išsirikiavę stovėjo kiti darbuotojai ir žymėjosi savo bloknotuose temperatūras, slėgį kuro cisternoje ir elektros laukus. Tolimajame kampe indikatorius rodė raketos svorį. Buvo justi tyli įtampa, prie pultų sėdintieji kažką murmėjo į savo mikrofonus ir be perstojo perjunginėjo mygtukus, sukinėjo rankenėles, stebėjo besikeičiančias padalas ir skaičius. Virš jų galvų laiką iki raketos paleidimo skaičiavo laikrodis. Kai Elspetė į jį dirstelėjo, skaičiai kaip tik pasikeitė iš 600 į 599.

Ji įteikė tvarkaraštį ir išėjo. Važiuojant atgal į angarą, galvoje ėmė suktis mintys apie Luką, ir ji pamanė turinti puikų pretekstą dar sykį paskambinti Entoniui. Papasakos jam apie reaktyvinį vėją, podraug pasiteiraus žinių apie Luką.

Nuo šitos minties ji kaipmat atkuto ir tiesiog skriete užlėkė laiptais į savo kabinetą. Surinko Entonio numerį ir užtiko jį prie telefono.

— Greičiausiai startą teks atidėti rytojaus dienai, — raportavo ji. — Stratosferoje uraganiniai vėjai.

— Nemaniau, kad vėjai pučia ir ten.

— Tas vėjas vadinamas reaktyviniu. Na, galutinai dar nenuspręsta, penktą susirinkimas dėl oro sąlygų, tuomet ir nutarsime. Kaip Lukas?

— Skambtelėk, kai jis baigsis, gerai?

— Žinoma. Kaip Lukas?

— Na, esama šiokių tokių nesklandumų.

Jos širdis vos neiššoko iš krūtinės.

— Kokių nesklandumų?

— Pametėme jo pėdsakus.

Elspetei per nugarą perbėgo šaltukas.

— Ką?

— Paspruko nuo mano vyrų.

— Jėzau, — tarė ji. — Dabar tai bus.

1941

Lukas parsirado į Bostoną jau paryčiais. Pastatė savo senutėlį fordą, įsmuko į bendrabutį pro galines duris ir užpakaliniais laiptais užlipo į savo kambarį. Entonis kietai miegojo. Lukas nusiprausė veidą ir su marškiniais krito į lovą.

Jį pažadino Entonis, purtydamas petį ir šaukdamas:

— Lukai! Kelkis!

Jis pramerkė akį. Žinojo, kad atsitiko kažkas labai svarbaus, tik niekaip nevaliojo prisiminti kas.

— Kiek valandų? — sumurmėjo jis.

— Jau pirma, apačioje tavęs laukia Elspetė.

Išgirdęs Elspetės vardą, jis prisiminė, kokia neganda jį ištiko. Jis jos nebemyli.

— Dievulėliau, — pratarė jis.

— Neversk jos laukti.

Jis įsimylėjo Bilę Džozefson. Tikra velniava. Ji apvers aukštyn kojom jų likimus: jo paties, Elspetės, Bilės ir Entonio.

— Velniava, — pasakė jau balsu ir atsikėlė.

Nusimetė marškinius ir palindo po šaltu dušu. Užsimerkęs išvydo priešais save Bilę: blizgančias tamsias jos akis, raudonas kaip vyšnia lūpas ir grakštų kaklą. Įšoko į kelnes, užsivilko megztinį, apsiavė sportinius batelius ir nenoromis nusvirduliavo žemyn.

Elspetė lūkuriavo fojė, merginoms toliau eiti buvo draudžiama, išskyrus specialias popietes su merginomis. Fojė buvo erdvi, su židiniu ir minkštasuoliais. Ji atrodė tokia pat žavi kaip visada, vilkėjo medvilninę katilėlių spalvos suknelę, o galvą dabino plati skrybėlė.

Dar vakar, išvydęs ją tokią, širdį būtų užliejusi šiluma, o šiandien jam skirti puošnūs apdarai tik dar labiau slėgė.

Išvydusi jį, Elspetė nusijuokė.

— Atrodai kaip ką tik iš lovos išverstas mažas berniukas.

Jis pakštelėjo jai į skruostą ir sudribo į fotelį.

— Iki Niuporto ilgas kelias, — pratarė jis.

— Aiškiai pamiršai, kad kvietei mane pietų, — linksmai priminė Elspetė.

Lukas pakėlė į ją akis. Ji nuostabi, tačiau jis jos nemyli. Nežino, ar anksčiau ją mylėjo, bet dabar tuo visiškai neabejoja. Jautėsi kaip paskutinis niekšas. Ji šįryt tokia linksma, o jis rengiasi sutrypti jos laimę. Nežinojo, nuo ko pradėti kalbą. Iš gėdos norėjosi skradžiai žemę prasmegti.

Reikia kažką pasakyti.

— Gal atidedam tuos pietus? Man reikia nusiskusti.

Prakilniame skaisčiame jos veide šmėstelėjo nerimas, ir jis suprato ją pajutus kažką negera, tačiau Elspetė tik nerūpestingai atsiliepė:

— Gerai, karžygiams blizgančiais šarvais reikia ir grožio miego.

Jis mintyse prisiekė sau, kad vėliau visiškai atvirai su ja pasikalbės.

— Apgailestauju, kad teko be reikalo ruoštis, — paniuręs tarė.

— Ne be reikalo — pasimačiau su tavimi. Ir, regis, pamaloninau tavo kambarioko akį. — Ji atsistojo. — Kad ir kaip ten būtų, profesorius ir misis Diurkham tikrai gerai pasilinksmino. — Redklifo slengu tai reiškė pasimatymą.

Lukas taip pat atsistojo ir padėjo užsivilkti jai paltą.

— Susitiksime vėliau.

Reikia neatidėliojant jai viską iškloti, būtų negarbinga ilgiau slėpti nuo jos tiesą.

— Būtų puiku, — džiaugsmingai atsiliepė ji. — Užeik manęs šeštą.

Išeidama sakytum kokia kino žvaigždė pasiuntė jam oro bučinį. Žinojo ją tik apsimetant, kad viskas kuo puikiausiai, bet vaidino ji tikrai gerai.

Parsliūkino į savo kambarį. Entonis skaitinėjo sekmadienio laikraštį.

— Padariau kavos, — mestelėjo jis.

— Dėkui.

Lukas šliūkštelėjo sau į puodelį.

— Lieku tau skolingas, — tęsė Entonis. — Vakar išgelbėjai Bilei kailį.

— Mano vietoje pasielgtum ne kitaip.

Lukas sriūbtelėjo kavos ir išsyk pasijuto geriau.

— Regis, niekam neužkliuvome. Tau šįryt niekas nieko nesakė?

— Ničnieko.

— Bilė — tai bent mergina, — tarė Lukas. Suprato, kad neatsargu apie ją taip kalbėti, bet nieko negalėjo sau padaryti.

— Argi ji ne puiki? — džiaugsmingai pasigavo Entonis. Lukas prislėgta širdimi žvelgė į pasitenkinimu švytintį Entonio veidą. O šis čiauškėjo toliau: — Mintyse vis klausdavau savęs: kodėl gi jos kur nors nepasikvietus? Bet nemaniau, kad sutiks. Ir kai ji atsakė „gerai", nepatikėjau savo ausimis. Norėjau paprašyti raštiško patvirtinimo.

Entonis mėgdavo juokinti kitus savo hiperbolėmis, ir Lukas išspaudė šypseną, nors širdyje jautėsi sugniuždytas. Bet kuriomis aplinkybėmis paveržti kieno nors merginą yra nepateisinamas dalykas, o Entonio susižavėjimas Bile tik dar labiau viską pablogino. Lukas sunkiai atsiduso, ir Entonis susidomėjo:

— Kas atsitiko?

Lukas nutarė atskleisti jam pusę tiesos.

— Nebemyliu Elspetės. Manau, reikia rišti.

Entonį tokia netikėta žinia pribloškė.

— Gaila. Jūs taip vienas kitam tinkat.

— Jaučiuosi kaip paskutinis mulkis.

— Negraužk savęs. Pasitaiko. Jūs nesusituokę, dar net nesusižadėję.

— Oficialiai — ne.

Entonis nustebęs kilstelėjo antakį.

— O tu piršaisi?

— Ne.

— Tai dar nei oficialiai, nei neoficialiai nesi susižadėjęs.

— Kalbėjomės, kiek norėtume turėti vaikų.

— Tačiau tai nėra susižadėjimas.

— Greičiausiai tavo teisybė, tačiau vis tiek jaučiuosi šuniškai.

Į duris kažkas pasibeldė, ir į vidų įėjo kažkoks nepažįstamas vyras.

— Misteris Lukas ir misteris Kerolis?

Nors vyras vilkėjo aptrintais drabužiais, jo manieros buvo pabrėžtinai aristokratiškos, ir Lukas spėjo, kad tai universiteto inspektorius.

Entonis pašoko ant kojų.

— Tikrai taip, — atsiliepė jis. — O jūs tikriausiai žymusis ginekologas daktaras Šlapimas. Dėkui Dievui, jūs jau čia!

Bet Lukas nesijuokė. Vyriškis rankose laikė du baltus laiškelius, ir Luką aplankė bloga nuojauta.

— Aš iš dekano raštinės. Manęs prašė asmeniškai jums įteikti.

Raštininkas ištiesė jiems laiškelius ir dingo.

— Velnias, — susikeikė Entonis, kai už raštininko nugaros užsivėrė durys.

Jis nekantraudamas atplėšė savo voką.

— Velniai rautų.

Lukas praplėšė savąjį ir išėmęs perskaitė trumpą žinutę:

Gerbiamasis misteri Lukasai,

Malonėkite šiandien 15 val. atvykti į mano kabinetą.

Jūsų Piteris Raideris,
dekanas

Tokius kvietimus gaudavo nusižengę bendrajai tvarkai. Kažkas dekanui įskundė apie praeitą vakarą bendrabutyje pasirodžiusią merginą. Entonis greičiausiai išlėks.

Lukas pirmąsyk matė savo kambario draugą išsigandusį — jo nerūpestingumas rodėsi nepajudinamas kaip uola, tačiau dabar jo veidas išblyško kaip drobė.

— Nieku gyvu negaliu keliauti namo, — sušnibždėjo jis.

Niekada per daug nepasakojo apie savo tėvus, tačiau iš tų užuominų turėjo susidaręs miglotą vaizdą: siautėjantis tėvas ir gyvenimo užplakta motina. Tačiau dabar pagalvojo, kad iš tikrųjų gali būti dar prasčiau, nei jis įsivaizdavo. To šeimyninio pragarėlio atšvaitai tiesiog atsispindėjo Entonio veide.

Į duris vėl pasibeldė, ir vidun galvą kyštelėjo Džefas Pidžeonas, linksmuolis apvalainas kaimynas.

— Ar tik čia nebuvo tas dekano raštininkėlis?

Lukas pamojavo savo laišku.

— Taip, kad jį kur velniai.

— Aš niekam neprasitariau, kad mačiau tą mergiotę.

— Tai kas tada galėjo? — paklausė Entonis. — Vienintelis skundikas bendrabutyje yra Dženkinsas.

Polas Dženkinsas buvo karštas tikintysis, nenuilstamai kovojantis už aukštą Harvardo moralę.

— Tačiau jis visam savaitgaliui buvo išvykęs.

— Kad ne, — patikslino Pidžeonas. — Persigalvojo.

— Tada čia to išverstakio darbas, — šūktelėjo Entonis. — Einu ir savo rankomis pasmaugsiu tą šungrybį.

Lukui staiga švystelėjo mintis, kad jeigu Entonį pašalintų, neliktų kliūčių draugauti su Bile. Susigėdo dėl baisiai savanaudiškų minčių tokią akimirką, kai draugo likimas pakibo ant plauko. Tačiau jam netikėtai toptelėjo, kad Bilei irgi gali grėsti nemalonumai.

Jis prabilo:

— Reikėtų sužinoti, ar Elspetė su Bile taip pat gavo tokius laiškus.

Entonis abejojo:

— Kažin?

— Greičiausiai Dženkinsas pažįsta mūsų mergaites — tokiais atvejais nepraleidžia nė smulkmenos.

Pidžeonas įsiterpė:

— Jeigu pažįsta, galvą guldau, kad ir pranešė.

Lukas tarė:

— Elspetei niekas negresia. Jos čia nebuvo, ir niekas negalėtų įrodyti priešingai. Tačiau Bilę gali ir pašalinti. Jai nutrauktų stipendiją. Vakar man pasakojo. Kitos negautų, o už mokslą susimokėti neišgalėtų.

— Dabar man galvoj ne Bilė, — numojo Entonis. — Turiu sugalvoti, kaip išsisukti.

Lukas buvo pritrenktas. Dėl Entonio Bilė ir pateko į bėdą, ir Lukas juo dėtas labiau nerimautų dėl jos, o ne dėl savęs. Tačiau dabar atsirado pretekstas pasimatyti su Bile ir Lukas tokiam norui negalėjo atsispirti. Nuvijęs šalin kaltės jausmą, pasisiūlė:

— Gal man nueiti iki merginų ir pasižiūrėti, ar Bilė grįžo iš Niuporto?

— Būtų gerai, — mestelėjo Entonis. — Dėkui.

Pidžeonas pranyko. Entonis sėdėjo ant lovos ir apniukusiu veidu traukė dūmą, o Lukas mitriai nusiskuto ir apsitaisė. Nors ir skubėjo, tačiau apsirengė rūpestingai, užsivilko melsvus marškinius, įšoko į naujas kelnes ir užsimetė išeiginį pilkšvą švarką.

Buvo jau antra dienos, kai jis pasiekė Redklifo bendrabučius. Raudonų plytų pastatai stūksojo stačiakampiu išdėstyti apie parką, kuriame sukinėjosi studentų porelės. Būtent šiame parke, nelinksmai prisiminė jis, per pirmąjį pasimatymą prieš pat vidurnaktį ir pabučiavo Elspetę. Nevertino tų vyrų, kurie savo simpatijas keisdavo taip pat lengvai kaip kojines, tačiau dabar pats sau nieko neįstengė padaryti ir elgėsi lygiai taip, ką anksčiau niekino.

Uniformuota sargė įleido jį į bendrabučio fojė. Jis paprašė pakviesti Bilę. Sargė atsisėdo prie stalo, pakėlė prie lūpų garsiakalbį, panašų į tuos, kurie naudojami laivuose, pūstelėjo į jį ir tarė:

— Lankytojas pas mis Džozefson.

Netrukus, vilkėdama rusvu vilnoniu megztiniu ir sijonėliu, laiptais nusileido Bilė. Atrodė žavinga, tačiau sutrikusi, ir Lukui norėjosi apkabinti ją, priglausti prie savęs ir nuraminti. Ją taip pat iškvietė pas Piterį Raiderį, kaip ir Elspetę.

Jiedu patraukė į rūkomąjį, kur merginoms buvo leidžiama bendrauti su savo svečiais.

— Kas dabar bus? — paklausė ji Luko.

Stovėjo visa įsitempusi kaip styga, nerimo kupinu veidu.

Šiandien Lukui ji pasirodė dar gražesnė nei vakar. Norėjosi ją nuraminti ir pasakyti, kad jis viskuo pasirūpins. Tačiau kol kas nežinojo, kaip tai padaryti.

— Entonis galėtų pasakyti, kad buvo atsivedęs kokią kitą merginą, tačiau turėtų nurodyti jos pavardę.

— Ką aš pasakysiu savo mamai?

— Gal Entonis sumokėtų kokiai moteriai, na, žinai, „paprastutei", kad ši paliudytų buvusi su juo.

Bilė papurtė galvą.

— Niekas nepatikės.

— Dženkinsas patvirtintų, kad tai ne ta mergina. Tas skundikas tave ir įdavė.

— Galas mano karjerai. — Karčiai šyptelėjusi ji pratarė: — Gausiu grįžti į Dalasą ir dirbti kokio naftininko kaubojiškais batais sekretore.

O dar prieš dvidešimt keturias valandas Luko laimei nieko nestigo. Dabar net sunku tuo patikėti.

Dvi merginos įraudusiais nuo susijaudinimo veidais įpuolė į fojė.

— Ar girdėjote paskutines naujienas? — vienu atsikvėpimu išbėrė pirmoji.

Luko visiškai nedomino naujienos. Jis tik papurtė galvą. Bilė išsiblaškiusi mestelėjo:

— Kas atsitiko?

— Amerika įsitraukė į karą!

Lukas suraukė kaktą:

— Ką?

— Tikrai, — patvirtino antroji mergina. — Japonai užpuolė Havajus!

Lukas nevaliojo tuo patikėti.

— Havajus? O kurių galų? Kas ten tuose Havajuose?

Bilė neįstengė atsitokėti:

— Negali būti.

— Gatvėje visi tik apie tai ir šneka. Visas eismas sustojo.

Bilė pažvelgė į Luką.

— Man baisu, — tarė ji.

Jis paėmė jai už rankos. Norėjo nuraminti ir pasakyti, jog neapleis jos, kad ir kas nutiktų.

Vidun karštai tarškėdamos įpuolė dar dvi merginos. Kažkas į fojė atbogino radiją ir įjungė. Teko šiek tiek lukteléti, kol įšilo jo lempos. Tada pasigirdo diktoriaus balsas:

— Pranešama, kad Perl Harbore kreiseris *Arizona* sunaikintas, o *Oklahoma* paskandintas. Pirminiais duomenimis, Fordo saloje, Vybrio ir Hikamo oro uostuose ant žemės sunaikinta daugiau kaip šimtas lėktuvų. Amerikos nuostoliai — du tūkstančiai žuvusių ir trys tūkstančiai sužeistų.

Lukas nesitvėrė pykčiu.

— Du tūkstančiai žuvo! — šūktelėjo jis.

Pro duris garsiai čiauškėdamos įvirto dar kelios merginos, ir joms kažkas šūktelėjo prikąsti liežuvį. Diktorius tęsė toliau:

— Japonai užpuolė nepaskelbę karo, be penkių minučių aštuntą ryto vietos laiku.

Bilė tarė:

— Dabar tai jau bus karas, ar ne?

— Tai jau tikrai, — piktai patvirtino Lukas.

Žinojo, kad neprotinga griežti dantį ant visos tautos, tačiau nepajėgė susitvardyti.

— Dabar nušluočiau visą Japoniją nuo žemės paviršiaus.

Ji spustelėjo jam ranką.

— Nenoriu, kad tu eitum į karą, — sukuždėjo. Jos akyse sublizgo ašaros. — Nenoriu, kad žūtum.

Jo širdis iš džiaugsmo net suspurdėjo.

— Gera girdėti, kad tau rūpiu. — Jis gailiai šyptelėjo. — Pasaulis eina velniop, o aš jaučiuosi toks laimingas. — Jis dirstelėjo į laikrodį. — Na, nors ir karas, tačiau vis tiek privalome keliauti pas dekaną... — Staiga jo galvoje švystelėjo viena mintis, ir jis ūmai nutilo.

— Kas? — pasiteiravo Bilė. — Kas yra?

— Galbūt ir *yra* būdas jums su Entoniu likti Harvarde.

— Koks?

— Kai ką sugalvojau.

>>><<

Elspetės širdį graužė kirminas, tačiau ji save ramino, kad jai nesą ko būgštauti. Praeitą naktį pažeidė komendanto valandą, tačiau niekas jos nesučiupo. Buvo visiškai tikra, kad jųdviejų su Luku tikrai niekas negalėtų apkaltinti. Grėsmė greičiausiai pakibo virš Entonio ir Bilės galvų... Elspetė Bilės visiškai nepažinojo, tačiau Entonis jai rūpėjo ir vidinė nuojauta kuždėjo, kad jį pašalins iš universiteto.

Visi keturi susitiko prie dekano durų. Lukas tarė:

— Turiu planą.

Tačiau nespėjo nė prasižioti, kaip tarpdury išdygo dekanas ir pakvietė juos užeiti. Lukas tik šnibžtelėjo:

— Leiskit kalbėti man.

Dekanas Piteris Raideris buvo dirglus senovinių pažiūrų vyriokas, visada nepriekaištingai apsirengęs. Tądien vilkėjo tamsiu kostiumu pilkšvomis juostelėmis, po kaklu dailiai parišta pūpsojo peteliškė, batai spindėjo it veidrodis, plaukai gulėjo kruopščiai sušukuoti į šonus. Šalia jo sėdėjo ir žila senmergė Airisė Redford, Redklifo merginų moralės prižiūrėtoja.

Visi įsitaisė ratu sustatytose kėdėse, tarsi kokiame seminare. Dekanas prisidegė cigaretę.

— Na, vyručiai, verčiau nemeluokit ir sakykit tiesą, kaip tikri džentelmenai, — prabilo jis. — Klokit, kas ten vakar pas jus dėjosi.

Entonis praleido Raiderio klausimą negirdomis ir prabilo tokiu tonu, tarsi pats čia pirmininkautų:

— O kur Dženkinsas? — rėžė jis. — Jis įskundė, ar ne?

— Be jūsų, daugiau čia nieko nekvietėme, — atsakė dekanas.

— Tačiau turime teisę susitikti su kaltintoju akis į akį.

— Čia ne teismas, misteri Keroli, — irzliai mestelėjo dekanas. — Mes su mis Redford buvome paprašyti išsiaiškinti tam tikrus faktus. Jeigu prireiks, visa tai įforminsime teisiškai.

— Abejoju, ar taip teisinga, — rimtai paprieštaravo Entonis. — Turėtų dalyvauti ir Dženkinsas.

Elspetei paaiškėjo, ko siekia Entonis. Jis tikėjosi, kad Dženkinsas pabūgs viešai pakartoti savo kaltinimus. Tuo atveju universitetui neliktų nieko kito, kaip tik nutraukti bylą. Ji abejojo, ar šitai jam pavyks, tačiau pabandyti visada verta.

Tačiau jų ginčą nutraukė Lukas:

— Nereikia, — įsiterpė jis, tarsi nukirsdamas viską rankos judesiu. Jis kreipėsi į dekaną: — Vakar į bendrabutį merginą atsivedžiau aš, sere.

Elspetei užėmė žadą. Ką jis čia dabar riečia?

Dekanas susiraukė:

— Mano turimais duomenimis, būtent misteris Kerolis pastebėtas su moterimi.

— Apgailestauju, tačiau jus klaidingai informavo.

Elspetė šūktelėjo:

— Buvo visai ne taip!

Luko žvilgsnis aiškiai liepė jai nesikišti.

— Mis Tvoumi vakar po vidurnakčio buvo savo kambaryje, tai paliudys ir budėtojos žurnalas.

Elspetė įsmeigė į jį akis.

Žurnalas tai *paliudytų*, nes už ją pasirašė draugė. Prikando liežuvį, kad pati neprisišauktų sau bėdos. Tačiau ką čia sumanė Lukas?

Entonis savęs mintyse klausė to paties. Jis pažvelgė į Luką ir sutrikęs pratarė:

— Lukai, nežinau, ką tu čia kalbi, bet...

— Aš viską papasakosiu iš eilės, — tarė Lukas. Entonis svyravo ir Lukas pridūrė: — Prašau leisk man papasakoti.

Entonis tik patraukė pečiais.

Dekanas pašaipiai mestelėjo:

— Prašau pradėti, misteri Lukai, nekantrauju išgirsti.

— Susipažinau su ja „Rasos" bare, — pradėjo Lukas.

Pirmąsyk įsiterpė ir mis Redford.

— „Rasos" bare? — nepatikliai paklausė ji. — Čia žodžių žaismas?

— Taip.

— Tęskite.

— Ji ten dirba padavėja. Andžela Karloti.

Buvo matyti, jog dekanas nepatikėjo nė vienu jo žodžiu. Jis tarė:

— Mano žiniomis, tai buvo mis Bilė Džozefson.

— Ne, sere, — tvirtai atrėmė Lukas. — Mis Džozefson mes pažįstame, tačiau vakar ji buvo išvykusi ir nakvojo Niuporte pas savo giminaitį.

Mis Redford kreipėsi į Bilę:

— Ar giminaitis galėtų tai patvirtinti?

Bilė išgąstingai žvilgtelėjo į Luką ir atsakė:

— Taip, mis Redford.

Elspetė negalėjo patikėti savo ausimis. Negi jis ketina pasiaukoti, sužlugdyti sau gyvenimą, kad ištrauktų iš bėdos Entonį? Lukas ištikimas bičiulis, bet šito jau per daug.

Raideris pasiteiravo Luko:

— Ar galėtų čia ateiti ir paliudyti ta... padavėja?

Jis ištarė „padavėja" su pasibjaurėjimu, tarsi sakytų „šliundra".

— Taip, sere, žinoma, galėtų.

Dekanas to nesitikėjo.

— Ką gi, puiku.

Elspetė sėdėjo priblokšta. Ar Lukas nusamdė kokią mergiotę, kad paliudytų jo žodžius? Jeigu taip, nieko neišdegs. Dženkinsas pažins, jog tai ne ta mergina.

Tada Lukas pasakė:

— Tačiau nenorėčiau jos čia painioti.

— Aha, — tarė dekanas. — Tokiu atveju jūsų pasakojimas atrodo labai abejotinas.

Dabar jau Elspetė visiškai nieko nesuprato. Lukas iš piršto išlaužė kažkokią istoriją, kurios negali įrodyti. Kokia prasmė tai daryti?

Lukas prabilo:

— Nemanau, kad prireiks mis Karloti liudijimo.

— Nebūčiau toks tikras, misteri Lukai.

Tada Lukas metė ant stalo švietalą:

— Šiandien pat aš išstoju iš universiteto, sere.

Entonis šūktelėjo:

— Lukai!

Dekanas tarė:

— Nieko nelaimėsite pasitraukdamas dar iki pašalinimo. Vis tiek užbaigsime šį tyrimą.

— Mūsų šalis įsitraukė į karą.

— Aš žinau, jaunuoli.

— Rytoj įsirašau į savanorius, sere.

Elspetė sušuko:

— Ne!

Dekanas neturėjo ką į tai atsakyti. Netekęs žado, jis įsistebeilijo į Luką.

Elspetė suprato, kad Lukas padarė gudrų ėjimą. Universitetas vargu ar pašalins studentą, rizikuojantį gyvybe už savo šalį. O jeigu nebus jokio tyrimo, Bilei niekas negresia.

Jai staiga net akyse užtemo. Lukas padarė viską, kad tik apsaugotų Bilę.

Mis Redford dar gali išsikviesti Bilės pusbrolį, tačiau jis greičiausiai sumeluotų jos labui. O Redklife iš jos niekas negalės reikalauti iškviesti padavėją Andželą Karloti.

Tačiau visa tai dabar jau antraeiliai dalykai. Gelte gėlė mintis, kad ji prarado Luką.

Raideris kažką murmėjo surašysiąs raportą ir paliksiąs spręsti kitiems. Mis Redford rėksmingai reikalavo užrašyti Bilės pusbrolio adresą. Tačiau visa tai tebuvo butaforija. Juos apsuko apie pirštą, ir visi tai puikiai suvokė.

Pagaliau jiems leido eiti.

Vos tik jiems už nugarų užsivėrė durys, Bilė apsipylė ašaromis:

— Neik kariauti, Lukai! — šūktelėjo ji.

Entonis tarė:

— Išgelbėjai mano kailį.

Jis tvirtai apkabino Luką.

— Kaip gyvas to neužmiršiu, — kartojo. — Niekada.

Jis paleido Luką iš savo glėbio ir paėmė Bilei už rankos.

— Nesijaudink, — puolė guosti. — Lukas sumanus, nepražus.

Lukas atsigręžė į Elspetę.

Kai jų žvilgsniai susitiko, jis net suvirpo, ir Elspetė suprato, kad jos įniršis aiškiai įskaitomas jos veide. Bet jai buvo tas pat. Ji ilgai žvelgė tiesiai Lukui į akis, o paskui užsimojo ir skėlė jam smagų antausį.

Jis net aiktelėjo iš skausmo ir nuostabos.

— Tu šunsnuki, — pratarė ji.

Tada apsisuko ir ryžtingai nuėjo.

13 val.

Baby Sergeant yra 4 pėdų ilgio ir 6 colių pločio, sveria 59 svarus. Jų kuras išdega per 6,5 sek.

Lukas dairėsi kokio ramesnio gyvenamojo kvartalo. Vašingtono gatvės jam atrodė visiškai nepažįstamos, tarsi čia niekada nebūtų lankęsis. Pajudėjęs nuo Centrinės stoties, įsuko į pirmą pasitaikiusią gatvę ir dabar riedėjo į vakarus. Gatvė vedė į patį miesto centrą, kuriame prieš jo akis atsivėrė įspūdingi reginiai ir milžiniški vyriausybiniai pastatai. Galbūt tai buvo ir gražu, tačiau jį baugino. Vis dėlto žinojo, kad važiuodamas nosies tiesumu vis tiek galų gale išsimuš į gyvenamąjį kvartalą.

Jis pervažiavo tiltą ir atsidūrė jaukioje, medžiais apsodintoje priemiesčio gatvelėje. Akis užkliuvo už užrašo „Džordžtauno psichiatrijos klinika", todėl spėjo, kad kvartalas vadinamas Džordžtaunu. Įsuko į vieną nuošalesnę gatvelę, apstatytą kuklesniais namais.

Čia gali pasisekti. Čionykščiai gyventojai vargu ar laiko tarnaites, todėl didesnė tikimybė aptikti tuščią namą.

Gatvė, padariusi lankstą, atsirėmė į kapinaites. Lukas apsisukęs pastatė automobilį, kad nereikėtų gaišti laiko sprunkant.

Dabar jam reikia įrankių: kalto arba suktuvo ir plaktuko. Bagažinėje turėtų būti įrankių dėžė, tačiau ji užrakinta. Atkrapštytų spynelę, jeigu rastų kur vielos galelį. Jeigu ne, teks susiieškoti ūkinių prekių krautuvę ir nusipirkti arba nudžiauti reikiamus įrankius.

Nuo galinės sėdynės pasiėmė pavogtąjį lagaminą. Rausdamasis

jame, aptiko aplanką su dokumentais. Išrovė sąvaržėlę ir lagaminą užvožė.

Prie bagažinės spynelės prasiknebinėjo kokį trisdešimt sekundžių. Kaip ir tikėjosi, viduje šalia bako gulėjo įrankių dėžė. Išsirinko patį didžiausią suktuvą. Plaktuko nebuvo, tačiau vietoj jo galima panaudoti sunkesnį raktą. Įsimetė įrankius į savo apdriskusio lietpalčio kišenę ir užtrenkė bagažinę.

Iš salono pasiėmė lagaminą, uždarė duris ir, pasukęs už kampo, atsidūrė nužiūrėtoje gatvelėje. Žinojo, kad atrodo įtartinai — tvarkingu kvartalu žengia driskius, nešinas prabangiu lagaminu. Jeigu koks vietinis smalsuolis paskambintų policijai ir tie nuobodžiautų, nespėjęs nė mirktelėti sulauktų rimtų nemalonumų. Kita vertus, jeigu viskas klostysis sklandžiai, per pusvalandį nusipraus, nusiskus ir apsitaisys kaip padorus žmogus. Jis prisiartino prie pirmojo gatvelės namo. Perėjęs nediduką kiemelį, pasibeldė į duris.

>>><<<

Rozmari Sims pastebėjo dailų melsvą automobilį, lėtai praslinkusį po jos langais, ir jai parūpo, kas tai galėtų būti. Gal Brauningsai įsigijo naujus ratus, jie tiesiog maudosi piniguose. O gal misteris Kyras, nes jis viengungis, todėl gali savęs nevaržyti. Priešingu atveju, sumetė ji, tai turėtų būti koks prašalaitis.

Jos regėjimas vis dar buvo aštrus, ir iš savo fotelio antrajame aukšte galėjo stebėti visą gatvę, ypač žiemą, kai neuždengdavo medžių lapai. Ji išvydo, kaip iš už kampo išniro aukštas nepažįstamas vyriškis. Atrodė tikrai keistai. Ėjo vienplaukis, sudriskęs lietpaltis, suplyšę batai suveržti vielomis, kad nenukristų padai. Tačiau jo lagaminas buvo naujut naujutėlis.

Jis priėjo prie misis Brichės durų ir pasibeldė. Ji buvo našlė, gyveno viena, tačiau misis Sims buvo įsitikinusi, jog jos taip lengvai neapmulkinsi, ji kaipmat pavarys šalin visokio plauko bastūnus. Net neabejojo, kad misis Brichė žvilgtelėjo pro langą ir plačiu mostu liepė jam nešdintis.

Jis paėjėjo prie kito namo ir pasibeldė į misis Loenos duris. Ši atidarė. Misis Loena buvo aukšta juodaplaukė moteris ir, misis Sims nuomone, žiūrėjo į visus iš aukšto. Ji persimetė keliais sakiniais su nepažįstamuoju ir užtrenkė duris.

Vyras patraukė dar prie kitų durų, matyt, ketindamas taip apsukti visos gatvės namus. Duris pravėrė Dženė Evans, ant jos rankų pūpsojo kūdikėlis. Ji pasirausė prijuostės kišenaitėje ir ištiesė jam kažką, greičiausiai keletą pinigėlių. Vadinasi, jis elgetauja.

Senasis misteris Klarkas išdygo tarpdury su chalatu ir šlepetėmis. Bastūnas iš jo nieko nepešė.

Misterio Klarko kaimynystėje gyvena misteris Bonetis, jis dabar darbe, o jo žmona Andželina, septintą mėnesį nėščia, prieš penketą minučių su rezgine kažkur išėjo. Greičiausiai į krautuvę. Ten jam niekas neatidarys.

>>><<<

Lukas belsdamasis jau spėjo ištyrinėti spynas, kurios visur buvo vienodos. Tai vadinamieji Hilio užraktai, užtrenkiami slankiojamo liežuvėlio. Iš lauko spyna atrakinama raktu, iš vidaus — sukamąja rankenėle. Visose duryse maždaug galvos aukštyje įtaisyti matinio stiklo langeliai. Lengviausia būtų iškulti stiklą ir, įkišus ranką, pasukti rankenėlę. Tačiau išdaužtas langelis iš gatvės visiems kris į akis. Lukas nutarė pasidarbuoti suktuvu.

Jis apsidairė. Truputį nepasisekė, kad tuščią namą užtiko tik iš šešto karto. Galėjo į save atkreipti kieno nors dėmesį, tačiau palink nieko nesimatė. Kad ir kaip ten būtų, nėra iš ko rinktis. Reikia rizikuoti.

>>><<<

Misis Sims atplėšė akis nuo lango ir pakėlė telefono, stovinčio šalia krėslo, ragelį. Lėtai ir atidžiai surinko policijos numerį, žinomą mintinai.

>>><<<

Lukui reikia suktis labai spėriai.

Ties spyna jis įkišo suktuvą į plyšį tarp durų ir staktos. Tada trinktelėjo per suktuvą sunkiu raktu, stengdamasis atstumti liežuvėlį.

Nuo pirmojo smūgio suktuvas nė nepajudėjo iš vietos, nes atsirėmė į spynos korpusą. Jis pasukiojo suktuvą, ieškodamas liežuvėlio. Darsyk trinktelėjo raktu, šįkart stipriau. Suktuvas — nė iš vietos. Nors buvo šalta, kaktą išmušė prakaitas.

Mintyse ramino save. Anksčiau tai yra daręs. Kada? Visiškai nenutuokia. Koks skirtumas. Šitas būdas išbandytas, jis buvo visiškai tikras.

Jis vėl ėmė malti suktuvu. Pajuto, kaip šis įsmuko į rantą. Lukas iš peties trenkė trečiąsyk. Suktuvas smuktelėjo vidun. Suktelėjęs rankeną, iki galo sugrūdo liežuvėlį į spyną. Laimė, durys atsidaro į vidų.

Iš gatvės niekas nepastebės apgadinto rėmo. Jis skubiai įsmuko vidun ir uždarė duris.

>>><<<

Baigusi rinkti numerį, Rozmari Sims vėl pažvelgė pro langą, bet nepažįstamojo jau nesimatė.

Dingo kaip į vandenį.

Policija atsiliepė. Sutrikusi ji skubiai padėjo ragelį.

Kodėl jis staiga liovėsi baladojęsis į duris? Kur prašapo? Kas jis toks?

Ji sau nusišypsojo. Dabar visą dieną turės dėl ko sukti galvą.

>>><<<

Čia aiškiai gyveno neseniai susituokusi jauna pora. Visur buvo pilna vestuvinių dovanų bei įvairiausių niekučių. Svetainėje stovėjo nauja sofa ir didelis televizorius, tačiau virtuvėje indai buvo sukrauti į oranžines dėžes. Ant radiatoriaus gulintis laiškas buvo adresuotas misteriui Bonečiui.

Nesimatė jokių ženklų, kad name būtų vaikų. Greičiausiai Bonečiai abu dirba ir grįš tik vakare. Tačiau ką gali žinoti.

Jis skubiai užlipo į viršų. Iš trijų ten buvusių vonios kambarių tik vienas buvo įrengtas. Jis nusviedė lagaminą ant lygutėliai paklotos lovos. Atidaręs viduje aptiko kruopščiai sulankstytą šviesų kostiumą, baltus marškinius ir melsvą kaklaraištį. Dar buvo juodos puskojinės, švarūs apatiniai ir pora nublizgintų pusbačių, tiesa, puse numerio didokų.

Jis nusimetė savo skarmalus ir nusviedė juos į kampą. Jautėsi keistai, štai taip nuogut nuogutėlis stovėdamas nepažįstamų žmonių namuose. Dar padvejojo, ar taupant laiką persirengti nenusiprausus, tačiau nuo jo stiprokai trenkė, užuodė net jis pats.

Jis įžengė į vonios kambarį ir palindo po dušu. Jautėsi kaip devintame danguje štai taip stovėdamas po šilto vandens čiurkšlėmis ir prausdamasis. Baigęs praustis ir išėjęs iš vonios, minutėlę stabtelėjo ir atidžiai įsiklausė. Name buvo visiškai tylu.

Nusišluostė vienu iš Bonečių rankšluosčių — kaip spėjo, vestuvine dovana — ir užsimovė trumpikes, kojines, įšoko į kelnes ir apsiavė naujaisiais batais. Pusiau apsirengus bus lengviau paspruktі, jeigu skutantis kas nors netikėtai pasirodys.

Misteris Bonetis skusdavosi elektriniu skustuvu, tačiau Lukas labiau mėgo peiliuką. Pasirausęs lagamine, užtiko skutiklį ir šepetėlį. Išsimuilino barzdą ir skubiai nusiskuto.

Misteris Bonetis nesišlakstė odekolonu, tačiau, galimas daiktas, lagamine esama ir jo. Prieš tai skleidęs nemalonų dvoką, Lukas dabar norėjo gardžiai pasikvėpinti. Lagamine užkištas gulėjo ir dailus odinis tualeto reikmenų krepšelis. Lukas atsegė jo užtrauktuką. Viduje nebuvo odekolono, bet gulėjo tvarkingai sulankstyta šimtinė dvidešimtinėmis kupiūromis — nenumatytoms išlaidoms. Jis paėmė pinigus, mintyse pasižadėdamas pasitaikius progai juos grąžinti.

Juk tas vyrukas ne koks kolaborantas.

Iš kur jam į galvą ir ateina tokie žodžiai?

Dar viena paslaptis. Jis apsivilko marškinius, pasirišo kaklaraištį, užsimetė švarką. Drabužiai gulėjo kaip nulieti: ne veltui jis taip rūpestingai nusižiūrėjo reikiamo ūgio ir sudėjimo grobį, be to, buvo tikrai gerai pasiūti. Lagamino pakabuke švietė įrašytas adresas: Pietų parkas, Niujorkas. Greičiausiai lagamino savininkas koks nors stambus verslininkas, porai dienų atvykęs į Vašingtoną dalykiniais reikalais.

Ant miegamojo durų kabojo didelis veidrodis. Nebuvo regėjęs savo atvaizdo nuo pat tos įsimintinos akimirkos, kai ryte atsistojęs prieš veidrodį Centrinės stoties tualete išvydo žvelgiantį valkatą.

Jis nekantriai žengė prie veidrodžio.

Į jį žvelgė aukštas, tvarkingai apsirengęs keturiasdešimtmetis juodaplaukis mėlynakis vyriškis, padoriai atrodantis, tik gerokai išvargęs. Jis pajuto nenusakomą palengvėjimą.

„Na, sprendžiant iš išvaizdos, kuo šis vyrukas galėtų užsiiminėti?"

Jo rankos buvo nesudiržusios ir nuplautos neatrodė panašios į juodadarbio delnus. Veidas taip pat nenugairintas nuo darbo kur nors lauke po lietumi ir sniegu. Plaukai gražiai pakirpti. Vyriškis veidrodyje kuo puikiausiai jautėsi pasiturinčio verslininko drabužiais.

Na, galima pasakyti, kad jis tikrai ne policininkas.

Lagamine nebuvo nei skrybėlės, nei palto. „Šaltą sausio dieną be jų atrodysiu įtartinai", — pamanė sau Lukas. Galbūt pavyktų rasti juos šiame name. Vertėtų sugaišti dar minutėlę ir pasižvalgyti.

Jis pravėrė spintos duris. Ant pakabų kabojo vos keli apdarai. Misis Boneti turi tris sukneles. Jos vyras įsigijęs sportinę striukę šiokiadieniams ir juodą kostiumą, kuriuo greičiausiai eina į bažnyčią. Palto viduje nesimatė, — tikriausiai misteris Bonetis juo apsirengęs išėjo į darbą, o antro dar negali sau leisti, — tačiau kabojo lengvas lietpaltis. Lukas jį nusikabino. Vis geriau negu nieko. Nieko nelaukęs užsivilko — kiek ankštokas, bet tiks.

Spintoje nesimatė skrybėlės, tačiau gulėjo sportinė kepurė, kurią Bonetis veikiausiai užsimaukšlindavo šiokiadieniais, kai vilkėdavo striukę. Lukas pamėgino ją užsidėti. Deja, per maža. Teks nusipirkti skrybėlę už lagamine rastus pinigus. Tačiau kol kas pravers ir kepurė.

Staiga apačioje jis išgirdo kažkokius garsus. Lukas sustingo ir įtempė klausą.

Atsklido jaunos moters balsas:

— Kas čia krapštėsi prie mano durų?

Kitas balsas atsiliepė:

— Panašu, kad mėgino išlaužti!

Lukas tyliai keikėsi. Pernelyg ilgai užtruko.

— Ko gero, Džespers, tu teisi.

— Reikėtų iškviesti policiją.

Vis dėlto misis Boneti nebuvo išėjusi į darbą. Ko gero, patraukė apsipirkti, krautuvėje sutiko draugę ir pakvietė ją pas save išgerti kavos.

— Nežinau... Atrodo, jiems nepavyko įsilaužti.

— Iš kur tu žinai? Verčiau patikrink, ar nieko nedingo.

Lukas sumetė, kad reikia nedelsiant sprukti.

— O ką čia vogti? Šeimos brangenybes?

— O televizorius?

Lukas pradarė miegamojo langą ir žvilgtelėjo į kiemą. Šalia nebuvo jokio medžio ar lietvamzdžio, kuriuo galėtų nusliuogti žemyn.

— Niekas nepaliesta, — išgirdo jis sakant misis Boneti. — Nemanau, kad jie čia įsibrovė.

— O viršuje?

Lukas tyliai priėjo prie vonios. Prie galinio lango taip pat nieko, šokdamas ant betono, tik susilaužytų koją.

— Eisiu pasižiūrėti.

— Nebijai?

Pasigirdo nervingas juokas.

— Bijau. Bet vis tiek reikia. Apsijuoksim, jeigu iškviesim policiją, o ten nieko nėra.

Lukas išgirdo kažką kopiant laiptais. Jis užlindo už atlapotų vonios durų.

Girdėjo, kaip moteris užlipo laiptais, perėjo kambarį ir įžengė į vonią. Misis Boneti aiktelėjo.

Jos draugė paklausė:

— Kieno čia lagaminas?

— Pirmąkart jį regiu.

Lukas patyliukais išsliūkino iš už durų, užstojusių jį nuo moterų. Ant pirštų galų nutipeno laiptais, mintyse dėkodamas, kad jie nutiesti kilimu.

— Argi plėšikas atsineštų lagaminą?

— Tuojau pat kviečiu policiją. Įtartina.

Lukas pravėrė laukujes duris ir išsmuko laukan.

Nusišypsojo sau į ūsą. Jam pavyko. Atsargiai uždarė duris ir skubriu žingsniu pasišalino.

>>><<<

Misis Sims nieko nesuprasdama suraukė kaktą. Vyras, pasirodęs Bonečių namo tarpdury, vilkėjo misterio Bonečio lietpalčiu ir dėvėjo pilką sportinę kepurę, su kuria pastarasis stebėdavo „Redskins" rungtynes, tačiau šitas vyriškis buvo augesnis nei Bonetis ir drabužiai atrodė kiek ankštoki.

Stebėjo, kaip vyras nuskubėjo gatve ir pasuko už kampo. Netrukus turėtų vėl pasirodyti: ten aklagatvis. Po minutėlės jau anksčiau matytas melsvas automobilis visu greičiu išnėrė iš už kampo. Jai toptelėjo, kad vyriškis — tas pats elgeta. Bus įsilaužęs ir nukniaukęs misterio Bonečio drabužius!

Automobiliui lekiant pro šalį, ji įsidėmėjo jo numerius.

13 val. 30 min.

Su *Sergeant* varikliais atlikta 300 bandymų ant žemės, 50 bandomųjų skrydžių ir 290 kartų varikliai paleisti be jokių trukdžių.

Entonis pasitarime sėdėjo kaip ant adatų, degdamas nekantrumu ir įniršiu.

Lukas vis dar laksto kažkur po Vašingtoną. Iš jo gali laukti visko. O Entonis turi sėdėti įstrigęs čia ir klausytis, kaip kažkoks padlaižys iš vyriausybės tauškia apie būtinybę sunaikinti sukilėlius, susitelkusius Kubos kalnuose. Entonis žinojo viską, kas tik įmanoma, apie Fidelį Kastrą ir Čegevarą. Jie vadovauja mažiau nei tūkstančiui vyrų. Be jokių abejonių, juos galima būtų be didesnio vargo sutriuškinti, tačiau kuriem velniam? Nugalabijus Kastrą, jo vieton stotų kas nors kitas.

Entonis nekantravo iš čia išsinešdinti ir užmesti tinklus mieste Lukui.

Jo vyrai apskambino visas Kolumbijos apygardos policijos nuovadas, prašydami smulkiai informuoti apie visus užregistruotus įvykius, į kuriuos būtų įsipainiojęs koks nors girtuoklis ar valkata, apie visus nusikaltėlius, kurie elgtųsi ir kalbėtų kaip kokie profesoriai, ir apskritai jeigu atsitiko kas neįprasta. Policija su džiaugsmu imdavosi pagelbėti CŽV: jiems patikdavo dalyvauti užsienio šnipo gaudynėse.

Vyriausybės atstovas baigė kalbėti, ir prasidėjo temos aptarimas. Entonis kuo aiškiausiai matė, jog siekdama neleisti Kastrui įsitvirtinti valdžioje JAV turėtų remti nuosaikiųjų reformininkų vyriausybę. Komunistų laimei, toks sprendimas negrėsė.

Prasivėrė durys, ir vidun galvą kyštelėjo Pitas Makselis. Jis atsiprašomai linktelėjo pirmininkui, Džordžui Kupermanui, prisėdo greta Entonio ir padėjo priešais jį pluoštą policijos raportų.

Beveik visose nuovadose buvo nutikę kas nors neįprasta. Patraukli moteris, sulaikyta kraustanti kišenes prie Džefersono memorialo, pasirodė esanti vyras, keletas bytnikų zoologijos sode mėgino atidaryti narvą ir paleisti laisvėn erelį, Veslio kalnuose vyras mėgino uždusinti žmoną pica su sūriu, Pertvorte sunkvežimis, priklausantis religinės literatūros leidyklai, pametė savo krovinį, ir eismą Džordžo aveniu sustabdė Šventojo Rašto knygų kalnas.

Aišku, neatmestina prielaida, kad Lukas pasišalino iš Vašingtono, bet Entoniui tai atrodė mažai tikėtina. Jis neturi pinigų traukiniui arba autobusui. Žinoma, gali kur nudžiauti, tačiau kas iš to? Juk neturi pas ką vykti. Niujorke gyvena jo motina, Baltimorėje — sesuo, bet jis to nežino. Kokia prasmė kur nors keliauti?

Greitosiomis permesdamas akimis raportus, viena ausimi klausėsi, ką jo viršininkas Karlas Hobartas dėsto JAV ambasadoriui Kuboje Erlui Smitui, kuris nenuilsdamas triūsė kenkdamas bažnyčios vadovams ir visiems kitiems, norintiems vykdyti Kuboje reformas taikiomis priemonėmis. Entoniui kartais šmėkštelėdavo mintis, ar tik jis nebus Kremliaus agentas, tačiau greičiausiai jis tiesiog skystaprotis.

Vienas raportas patraukė jo dėmesį, ir jis bakstelėjo į jį pirštu.

— Čia ne klaida? — negalėdamas patikėti savo akimis, paklausė jis Pito.

Pitas linktelėjo.

— Valkata užpuolė ir sumušė patrulį tarp A ir Septintosios gatvių.

— *Valkata* sumušė *farą*?

— Ir visiškai netoli tos vietos, kur nuo mūsų paspruko Lukas.

— Gali būti jis! — nudžiugo Entonis.

Tuo metu kažką dėstęs Karlas Hobartas metė jam piktą žvilgsnį. Entonis pritildė balsą.

— Bet kam jam užpulti patrulį? Ar ką nors atėmė, pavyzdžiui, ginklą?

— Ne, tačiau kaip reikiant jį apkūlė. Farą paguldė į ligoninę su nulaužtu dešinės nykščiu.

Entonis net stryktelėjo į viršų.

— Tai jis! — balsiai šūktelėjo nesusivaldęs.

Karlas Hobartas tarė:

— Dėl Dievo meilės!

Džordžas Kupermanas prajukęs pasakė:

— Entoni, arba užsičiaupk, arba išeik ir pasišnekėk, gerai?

Entonis atsistojo.

— Atsiprašau, Džordžai. Aš trumpam.

Jis išėjo į koridorių, paskui jį ir Pitas.

— Tai jis, — pakartojo Entonis. — Tai jo braižas dar iš karo laikų. Darydavo taip gestapui — sulaužydavo nykštį, kad negalėtų nulaikyti pistoleto.

Pitas mestelėjo:

— Iš kur jūs žinote?

Entonis suprato per daug išsiplepėjęs. Buvo įteigęs Pitui, kad Lukas yra pasiuntinys, kurį ištiko nervų krizė. Neišsidavė asmeniškai jį pažinojęs. Dabar mintyse keikė save už neatsargumą.

— Dar ne viską tau papasakojau, — stengdamasis kalbėti kiek galima abejingiau, tarė jis. — Dirbau su juo STT.

Pitas suraukė kaktą.

— O po karo jį paskyrė pasiuntiniu.

Jo suktos akutės spygtelėjo į Entonį.

— Tai čia ne tik nesutarimai su žmona, ar ne?

— Ne. Esu įsitikinęs, jog tai kur kas rimtesni dalykai.

Pitas užkibo.

— Tik paskutinis niekšas taip šaltakraujiškai gali imti ir nulaužti pirštą.

— Šaltakraujiškai?

Entoniui Lukas toks niekada neatrodė, nors kartais elgdavosi kietai ir negailestingai.

— Na, kai jam užeidavo.

Su palengvėjimu vogčiomis atsiduso, kad ištaisė savo klaidą. Tačiau reikia kuo skubiau surasti Luką.

— Kada įvyko tas užpuolimas?

— Pusę dešimtos.

— Velniava. Daugiau nei prieš keturias valandas. Jis dabar jau kažin kur.

— Ką darysime?

— Pasiųsk porą vyrų į A gatvę, tegu pakaišioja tenykščiams Luko nuotrauką, gal rasim už ko užsikabinti. Taip pat šnektelėk su faru.

— Bus padaryta.

— Ir jeigu kas, drąsiai trukdyk šitą sumautą pasitarimą.

— Supratau.

Entonis grįžo į salę. Džordžas Kupermanas, Entonio bičiulis nuo karo laikų, susierzinęs dėstė:

— Reikėtų nusiųsti specialiųjų pajėgų būrį, per pusantros paros sutvarkytų tą Kastro padugnių kariuomenę.

Vyriausybės atstovas nervingai atsiliepė:

— Ar įmanoma tokią operaciją atlikti slaptai?

— Ne, — atsakė Džordžas. — Tačiau galime pateikti kaip vidaus rietenas, kaip Irane ar Gvatemaloje.

Įsiterpė Karlas Hobartas:

— Atleiskit už kvailą klausimą, bet kas nežino, kad Irane ir Gvatemaloje veikėme mes?

Vyriausybės atstovas atsakė:

— Na, aišku, kad nenorime atskleisti viešai savo veikimo būdų.

— Dovanokit, bet tai juokinga, — mestelėjo Hobartas. — Rusai žino, kad tai mūsų darbas. Irane ir Gvatemaloje taip pat žino, kas tai padarė. Po velnių, Europos laikraščiai tiesiai šviesiai rašo, kad mes prikišome nagus. Mumis tiki tik Amerikos žmonės. O kodėl turėtume *jiems* meluoti?

Džordžas atsakė su vos tramdomu susierzinimu.

— Jeigu tai iškils aikštėn, kongresas sudarys tyrimo komisiją. Sumauti politikieriai kamantinės, ar mes tam turėjome teisę, ar nenusižengėm įstatymui, taip pat apie susmirdusius Irano valstiečius ir Gvatemalos bananų rinkėjus.

— Gal šie klausimai nėra jau tokie nepagrįsti? — atkakliai laikėsi savo Hobartas. — Ką mes laimėjome Gvatemaloje? Sunku įžvelgti kokį nors skirtumą tarp Armaso diktatūros ir saujelės mafiozių valdžios.

Džordžas visai prarado kantrybę.

— Na ir eina velniop! — sugriaudėjo jis. — Viešpatie aukštielninkas, mes čia prakaitą liejam ne tam, kad pamaitintume badaujančius iraniečius ar iškovotume daugiau laisvių PAR valstiečiams. Mes paisom tik Amerikos interesų — ir ant demokratijos čia *nusišikt*!

Stojo trumpa tyla, po kurios Karlas Hobartas tarė:

— Dėkui, Džordžai. Smagu, kad viską išsiaiškinom.

14 val.

Kiekvieno *Sergeant* variklio starteris sudarytas iš dviejų paralelių geležinių dagčių, įvilktų į plastiką. Dagčiai tokie jautrūs, kad elektrinei audrai priartėjus per 12 mylių iki Kanaveralo kyšulio, jie atsijungia, idant būtų išvengta atsitiktinio uždegimo.

Džordžtauno vyriškų drabužių krautuvėje Lukas įsigijo pilką skrybėlę ir paltą. Išėjo laukan jau persivilkęs naujais drabužiais ir pagaliau galėjo žingsniuoti pakelta galva.

Dabar galima susitelkti prie savo problemų. Visų pirma reikia pasiskaityti apie atmintį, išsiaiškinti, kas sukelia amneziją, kokios jos rūšys ir kiek laiko ji gali trukti. Geriausia būtų sužinoti viską apie gydymą ir vaistus.

Kur galima būtų rasti tokios informacijos? Bibliotekoje. Kaip surasti biblioteką? Pagal žemėlapį. Netoli drabužių krautuvės pastebėjo Vašingtono žemėlapį. Ryškiausiai pažymėta švietė Centrinė viešoji biblioteka, esanti Niujorko ir Masačiūsetso gatvių sankryžoje, taigi teks grįžti atgal tuo pačiu keliu. Lukas pasuko į tą pusę.

Biblioteka buvo erdvi, graži ir iš tolo švietė virš aplinkinių pastatų iškilusi kaip kokia graikų šventykla. Virš durų švietė iškalti žodžiai:

MOKSLAS POEZIJA ISTORIJA.

Lukas dvejodamas kiek pamindžikavo ant laiptų ir prisiminęs, kad dabar jis normalus pilietis, įžengė vidun.

Dabar į jį aplinkiniai žiūrėjo jau visiškai kitaip. Prie stalo palinkusi žilstelėjusi bibliotekininkė jam įėjus atsistojo ir pasiteiravo:

— Kuo galiu jums padėti, sere?

Lukas buvo sujaudintas iki širdies gelmių tokio pagarbaus sutikimo.

— Ieškau knygų apie atmintį, — prabilo jis.

— Žvilgtelėkite psichologijos skyriuje, — pasiūlė ji. — Malonėkite sekti paskui, aš jus nuvesiu.

Ji nuvedė Luką plačiais laiptais į antrą aukštą ir rankos mostu nurodė reikiamą skyrių.

Lukas ėmė žvalgytis po lentynas. Buvo gausybė knygų apie psichoanalizę, vaiko vystymąsi, sąmonę, tačiau jam reikėjo kitko. Jis išsitraukė storą žinyną, pavadintą *Žmogaus smegenys* ir pasklaidė jį, tačiau apie atmintį rado ne kažin ką, o ir tai daugiausia tik statistiką. Čia pateiktus grafikus ir lenteles jis visai lengvai perkando, bet to nepasakytum apie biologinius aprašymus, ir jis padarė išvadą, kad tikrai nėra biologas.

Jo akis užkliuvo už *Įvado į atminties psichologiją*, parašyto Bilės Džozefson. Šita turėtų tikti. Išsitraukė ją iš lentynos, susirado skyrių apie atminties sutrikimus ir ėmė skaityti:

Medicinoje atminties praradimas vadinamas amnezija.

Lukui net pasidarė šviesiau akyse. Ne jam vienam yra taip nutikę.

Toks pacientas nieko neprisimins apie save, nepažins net tėvų ar vaikų. Tačiau gali atsiminti daug kitų dalykų. Gebės vairuoti, kalbėti užsienio kalbomis, išardyti variklį ir nurodyti Kanados ministro pirmininko pavardę. Tiksliau būtų tokio paciento būklę vadinti biografine amnezija.

Viskas kuo puikiausiai tinka. Nesunkiai gali patikrinti, ar nėra sekamas arba be raktelio užvesti automobilį.

Daktarė Džozefson pagrindė savo teoriją, kad smegenys sudarytos iš skirtingų atminties talpyklų, tarsi atskirų stalčiukų, kuriuose saugomi tam tikros rūšies duomenys.

Autobiografinėje atmintyje saugoma asmeninė žmogaus patirtis. Ji dažniausiai susijusi su vieta ir laiku: prisimenama ne tik tai, kas įvyko, bet taip pat — kada ir kur.

Ilgalaikėje atmintyje kaupiami bendrieji duomenys, pvz., Rumunijos biudžeto dydis arba kvadratinės šaknies traukimas.

Trumpalaikėje atmintyje laikome kelias sekundes telefono numerį, kai žvilgtelėję į knygą imame rinkti jo skaičius.

Daktarė pateikė pavyzdžių, kaip pacientai netenka vienos atminties rūšies, bet išsaugo kitas, kaip Lukas. Sužinojęs, kad jo atvejis yra ne toks jau retas reiškinys, pajuto knygos autorei didelį dėkingumą.

Staiga jam toptelėjo viena mintis. Jam jau per trisdešimt, taigi jau gerą dešimtmetį turėtų kur nors darbuotis. Profesinės žinios turėtų būti išlikusios ilgalaikėje atmintyje. Pavykus jas atgaminti, galėtų nustatyti, kuo anksčiau dirbo. Tai būtų tikras siūlo galas kapstantis į savo istoriją.

Pakėlęs akis nuo knygos, ėmė sukti galvą, kokios srities žinių jis galėtų turėti. Jis ne slaptasis agentas, nes sprendžiant iš nenugairinto veido tikrai nėra koks seklys. Ką jis dar išmano?

Tai pasakyti buvo tas pat, kaip ieškoti adatos šieno kupetoje. Atgaivinti atmintį ne tas pat, kaip atidaryti šaldytuvo dureles, kur išsyk viskas tarsi ant delno. Tai labiau panašu į rausimąsi bibliotekos kartotekoje — reikia žinoti, ko ieškai. Jis apniuko, bet įsakė sau nepasiduoti ir viską nuodugniai apgalvoti. Jeigu jis būtų teisininkas, gal prisimintų tūkstančius įstatymų? Jeigu daktaras, tikriausiai galėtų vos užmetęs akį į ką nors nutarti: „Jums apendicitas".

Taip nieko nebus. Staiga prisiminė, kaip lengvai susigaudė žmogaus smegenų diagramose ir skaičiuose, nors psichologijos aprašai glumino. Galimas daiktas, jis dirba darbą, susijusį su skaičiavimais, pavyzdžiui, buhalteriu ar draudiku. Arba matematikos mokytoju.

Susirado matematikos skyrių ir perbėgo akimis lentynas. Dėmesį patraukė knyga *Skaičių teorija*. Lukas ėmėsi ją vartyti. Jau šiek tiek pasenusi...

Jis staiga pakėlė akis. Pagaliau. Jis išmano skaičių teoriją.

Tai buvo jau šis tas. Knygoje buvo daugiau lentelių nei teksto. Tai ne populiariai parašyta knyga. Tai akademinis veikalas. Ir jis kuo ramiausiai ją skaitinėja. Vadinasi, greičiausiai yra koks mokslininkas.

Nušvitęs susiieškojo chemijos lentyną ir išsitraukė *Polimerų inžineriją*. Kažkiek gaudėsi, tačiau nelengvai. Tada peršoko prie fizikos ir puolė vartyti *Apie šaltų ir labai šaltų dujų savybes*. Buvo labai įdomu, tarsi skaitytų gerą romaną.

Jau šilčiau. Jo darbas susijęs su matematika ir fizika. Kokia fizikos sritimi? Šaltos dujos tikrai įdomu, tačiau jautė, kad neišmano tiek, kiek knygos autorius. Jis peržvelgė lentynas ir apsistojo ties geofizika, prisiminęs laikraščio antraštę — JAV MĖNULIS DAR NEPAKILO. Išsitraukė *Raketų gamybos principus*.

Tai buvo vadovėlis, tačiau jau pirmajame puslapyje užtiko klaidą. Skaitydamas toliau, rado dar dvi...

— Taip! — balsiai šūktelėjo jis, ir netoliese į biologijos knygą įnikęs mokinys pakėlė akis.

Jeigu jis randa knygoje netikslumų, vadinasi, turėtų būti šios srities žinovas. Jis — raketų konstruktorius.

Įdomu, kiek JAV iš viso yra raketų konstruktorių? Spėjo, kad koks pora šimtų. Nuskubėjo prie bibliotekininkės ir pasiteiravo:

— Ar čia galima rasti mokslininkų žinyną?

— Be abejo, — atsiliepė ji. — Pačioje mokslo skyriaus pradžioje rasite *Amerikos mokslininkų sąvadą*.

Ilgai ieškoti nereikėjo. Tai buvo sunki stora knyga, tačiau, savaime aišku, joje vis tiek nebus surašyti visi JAV mokslininkai. „Greičiausiai bus tik patys žymiausi", — pamanė jis sau. Kad ir kaip ten būtų, užmesti akį verta. Jis prisėdo ir ėmė tyrinėti sąrašus, ieškodamas vardo Lukas. Turėjo tramdyti savo nekantrumą kuo greičiau perbėgti akimis pavardes, kad ko nepraleistų.

Užtiko biologą Luką Parfitą, archeologą Luką Dimitrijų ir farmakologą Luką Fontenblo, bet fiziko tokiu vardu nebuvo.

Dėl visa ko dar permetė akimis geofizikų ir astronomų pavardes, tačiau tarp jų nebuvo nė vieno Luko.

Aišku, jis liūdnai pamanė, juk net nežino, ar Lukas yra tikrasis jo vardas. Jį taip vadino Pitas. Kas žino, gal jo vardas iš tiesų Persevalis.

Šiek tiek apmaudu, tačiau nesirengė taip lengvai nuleisti rankų.

Gal verta pabandyti kitaip. Juk kas nors jį tikrai turėtų pažinoti. Gal jo vardas ir ne toks, tačiau veidas juk nepasikeitęs. Amerikos mokslininkų žinyne spausdinamos tik žymiausių veikėjų, tokių kaip daktaro Vernerio fon Brauno, nuotraukos. Tačiau Lukas turėtų turėti draugų ir bendradarbių, kurie jį tikrai atpažintų, jei tik juos surastų. O dabar jis jau žino, kur jų ieškoti — jo bendradarbiai turėtų būti raketų konstruktoriai.

Kur telkiasi mokslininkai? Universitete.

Jis atsivertė enciklopedijos skyrelį apie Vašingtoną. Ten pateiktas ir miesto universitetų sąrašas. Jis išsirinko Džordžtauno universitetą, nes jau žinojo, kur Džordžtaunas ir kaip ten patekti. Susiradęs universitetą gatvių žemėlapyje, pamatė, kad jo miestelį sudaro keliasdešimt pastatų. Greičiausiai ten bus didžiulis fizikos departamentas su dešimtimis profesorių. Galbūt kas nors jį pažintų?

Kupinas vilties jis išėjo iš bibliotekos ir įsėdo į automobilį.

14 val. 30 min.

Degikliai nebuvo suprojektuoti uždegti vakuume. *Jupiter* raketai jie buvo perdirbti taip: a) visas variklis patalpintas į uždarą konteinerį; b) tuo atveju, jeigu konteinerio sandarumas būtų pažeistas, degiklis pats įdėtas į uždarą talpą; c) degiklis turi užsidegti vakuume. Daugybė atsarginių konstrukcinių sprendimų vadinama saugikliais.

Susirinkime dėl Kubos atėjo laikas kavos pertraukėlei, ir Entonis nuskubėjo į Q pastatą naujausių žinių; vylėsi, kad jo žmonės bus užtikę kokį nors Luko pėdsaką.

Ant laiptų jis susidūrė su Pitu:

— Radom kažką keisto, — pranešė jis.

Entonio akys viltingai sužibo.

— Na!

— Džordžtauno policijos pranešimas. Iš parduotuvės grįžusi namų šeimininkė pastebėjo, kad į jos namus buvo įsilaužta ir pasinaudota dušu. Įsilaužėlis, numetęs lagaminą ir krūvą sudriskusių drapanų, jau buvo dingęs.

Entonis subruzdo.

— Pagaliau užtikom! — ėmė trinti rankas. — Koks adresas?

— Manote, tai mūsų vyrukas?

— Be jokių abejonių! Jam įgriso būti panašiam į valkatą, taigi įsilaužė į tuščią namą, nusiprausė, nusiskuto ir persirengė padoriais drabužiais. Tai jam būdinga, jis tikrai nemėgsta būti prastai apsirengęs.

Pitas susimąstė:

— Regis, neblogai jį pažįstate.

Entonis susizgribo vėl leptelėjęs, ko nereikia.

— Ne, nelabai, — mestelėjo jis. — Skaičiau jo bylą.

— A, — nutęsė Pitas. Kiek patylėjęs kalbėjo toliau: — Kažin kodėl jis paliko savo daiktus?

— Atrodo, kad ji grįžo jam dar nespėjus susitvarkyti.

— O kaip pasitarimas dėl Kubos?

Entonis sustabdė pro šalį skubančią sekretorę.

— Paskambinkite į konferencijų salę P pastate ir praneškite misteriui Hobartui, kad mane surietė ūmūs pilvo skausmai ir misteris Makselis išgabeno mane į ligoninę.

— Pilvo skausmai, — bereikšme veido išraiška pakartojo ji.

— Taip, — tarė jis, eidamas šalin. Ir per petį dar mestelėjo: — Nebent pati sugalvosite ką nors geresnio.

Jiedu su Pitu išėjo ir sušoko į senutėlį geltoną kadilaką.

— Teks veikti gudriai, — tarė jis Pitui, kai jie pasuko į Džordžtauną. — Pagaliau užtikome Luko pėdsakus. Bet bėda ta, kad neturime šimto vyrų, kurie prasijotų visą miestą. Ketinu pasitelkti šiam tikslui Vašingtono policijos departamentą.

— Sėkmės, — skeptiškai atsiliepė Pitas. — O ką daryti man?

— Elkis maloniai su farais, leisk šnekėti man.

— Turėčiau sugebėti.

Entonis lėkte lėkė gatvėmis, ir netrukus jiedu jau buvo prie policijos raporte nurodyto pastato. Tai buvo nedidukas namelis priemiestyje. Prie jo jau stovėjo policijos automobilis.

Prieš įeidamas vidun, Entonis įdėmiai permetė akimis priešingos gatvės pusės namų langus. Galų gale išvydo tai, ko ieškojo — antro aukšto lange bolavo kažkieno veidas. Tai buvo senyva žila moteris. Jųdviejų žvilgsniams susitikus, ji nė nemanė slėptis ir toliau nė kiek nesutrikusi smalsiai spoksojo į gatvę. Kaip tik tai, ko ir reikia, vietinė smalsuolė. Jis nusišypsojo ir pamojavo jai, o ji dėkodama linktelėjo.

Entonis apsisuko ir patraukė namelio link. Ant durų staktos buvo matytis nedideli įbrėžimai, atsiradę krapštant spyną. „Švarus, meistriškas darbelis", — pamanė jis. Būdinga Lukui.

Duris atidarė daili mergina, besilaukianti kūdikio, kuris, regis, turėtų jau greitai gimti. Ji nusivedė Entonį su Pitu į svetainę, kur ant sofos sėdintys du vyriškiai gėrė kavą ir dūmijo cigarus. Vienas iš jų buvo patrulis policijos uniforma. Kitas vyras pigiu blizgančiu kostiumu veikiausiai detektyvas. Prieš juos ant stalo riogsojo lagaminas.

Entonis prisistatė ir parodė farams savo pažymėjimą. Nenorėjo, kad misis Boneti — ir, be abejo, visi jos pažįstami ir kaimynai — sužinotų, jog šiuo įvykiu domisi CŽV, todėl jai tarė:

— Mes esame šių pareigūnų kolegos.

Detektyvas prisistatė Liuisu Haitu.

— Jums kas nors apie tai žinoma? — atsargiai pasiteiravo jis.

— Manau, turime informacijos, kuri jums tikrai pravers. Tačiau prieš tai būtų pravartu išgirsti, ką išsiaiškinote jūs.

Haitas tik skėstelėjo rankomis.

— Lagaminas priklauso Niujorke gyvenančiam Rauliui Austruteriui jaunesniajam. Jis įsilaužia į Boneti namus, nusiprausia ir pasišalina, palikdamas čia savo lagaminą. Išsiaiškink kad geras!

Entonis apžiūrėjo lagaminą. Tai buvo puspilnis gelsvas odinis lagaminas. Jis pasirausė po daiktus. Aptiko švarius marškinius ir apatinius, tačiau nebuvo nei batų, nei kelnių ar švarko.

— Greičiausiai misteris Austruteris atvyko į Vašingtoną šiandien, — prabilo jis.

Haitas pritariamai linktelėjo, o misis Boneti susižavėjimo kupinu balsu pasiteiravo:

— Kaip jūs tai nustatėte?

Entonis šyptelėjo:

— Detektyvas Haitas geriausiai jums paaiškins.

Negalima iš Haito atimti malonumo būti dėmesio centre.

— Lagamine yra švarūs apatiniai, tačiau nėra skalbtinų drabužių, — paaiškino Haitas. — Vyras dar nesikeitė drabužių, todėl greičiausiai išvykęs iš namų dar nenakvojo. Vadinasi, išvyko šįryt.

Entonis tarė:

— Regis, jis paliko čia savo drapanas.

Įsiterpė patrulis Lonis:

— Jos pas mane. — Jis pakėlė prie sofos stovinčią kartoninę dėžę. — Lietpaltis, — ėmė vardyti, rausdamasis po ją. — Marškiniai, kelnės, batai.

Entonis juos išsyk pažino. Šiais draiskalais Lukas ir buvo aptaisytas.

— Nepanašu, kad čia įsilaužė misteris Austruteris, — tarė Entonis. — Greičiausiai lagaminas šįryt buvo pavogtas, ko gero, Centrinėje stotyje. — Jis kreipėsi į patrulį: — Loni, gal galėtumėte paskambinti į arčiausiai stoties esančią nuovadą ir pasiteirauti, ar nebuvo pranešta apie tokią vagystę? Aišku, jeigu misis Boneti leis mums pasinaudoti savo telefonu.

— Žinoma, — pasiskubino užtikrinti ji. — Jis prieškambaryje.

Entonis pridūrė:

— Tame pranešime turėtų būti nurodyta, kas buvo lagamine. Manau, ten bus paminėtas kostiumas ir batų pora.

Jie visi negalėdami atsikvošėti spoksojo į jį.

— Gerai būtų, jeigu pasižymėtumėte, koks buvo kostiumas.

— Gerai.

Patrulis patraukė į prieškambarį.

Entonis širdyje džiūgavo. Jis įsigudrino nejučiomis perimti vadovavimą tyrimui. Detektyvas Haitas dabar žvelgė į jį taip, tarsi tik ir lauktų tolesnių nurodymų.

— Misteris Austruteris turėtų būti kokių šešių pėdų ir vieno ar dviejų colių ūgio, sverti šimtą aštuoniasdešimt svarų, atletiško sudėjimo, — vardijo jis toliau. — Liuisai, patikrinkite tų marškinių dydį: greičiausiai šešiolikos colių apykaklė ir 35 colių rankovė.

— Tiksliai — aš jau patikrinau, — patvirtino Haitas.

— Turėjau tai numanyti. — Entonis nutaisė šypsenėlę, rodančią nuostabą. — Mes turime to vyro, kuris, kaip manome, pavogė lagaminą ir įsilaužė į šį namą, nuotrauką. — Entonis galvos linktelėjimu davė ženklą Pitui, ir šis ištiesė Haitui kelias nuotraukas. — Jo pavardės nežinome, — sumelavo Entonis. — Šešių pėdų vieno colio ūgio, 180 svarų svorio, atletiško sudėjimo, gali dėtis praradęs atmintį.

— Tai kokie jo motyvai? — susidomėjo Haitas. — Vyrukui prireikė Austruterio drabužių, tai nudžiovė ir įsmuko čia jais persirengti?

— Panašiai.

— Tačiau kam?

Entonis nutaisė apgailestaujamą veido išraišką.

— Deja, neturiu teisės jums to pasakoti.

Haitas ir taip jau buvo patenkintas.

— Slapta, ar ne? Suprantu.

Grįžo Lonis.

— Kaip sakėte, taip ir buvo. Centrinėje, šįryt, pusę dvyliktos.

Entonis tylomis linktelėjo. Detektyvas su faru dabar žvelgė į jį su neslepiama pagarba.

— O kostiumas?

— Melsvas.

Entonis pasisuko į detektyvą.

— Taigi galite išplatinti jo nuotrauką ir išvaizdos aprašymą bei kostiumo spalvą.

— Manote, kad jis dar nepasprukęs iš miesto?

— Taip. — Entonis visiškai nebuvo toks tikras, koks dėjosi, tačiau Lukui nebuvo kur vykti iš Vašingtono.

— Greičiausiai važinėja mašina.

— Tuojau išsiaiškinsim. — Sulig šiais žodžiais Entonis kreipėsi į misis Boneti: — Kokia tos ponios, kuri gyvena kitapus gatvės, pavardė?

— Rozmari Sims.

— Ar ji dažnai žiūri pro langą?

— Vadiname ją Smalsute Roza.

— Puiku.

Jis vėl atsigręžė į detektyvą:

— Gal mums vertėtų su ja persimesti žodeliu?

— Aha.

Jiedu perėjo gatvę ir pasibeldė į misis Sims duris. Ji tučtuojau atidarė — tarsi būtų lūkuriavusi prieškambaryje.

— Aš mačiau jį! — išsyk pareiškė ji. — Įėjo į vidų kaip valkata, o išėjo pasidabinęs nuo galvos iki kojų!

Entonis davė ženklą, siūlydamas klausti Haitui.

Haitas pasiteiravo:

— Ar jis buvo su mašina, misis Sims?

— Taip, nedidelė melsva mašinytė. Išvydusi pamaniau, kad mūsų gatvėje tokios niekas neturi. — Jos gudrios akutės spygtelėjo į juos. — Jau žinau, ko manęs dabar paklausite.

— Gal įsidėmėjote numerį? — pasiteiravo Haitas.

— Taip, — be galo didžiuodamasi atsakė ji. — Užsirašiau.

Entonis nusišypsojo.

15 val.

Viršutinės pakopos patalpintos aliuminio vamzdyje magnio pagrindu. Viršutinė pakopa įtaisyta ant guolio ir, skrydžio metu ant jo sukdamasi maždaug 550 kartų per minutę dažniu, užtikrins raketos stabilumą.

Trisdešimt septintosios gatvės gale, kur ji susikerta su O gatve, žiojėjo praviri Džordžtauno universiteto vartai. Išdėstyti apie purviną kiemelį, iš trijų pusių dunksojo gotikinio stiliaus kalkakmenio pastatai, o studentai su dėstytojais zujo iš vieno pastato į kitą. Lukas lėtai įvairavo vidun, vildamasis, kad kas nors atkreips į jį dėmesį ir šūktelės: „Ei, Lukai! Eikš!". Ir tas slogutis baigtųsi.

Daugelis dėstytojų segėjo kunigiškas marškinių apykakles, ir Lukas sumetė, kad čia greičiausiai katalikiškas universitetas. Regis, išimtinai vyrų.

Jis pastatė automobilį priešais pagrindinį įėjimą, portiką, virš kurio kabojo užrašas *Healy Hall*. Įėjęs į vidų, išvydo pirmą moterį universitete, sėdinčią prie budėtojo stalelio. Ji paaiškino, kad fizikos katedra yra tiesiai po jų kojomis ir liepė vėl išeiti į lauką ir laiptais nusileisti po portiku. Lukui rodėsi, kad visų kankinančių paslapčių išaiškinimas jau ranka pasiekiamas, ir jautė jaudulį tarsi koks lobių ieškotojas, atsidūręs prie Egipto piramidžių slaptaviečių.

Pagal jos nurodymus susirado didelę laboratoriją, kurios viduryje stovėjo darbastaliai, o aplink buvo išdėstyti kabinetai. Prie vieno stalo būrelis vyriškių triūsė prie mikrobangio spektrografo. Visi pasibalnoję nosis akiniais. Iš jų amžiaus Lukas nutarė, jog tai turėtų būti dėstytojai arba doktorantai. Galimas daiktas, kad tarp jų pasitaikys ir koks jo pažįstamas. Jis viltingai prisiartino prie mokslininkų.

Vienas vyresnis mokslinčius atkreipė į jį dėmesį, tačiau jo akys nenušvito, kaip būna išvydus kokį nors seną pažįstamą.

— Kuo galėčiau jums padėti?

— Malonėkite pasakyti, — prabilo Lukas. — Ar šiame universitete yra geofizikos katedra?

— Jergutėliau, ne, — atsiliepė jis. — Šiame universitete net fizika laikoma antrarūšiu mokslu.

Pasigirdo sutartinis juokas.

Visi sužiuro į jį, tačiau neatrodė, kad kuriam nors jis būtų pažįstamas. Jis apmaudžiai pamanė suklydęs, jog pasirinko Džordžtauno universitetą; verčiau jau būtų pabandęs laimę Džordžo Vašingtono aukštojoje mokykloje.

— O astronomijos?

— O, taip. Padanges mes tyrinėjame. Mūsų observatorija pakankamai garsi.

Viltis vėl atgijo.

— Kur ją galėčiau rasti?

Vyras mostelėjo į duris kitame laboratorijos gale.

— Traukite šiuo koridoriumi iki galo ir, išėjęs į lauką, už beisbolo aikštelės kiek tolėliau rasite observatoriją. — Tai pasakęs, jis vėl palinko prie darbastalio.

Lukas nužingsniavo išilgai viso pastato vedančiu ilgu, apytamsiu, purvinu koridoriumi. Išvydęs priešais artėjantį sukumpusį dėstytojo siluetą, pažvelgė jam į akis, pasirengęs plačiai nusišypsoti, jei tasai jį atpažintų, tačiau šiam tik nervingai pašnairavus, nuskubėjo pirmyn.

Nebijodamas susilaukti pagrįsto nepasitenkinimo, Lukas ir toliau įdėmiai nužvelgdavo kiekvieną sutiktąjį, tačiau veltui — niekas jo nepažino. Išėjęs į lauką, išvydo teniso kortus ir Potomako upę, o vakaruose, už sporto aikštyno, baltą kupolą.

Su vis didėjančiu jauduliu patraukė jo link. Ant neaukšto trijų aukštų pastato stogo buvo įtaisyta didelė observatorija su sukimosi mechanizmu. Tai brangus įrenginys, vadinasi, astronomijos katedra turėtų būti rimta. Lukas pravėrė duris ir įžengė vidun.

Kabinetai buvo išdėstyti apie storą koloną, kylančią pastato centru ir prilaikančią milžinišką kupolo svorį. Lukas, pradaręs bibliotekos duris, kyštelėjo galvą, bet viduje nesimatė nė gyvos dvasios. Pradaręs kitas duris, išvydo dailią savo amžiaus moterį, tarškinančią rašomąja mašinėle.

— Labas rytas, — pasilabino jis. — Ar profesorius yra?

— Turite galvoje tėvą Heideną?

— Taip, taip.

— O jūs esate..?

— Eee...

Lukas pražiopsojo ir nepasirengė šiam klausimui iš anksto. Išvydusi, kad jis sutriko, sekretorė nepasitikinčiai suraukė kaktą.

— Jis manęs nepažįsta, — prabilo Lukas. — Turiu galvoje... Jis mane pažįsta, bet nežino mano pavardės.

Jos įtarimas tik dar labiau sustiprėjo.

— Tačiau vis dėlto kokia jūsų pavardė?

— Lukas. Profesorius Lukas.

— Iš kokio jūs universiteto, profesoriau Lukai?

— Eee... Iš Niujorko.

— Iš kokio būtent? Niujorke daugybė aukštųjų.

Luko širdis nupuolė į kulnus. Apimtas pakilios laukimo nuotaikos jis visai nepagalvojo, kad jo gali pasiteirauti panašių dalykų, ir dabar vis labiau painiojosi. Jeigu jau išvydai, kad pats sau kasiesi duobę, verčiau tuojau pat liaukis kasęs. Iš jo veido dingo šypsena, ir jis prabilo griežčiau.

— Čia ne koks tardymas, — tarė. — Tiesiog praneškite tėvui Heidenui, jog užsuko profesorius Lukas, raketų inžinierius, ir norėtų su juo persimesti keletu žodžių.

— Deja, negalėsiu įvykdyti jūsų prašymo, — kietai atrėmė ji.

Lukas išėjo trinktelėjęs durimis. Niršo ant savęs labiau nei ant sekretorės, kuri paprasčiausiai saugojo savo viršininką nuo kažkokio įkyraus kvaišos. Jis nutarė dar pasižvalgyti ir varstyti visas duris iš eilės, kol jį kas nors galų gale pažins arba išgrūs lauk. Jis užlipo į trečią aukštą. Tačiau pastate nesimatė nė gyvos dvasios. Lukas užkopė mediniais laipteliais be turėklų ir įėjo į observatoriją. Joje taip pat buvo tuščia. Sustojo gėrėdamasis didele teleskopo akimi, dantračiais ir mechanizmais ir klausė savęs, ką daryti dabar.

Laiptais pas jį atkaukšėjo sekretorė. Jis pasirengė gintis, tačiau, jo nuostabai, ji prabilo maloniai:

— Jūs turite kokių nors bėdų, ar ne? — kreipėsi ji.

Nuo jos draugiško balso jam net gerklę suspaudė.

— Keblu papasakoti, — tarė jis. — Praradau atmintį. Žinau tik, kad dirbu su raketomis ir tikėjausi sutikti ką nors, kas galėtų mane pažinoti.

— Dabar čia nieko nėra, — paaiškino ji. — Profesorius Loklis skaito paskaitą apie raketų kurą Smitsono institute, metinėje tarptautinėje geofizikos konferencijoje, ir ten sulėkė visas fakultetas.

Lukas pajuto grįžtant viltį. Vietoj vieno geofiziko susitiks su pilna sale.

— O kur tas Smitsono institutas?

— Centre, alėjoje prie Dešimtosios gatvės.

Jau buvo pasisukiojęs Vašingtone ir žinojo, kad tai visai netoli.

— Kada prasidėjo paskaita?

— Trečią.

Lukas dirstelėjo į laikrodį. Jis rodė pusę keturių. Pasiskubinęs iki keturių spėtų.

— Smitsono, — pakartojo jis sau dar kartą.

— Tiksliau sakant, Aerodinamikos skyriuje, įėjimas iš galo.

— Gal žinote, kiek žmonių dalyvaus paskaitoje?

— Koks šimtas dvidešimt.

Bent vienas jų tikrai jį pažins!

— Ačiū jums! — padėkojo jis ir nulėkė laiptais iš pastato.

15 val. 30 min.

Besisukanti antroji pakopa stabilizuoja raketą, išlygindama vienuolikos mažų ją nešančių raketėlių darbo nelygumus.

Bilė siuto ant Leno Roso, kad jis gerinasi Sauerbio fondo atstovams. Tyrimų vadovo vieta turėtų atitekti pačiam geriausiam, o ne pačiam landžiausiam tyrinėtojui. Ji vis dar niršo, kai tos dienos popietę ligoninės direktoriaus sekretorė paskambino ir paprašė užeiti pas jį.

Čarlzo Silvertono profesija buvo buhalteris, ir į gydytojų profesinius reikalus jis nesikišo. Ligoninė priklausė labdaros koncernui, siekiančiam dviejų tikslų — suprasti ir gydyti psichinius negalavimus. Savo pareiga direktorius laikė tvarkyti finansinius ir administracinius reikalus, kad gydytojai galėtų atsidėti tik darbui ir nesuktų galvos dėl pašalinių dalykų. Bilė jį gerbė.

Jo kabinetas buvo įrengtas buvusiame Viktorijos laikų pastato valgomajame, ir jame dar matėsi išlikęs židinys bei lubų puošyba. Jis mostelėjo Bilei sėstis į minkštasuolį ir pradėjo kalbą:

— Ar šįryt šnekėjaisi su Sauerbio fondo nariais?

— Taip. Lenas juos vedžiojo čia visur aplinkui, o paskui prisidėjau ir aš. O ką?

Jis praleido jos klausimą negirdomis.

— Ar neleptelėjai ko nors, kas jiems galėtų nepatikti?

Ji suraukė kaktą ir susimąstė.

— Kad ne. Šnekučiavomės apie naująjį priestatą.

— Žinai, kad aš norėjau tave matyti tyrimų vadove.

Ji sunerimo.

— Šis būtasis laikas man visiškai nepatinka!

Jis tęsė:

— Lenas Rosas yra geras mokslininkas, tačiau tu dar geresnė. Esi pasiekusi daugiau už jį, nors dešimt metų ir jaunesnė.

— Fondas remia Lenį?

Jis dvejodamas nepatogiai pasimuistė.

— Deja, jie to primygtinai reikalauja, antraip negausime paramos.

— Negali būti, — Bilė buvo apstulbusi.

— Ar pažįsti ką nors, turintį ryšių su fondu?

— Taip. Vienas senas mano bičiulis yra valdybos narys. Entonis Kerolis, mano sūnaus krikštatėvis.

— Kodėl jį įtraukė į valdybą? Kur jis dirba?

— Vyriausybei, tačiau jo mama tikrai turtinga ir jis dalyvauja ne vienoje labdaringoje veikloje.

— Gal jis ant tavęs griežia dantį?

Bilė mintimis šoktelėjo į praeitį. Po tos kebeknės, dėl kurios Lukas buvo priverstas palikti Harvardą, Bilė pyko ant Entonio, ir jiedu daugiau nebesusitikinėjo. Tačiau jo elgesys su Elspete suminkštino jos širdį ir ji atsileido. Elspetė visai sugniužo, apleido mokslus ir apskritai kilo grėsmė, jog ji juos mes. Ji slankiojo sustingusiu žvilgsniu žvelgdama į niekur it kokia blyškiaveidė šmėkla ugniniais plaukais, nykte nykdama tiesiog akyse, nelankė paskaitų. Ją išgelbėjo Entonis. Jiedu tapo artimais draugais, bet į meilę jų bičiulystė neperaugo. Kartu mokydavosi, ir ji laiku susigriebusi sugebėjo išlaikyti egzaminus. Entonis tuo susigrąžino Bilės pagarbą ir nuo tada jie liko tiesiog gerais draugais.

Ji tarė Čarliui:

— 1941-ais buvome kaip reikiant susipykę, tačiau tai buvo taip seniai.

— Gal koks nors valdybos narys žavisi Leno darbais?

Bilė ėmė svarstyti.

— Lenas laikosi kitokio požiūrio nei aš. Jis Froido pasekėjas, visur ieško pasąmoninių paaiškinimų. Jeigu pacientas staiga netenka gebėjimo skaityti, jis mano, kad pastarasis nesąmoningai bijosi literatūros ir slopina savo baimę. Aš ieškočiau smegenų pažeidimo.

— Taigi valdyboje gali būti koks aršus froidininkas, nusiteikęs prieš tave?

— Greičiausiai.

Bilė atsiduso.

— Negi jie taip pasielgtų? Tai nebūtų sąžininga.

— Tai ganėtinai keista, — pastebėjo Čarlzas. — Fondai paprastai nesikiša į profesinius reikalus. Tačiau jiems tai neuždrausta.

— Aš dar pakovosiu. Kokią priežastį jie nurodė?

— Man paskambino valdybos pirmininkas ir pranešė, kad, jų nuomone, Leno kvalifikacija aukštesnė.

— Tikroji priežastis aiškiai kitokia.

— Kodėl tau nepasiteiravus savo bičiulio?

— Kaip tik tai ir ruošiuosi padaryti.

15 val. 45 min.

Stroboskopas naudojamas tiksliai nustatyti, kur turėtų būti išdėstyti svoriai, kad besisukantis cilindras būtų tobulai subalansuotas — antraip vidinė kabina vibruotų išorinio rėmo viduje ir dėl to subyrėtų visas agregatas.

Prieš išeidamas iš Džordžtauno universiteto, Lukas ištyrinėjo Vašingtono žemėlapį. Institutas buvo įsikūręs to Molo parke. Jis dirstelėjo į laikrodį ir nuvažiavo K gatve. Po dešimties minučių turėtų ten nuvykti. Mintyse pridėjęs dar penkias, kurias užtruks ieškodamas auditorijos, sumetė, kad atvyks į pačią paskaitos pabaigą. Be jokios abejonės, jį kas nors pažins.

Jau praėjo beveik vienuolika valandų nuo tos akimirkos, kai jis pabudo išpiltas šalto prakaito, ir kadangi jokių įvykių iki penktos valandos ryto neprisiminė, rodėsi, šis košmaras tęsiasi visą gyvenimą.

Jis pasuko dešinėn į Devintąją gatvę, vedančią į pietus Molo link, kupinas šviesiausių vilčių. Išsyk už posūkio jam už nugaros ūktelėjo policijos sirena ir jam net sugniaužė paširdžius.

Jis dirstelėjo į galinio vaizdo veidrodėlį. Iš paskos mirksėdamas švyturėliais lėkė policijos automobilis, kuriame sėdėjo du policininkai. Vienas ranka parodė į dešinįjį kelkraštį ir per garsiakalbį paliepė sustoti.

Lukui suspaudė paširdžius. Jis jau buvo beveik atvykęs.

Negi būtų padaręs kokį nežymų eismo pažeidimą ir jie dabar norėtų jį nubausti? Net jeigu ir taip, vis tiek paprašys parodyti vairuotojo pažymėjimą, o jis neturi jokių dokumentų. Ne, tai ne dėl eismo pažeidimo. Juk jis vairuoja vogtą automobilį. Buvo apskaičiavęs, kad vagystė nepaaiškės iki vakaro, kol iš Filadelfijos negrįš automobilio savininkas, tačiau reikalai pasisuko kitaip. Jie, be jokios abejonės, ketina jį suimti.

Tačiau pirma turės pasivyti.

Jis ėmė dairytis progos jų atsikratyti. Priešais vienpusio eismo keliu riedėjo ilgas sunkvežimis. Ilgai nedvejodamas Lukas užgulė akceleratorių ir šovė pro sunkvežimį.

Policija įjungė signalą ir puolė paskui.

Lukas aplenkė sunkvežimį ir užsuko tiesiai prieš jo nosį. Dabar veikė instinktyviai, nebuvo laiko galvoti, jis pakėlė stovėjimo stabdį ir staigiai suktelėjo vairą į dešinę.

Fordas slysdamas elipse ėmė suktis dešinėn. Kad išvengtų susidūrimo, sunkvežimis metėsi kairėn ir privertė policininkus prisispausti prie kairiojo kelkraščio.

Lukas atleido stovėjimo stabdį, kad automobilis nustotų suktis. Jis dabar atsigręžė tiesiai priešais eismą. Įjungė pavarą, nuspaudė akceleratorių ir šovė į priekį prieš eismą.

Automobiliai, vengdami susidūrimo, karštligiškai blaškėsi į šonus. Lukas šastelėjo į dešinę, kad išvengtų autobuso, užkliudė furgoną, tačiau laimingai pranėrė, lydimas pasipiktinusių vairuotojų pypsėjimo. Senas prieškarinis linkolnas užšoko ant šaligatvio ir trenkėsi į žibintą. Motociklininkas neišlaikė pusiausvyros ir nulėkė nuo motociklo. Lukas vylėsi, kad jis smarkiai nesusižeidė.

Taip jis pranėrė iki artimiausios sankryžos ir įsuko į plačią aveniu. Spaudė du kvartalus, lėkdamas net per raudoną šviesą, ir vėl žvilgtelėjo į veidrodėlį. Policijos automobilio nesimatė.

Tada vėl pasuko į pietus. Dabar jau pametė kelią, tačiau žinojo, kad reikia laikytis pietų krypties. Dabar, kai atsikratė to policijos automobilio, verčiau pasisaugoti ir važiuoti tvarkingai. Tačiau dirstelėjęs į laikrodį išvydo, kad jau keturios, o jis ne tik nepriartėjo prie Smitsono instituto, bet dar labiau nuo jo nutolo. Jeigu pavėluos, auditorijoje jau nieko neras. Jis vėl užgulė akceleratorių.

Pietų kryptimi vedanti gatvė baigėsi aklagatviu, ir jis buvo priverstas pasukti į dešinę. Lenkdamas lėtesnius automobilius, skaitinėjo gatvių pavadinimus. Dabar lėkė D gatve. Po minutės pasiekė Septintąją ir pasuko į pietus.

Šįsyk sėkmė jam šypsojosi. Pralėkė Konstitucijos aveniu 70 mylių per valandą greičiu ir galų gale atsidūrė parke.

Už pievelės dešinėje išvydo milžinišką tamsiai raudonų plytų pastatą, primenantį pasakų pilį. Pagal žemėlapį muziejus turėtų būti kaip tik čia. Jis pastatė automobilį ir dirstelėjo į laikrodį. Buvo jau penkios po keturių. Visi jau skirstysis. Lukas susikeikė ir iššoko lauk.

Tekinas perbėgo pievelę. Pasak sekretorės, paskaita vyksta Aerodinamikos skyriuje, kitoje pastato pusėje. Čia priekis ar galas? Panašu į priekį. Palei pastatą matėsi takelis, vedantis per nedidelį sodą. Pasuko juo ir atsidūrė plačioje gatvėje. Vis dar bėgdamas, aptiko geležinius vartelius, vedančius galinio įėjimo į muziejų link. Jo dešinėje, šalia pievelės, dunksojo kažkas panašaus į senutėlį lėktuvų angarą. Jis įlėkė vidun.

Apsižvalgė. Palubėje kabojo visokiausi skraidymo aparatai: seni biplanai, karo metų naikintuvas ir netgi oro balionas. Palei sienas išdėlioti stenduose gulėjo oreivystės žymenys, pilotų drabužiai, oro kameros ir fotoaparatai. Lukas kreipėsi į uniformuotą budėtoją.

— Ieškau paskaitos apie raketinį kurą.

— Jūs pavėlavote, — atsakė jam vyras, užmetęs akį į savo laikrodį. — Jau dešimt po keturių, paskaita baigta.

— Kur ji vyko? Gal dar sugaučiau pranešėją.

— Regis, jis jau išėjo.

Lukas įsmeigė į jį akis ir iškošė:

— Atsakyk, kai tavęs klausia. Kur ji vyko?

Vyriškis susigūžė.

— Salės gale, — nurodė jis.

Lukas tekinas pasileido per salę. Jos gale paskaitai buvo pastatyta tribūna, pakabinta lenta ir eilėmis sustatytos kėdės. Dauguma dalyvių jau buvo išėję, ir darbuotojai krovė metalines kėdes į pasienį. Tačiau kampe dar būriavosi aštuoni ar devyni vyriškiai, karštai diskutuojantys, apstoję žilą vyriškį, greičiausiai pranešėją.

Luko viltys priblėso. Dar prieš keletą minučių čia šurmuliavo daugiau kaip šimtas mokslininkų. Dabar liko vos saujelė ir vargu ar kuris jį pažins.

Žilasis vyriškis nužvelgė jį ir vėl atsisuko į kitus. Sunku pasakyti, ar jis pažino Luką, ar ne. Jis berte berdamas kažką dėstė.

— Vitrometras sunkiai pritaikomas. Svarbiausia paisyti saugumo.

— Jeigu kuras tinkamas, galima rasti būdų saugumui užtikrinti, — įsiterpė jaunas vyriškis.

Lukui šis argumentas taip pat buvo žinomas. Daugybė raketinio kuro išbandyta, ir daugelis jų pasirodė galingesni už įprastą spirito ir skysto deguonies mišinį, tačiau su jais visais iškildavo kokių nors techninių keblumų.

Vyriškis pietietišku akcentu prabilo:

— O kaip dėl asimetriško dimetilhidrazino? Teko girdėti, kad jį bando Reaktyvinio judėjimo laboratorijoje Pasadenoje?

Lukas staiga prabilo:

— Dirba gerai, tačiau mirtinai nuodingas.

Visi atsigręžė į jį. Žilasis vyriškis susiraukė, šiek tiek suirzęs dėl tokio pašalinio kišimosi.

Jaunas vyriškis tvido kostiumu nustebęs pažvelgė į Luką ir šūktelėjo:

— Jėzau, ką tu čia veiki Vašingtone, Lukai?

Lukui iš džiaugsmo suspaudė gerklę.

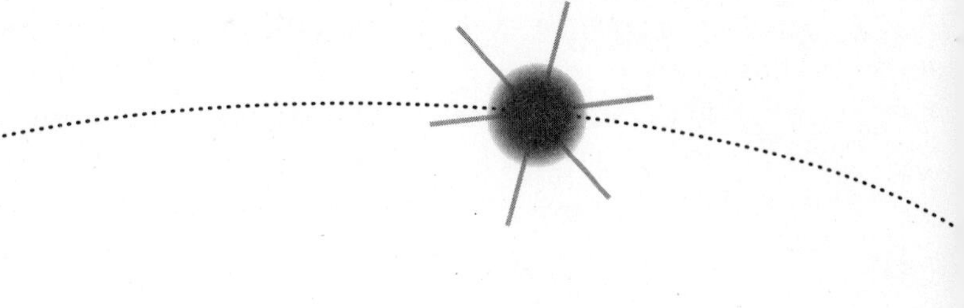

TREČIA DALIS

16 val. 15 min.

Viršutinės pakopos įtaisytos taip, kad jų sukimosi greitis (nuo 450 iki 750 aps./min.) nesutaptų, nes sutapus vibracijai raketa gali subyrėti ore.

Lukui staiga net užėmė amą. Palengvėjimas buvo toks ūmus ir stiprus, kad sugniaužė gerklę. Visą laiką stengėsi elgtis ramiai ir racionaliai, tačiau dabar akyse susitvenkė ašaros.

Kiti mokslininkai vėl grįžo prie savo pokalbio, nekreipdami dėmesio į persimainiusį jo veidą, ir tik vyriškis tvido kostiumu susirūpinęs pasiteiravo:

— Ei, ar tau viskas gerai?

Lukas linktelėjo. Po kiek laiko, kai jau pajėgė pratarti žodį, paprašė:

— Gal galėtume šnektelėti?

— Žinoma, žinoma. Už brolių Raitų ekspozicijos yra nedidelis kabinetėlis. Seniau ten dirbdavo profesorius Larklis. — Jie patraukė to kabineto durų link. — Beje, aš esu šios paskaitos organizatorius.

Jis nusivedė Luką į ankštą, spartietiškai apstatytą kabinetą. Jame stovėjo tik keletas kėdžių, stalas ir telefonas. Jiedu prisėdo.

— Kas atsitiko? — pasiteiravo vyriškis.

— Praradau atmintį.

— Jėzau!

— Autobiografinė amnezija. Prisimenu mokslinius dalykus, — per juos ir susiradau jus, — tačiau ničnieko nežinau apie save.

Priblokštas tokios žinios, vyriškis pasiteiravo:

— O mane pažįsti?

Lukas papurtė galvą.

— Velnias, aš net abejoju dėl savo vardo.

— Tai bent.

Vyriškis negalėjo tuo patikėti.

— Dar neteko nieko panašaus sutikti.

— Man žūtbūt reikia iš tavęs išgirsti viską, ką apie mane žinai.

— Suprantu, suprantu. Eee... O nuo ko pradėti?

— Pavadinai mane Luku.

— Visi į tave kreipiasi „Lukai". Nes tu esi daktaras Klodas Lukasas, tačiau, man regis, niekada nemėgai vardo Klodas. Aš Vilas Makdermotas.

Lukas užsimerkė nuo užplūdusios palengvėjimo ir dėkingumo bangos. Pagaliau jis žino savo vardą ir pavardę.

— Dėkoju tau, Vilai.

— Nieko negaliu papasakoti apie tavo šeimą. Tik porą sykių esame susitikę mokslinėse konferencijose.

— Gal žinai, kur gyvenu?

— Regis, Hantsvilyje, Alabamoje. Dirbi Karinių balistinių raketų agentūroje. Ji įsikūrusi Redstouno bazėje, Hantsvilyje. Tačiau tu civilis, ne kariškis. Tavo viršininkas Verneris fon Braunas.

— Negaliu apsakyti, kiek daug man tai reiškia.

— Nustebau tave išvydęs, nes jūsų komanda kaip tik ruošiasi paleisti raketą, kuri pirmąsyk iškels į kosmosą Amerikos palydovą. Visi jie Kanaveralo kyšulyje, ir kalbama, kad startas įvyks šįvakar.

— Skaičiau apie tai laikraštyje, Jėzau, aš dirbau prie tos raketos?

— Taip. *Explorer*. Svarbiausias startas visoje Amerikos kosmonautikos istorijoje, ypač po sėkmingo rusų *Sputniko* skrydžio ir nepakilusios *Vanguard*.

Lukas staiga atgijo. Vos prieš kelias valandas laikė save prasigėrusiu valkata. Pasirodo, jis mokslininkas, pasiekęs tikrų karjeros aukštumų.

— Tačiau juk turėčiau būti ten ir ruoštis paleidimui!

— Būtent... Ar nenumanai, kodėl nesi ten?

Lukas tik papurtė galvą.

— Šįryt pakirdau Centrinės stoties tualete. Kaip ten atsidūriau — galva neišneša.

Vilas daugiareikšmiškai šyptelėjo:

— Panašu į tai, kad vakar galingai pasilinksminai!

— O jeigu rimtai — ar tai panašu į mane? Prisigerti iki sąmonės netekimo?

— Nepažįstu tavęs taip gerai, kad galėčiau atsiminti. — Bandydamas prisiminti, Vilas susimąstė. — Tačiau abejočiau. Žinai, kokie tie mokslininkai. Geriausias pasilinksminimas — sėdėti, gerti kavą ir kalbėtis apie darbus.

Lukas buvo tokios pat nuomonės. Paprasčiausiai nusitašyti visiškai neįdomu. Tačiau kitokį paaiškinimą, kaip jis atsidūrė šioje kebeknėje, sugalvoti sunku. Kas iš tikrųjų tas Pitas? Kodėl jį sekė? Ir kas buvo tiedu vyrai, dairęsi jo Centrinėje stotyje?

Knietėjo pasidalyti savo mintimis su Vilu, tačiau nutarė, kad jos skambėtų pernelyg jau keistai. Vilui galėtų pasirodyti, kad jam visai pasimaišė. Todėl jis nutylėjo ir tarė:

— Paskambinsiu į Kanaveralo kyšulį.

— Puiki mintis. — Vilas pakėlė ant stalo stovinčio telefono ragelį ir surinko nulį. — Čia Vilas Makdermotas. Ar galiu paskambinti į miestą? Dėkoju. — Jis ištiesė ragelį Lukui.

Lukas iš telefonistės sužinojo numerį ir surinko skaičius.

— Čia daktaras Lukasas. — Jautėsi be galo laimingas galėdamas prisistatyti pavarde, nebūtų niekada nė pagalvojęs, kad tai gali taip maloniai glostyti širdį. — Pakvieskite ką nors iš *Explorer* komandos.

— Jie šiuo metu D ir R angaruose, — atsakė vyras operatorius. — Luktelėkite.

Po kiek laiko ragelyje pasigirdo balsas:

— Kariuomenės saugumo tarnyba, kalba pulkininkas Haidas.

— Čia daktaras Lukas...

— Lukai! Pagaliau! Kur tave velnias nešioja?

— Vašingtone.

— Ką ten, po galais, darai? Mes visi čia nežinom, ką ir galvoti. Tavęs ieško kariuomenės saugumo tarnyba, FTB, net CŽV!

„Dabar aišku, kas tiedu agentai Centrinėje", — pamanė sau Lukas.

— Paklausykit, atsitiko keisčiausias dalykas. Aš praradau atmintį. Klaidžiojau po miestą mėgindamas išsiaiškinti, kas esu, kol suradau fiziką, kuris mane pažino.

— Tiesiog neįtikėtina. Kaip tai atsitiko, dėl Dievo meilės?

— Tikėjausi, kad galbūt jums tai žinoma, pulkininke.

— Visada vadindavai mane Bilu.

— Bilai.

— Na, galiu pasakyti tik tiek, ką žinau. Pirmadienį ryte išvykai. Sakei turįs reikalų Vašingtone. Išskridai iš Patriko.

— Patriko?

— Patriko oro pajėgų bazės, greta Kanaveralo kyšulio. Merigolda užsakė tau kambarius...

— Kas ta Merigolda?

— Tavo sekretorė Hantsvilyje. Taip pat užsakė tavo įprastą numerį „Karltono" viešbutyje Vašingtone.

Pulkininko balse pasigirdo pavydo gaidelės, ir Lukui pasidarė smalsu, koks tas „įprastas numeris", tačiau jis turėjo svarbesnių klausimų.

— Ar kam nors pasakojau, ko ten vykstu?

— Merigolda susitarė su generolu Šervudu iš Pentagono dėl susitikimo 10 valandą ryto vakar, tačiau tu nepasirodei.

— Ar nenurodžiau priežasties, dėl kurios norėjau pasimatyti su generolu Šervudu?

— Greičiausiai ne.

— Už ką jis atsakingas?

— Kariuomenės saugumo tarnyba, tačiau jis taip pat yra tavo draugas, taigi galėjote susitikti dėl daugybės priežasčių.

Lukas sumetė, kad tai turėjo būti kažkas ypač svarbaus, jeigu jis išrūko iš Kanaveralo kyšulio prieš pat paleidžiant raketą.

— Ar startas vyks šįvakar?

— Ne, nepalankios meteorologinės sąlygos. Nukeltas rytojui, pusei vienuoliktos ryto.

Lukas suko galvą, kokį velnią jis čia Vašingtone veikė.

— Ar aš turiu draugų Vašingtone?

— Be abejo. Vienas skambina kas valandą. Bernis Rotsteinas.

Haidas pasakė telefono numerį. Lukas brūkštelėjo jį ant popieriaus skiautelės.

— Nieko nelaukdamas su juo susisieksiu.

— Pirmiausia paskambink žmonai.

Lukas tiesiog apmirė. Jam užėmė kvapą. „Žmonai", — šmėkštelėjo galvoje mintis. Tai jis turi žmoną. Įdomu, kokia ji.

— Alio! Dar klausaisi? — pasiteiravo Haidas.

Lukas giliai įtraukė oro.

— Eee, Bilai...

— Ką?

— Koks jos vardas?

— Elspetė, — atsakė jis. — Tavo žmonos vardas Elspetė. Tuoj sujungsiu su ja. Nepadėk ragelio.

Lukui net pasidarė silpna. „Kaip kvaila", — pamanė jis sau. Juk ji — jo žmona.

— Kalba Elspetė. Lukai, čia tu?

Jos balsas buvo malonus, sodrus, dikcija aiški ir bespalvė. Jis įsivaizdavo aukštą, pasitikinčią savimi moterį. Jis prabilo:

— Taip, čia Lukas. Praradau atmintį.

— Aš taip dėl tavęs nerimavau. Ar tau nieko nenutiko?

Jis net susigraudino iš dėkingumo, kad juo kažkas rūpinasi.

— Regis, taip, — atsakė jis.

— Kas atsitiko?

— Nežinau. Šįryt pabudau Centrinės stoties tualete ir visą dieną bandau aiškintis, kas aš toks.

— Visi tavęs ieško. Kur dabar esi?

— Smitsono institute, Aerodinamikos skyriuje.

— Ar tavimi kas nors rūpinasi?

Lukas nusišypsojo Vilui Makdermotui.

— Man pagelbėjo kolega mokslininkas. Gavau Bernio Rotsteino numerį. Tačiau manimi nereikia labai rūpintis. Jaučiuosi puikiai, tiesiog praradau atmintį.

Vilas Makdermotas sutrikęs atsistojo ir šnibžtelėjo:

— Netrukdysiu jums vienudu pasišnekėti. Palauksiu salėje.

Lukas dėkodamas linktelėjo.

Elspetė tarė:

— Tai neprisimeni, kodėl taip netikėtai išskubėjai į Vašingtoną?

— Ne. Tau, ko gero, nesakiau.

— Sakei, kad man verčiau to nežinoti. Tačiau aš išsigandau. Paskambinau senam mūsų bičiuliui Vašingtone Entoniui Keroliui. Jis dirba CŽV.

— Ar jis ko nors ėmėsi?

— Jis paskambino tau į „Karltoną" pirmadienio vakare, ir sutarėte kartu papusryčiauti antradienio rytą, tačiau tu nepasirodei. Jis tavęs visą dieną ieškojo. Tučtuojau jam paskambinsiu ir pranešiu, kad nėra dėl ko nerimauti.

— Matyt, man kažkas atsitiko tarp pirmadienio vakaro ir antradienio ryto.

— Tau reikėtų apsilankyti pas daktarą.

— Jaučiuosi gerai. Tačiau norėčiau daug ką išsiaiškinti. Ar mes su tavimi turime vaikų?

— Ne.

Luką smilktelėjo liūdesys, kuris rodėsi pažįstamas, tarsi kokios senos neužgijusios žaizdos maudimas.

Elspetė tęsė:

— Mėginome susilaukti kūdikio nuo tada, kai prieš penkerius metus susituokėme, tačiau bergždžiai.

— Mano tėvai dar gyvi?

— Tavo mama — taip. Gyvena Niujorke. Tėtis mirė prieš penkerius metus.

Luką staiga iš kažkur užplūdo liūdesys. Nieko neprisimena apie savo tėvą ir niekada daugiau jo neišvys. Buvo neapsakomai skaudu.

Elspetė pasakojo toliau:

— Turi dar du brolius ir seserį, visi jaunesni. Tavo sesutė Emilė yra mylimiausia, ji dešimčia metų jaunesnė už tave, gyvena Baltimorėje.

— Gal turi jų telefono numerius?

— Žinoma. Luktelėk, tuojau surasiu.

— Norėčiau išgirsti jų balsus, net nežinau kodėl.

Kitame laido gale pasigirdo slopinamas kūkčiojimas.

— Tu verki?

Elspetė sušnirpštė:

— Nieko.

Jis įsivaizdavo, kaip ji iš savo rankinės išsitraukia nosinaitę.

— Staiga taip suspaudė širdį dėl tavęs, — sušniurkščiojo ji. — Tikriausiai jauteisi siaubingai.

— Buvo ir sunkių akimirkų.

— Užsirašyk numerius.

Ji padiktavo skaičius.

— Mes turtingi? — pasiteiravo jis, pasižymėjęs numerius lapelyje.

— Tavo tėvas stambus bankininkas. Paveldėjai daug pinigų. O ką?

— Bilas Haidas minėjo, kad apsistojau savo įprastame numeryje „Karltone".

— Prieš karą tavo tėtis dirbo patarėju Ruzvelto administracijoje ir, vykdamas į Vašingtoną, sykui pasiimdavo šeimą. „Karltone" visada apsistodavote cokoliniame apartamente. Greičiausiai laikaisi tos tradicijos.

— Vadinasi, mudu negyvename tik iš mano atlyginimo.

— Ne, tačiau Hantsvilyje stengiamės neišsiskirti iš kolegų.

— Galėčiau tavęs klausinėti be galo be krašto. Tačiau dabar labiausiai rūpi išsiaiškinti, kas vis dėlto man atsitiko. Gal šįvakar atskrisi čia, pas mane?

Ragelyje stojo tyla.

— Jėzau, o kam?

— Padėtum išsiaiškinti šią mįslę. Pagelbėtum ir palaikytum.

— Verčiau išmesk tai iš galvos ir vyk čia.

Jis negali visko taip lengvai užmiršti. Net norėdamas negalėtų.

— Negaliu visko paprasčiausiai išmesti iš galvos. Turiu išsiaiškinti, kas įvyko. Pernelyg jau viskas mįslinga, kad palikčiau neišsiaiškinęs.

— Lukai, jokiu būdu dabar negaliu išvykti iš Kanaveralo kyšulio. Dėl Dievo meilės, juk ruošiamės paleisti pirmąjį Amerikos palydovą! Negaliu visko mesti ir palikti savo bendradarbių tokiu momentu.

— Greičiausiai taip.

Jis ją suprato, tačiau jos atsisakymas vis tiek užgavo.

— O kas yra Bernis Rotsteinas?

— Harvarde mokėtės sykiu su juo ir Entoniu Keroliu. Dabar jis rašytojas.

— Jis ieškojo manęs. Gal žino ką nors apie visa tai.

— Paskambink man vėliau, gerai? Aš vakare po darbo būsiu „Žvaigždėtajame" motelyje.

— Gerai.

— Ir prašau saugok save, Lukai, — nuoširdžiai paprašė ji.

— Pažadu, saugosiu.

Jis padėjo ragelį.

Kurį laiką sėdėjo tylėdamas. Jautėsi emociškai išsunktas. Viena vertus, norėjosi grįžti į savo viešbutį ir prigulti. Tačiau paslaptis pernelyg jį masino. Jis vėl pakėlė telefono ragelį ir surinko Bernio Rotsteino numerį.

— Čia Lukas Lukasas, — prisistatė jis atsiliepus vyriškam balsui.

Bernis kalbėjo žemu balsu su vos juntamu Niujorko akcentu.

— Lukai, dėkui Dievui! Kas, po velnių, tau atsitiko?

— Visi to paties klausinėja. Reikalas tas, kad žinau tik tiek, jog praradau atmintį.

— Praradai atmintį?

— Taip.

— Mėšlas. Ar žinai, kas tau atsitiko?

— Ne. Tikėjausi, kad gal tau kas nors žinoma.

— Gal ir taip.

— Kokiu reikalu ieškojai manęs?

— Susirūpinau. Paskambinai man pirmadienį. Pranešei vykstąs į Vašingtoną ir norįs su manimi pasimatyti, todėl paskambinsiąs man apsistojęs „Karltone". Tačiau taip ir nepaskambinai.

— Kažkas pirmadienio vakare man atsitiko.

— Aha. Klausyk, tau reikėtų paskambinti daktarei Bilei Džozefson. Ji pasaulinio lygio atminties ekspertė.

Pavardė Lukui pasirodė labai girdėta.

— Regis, buvau užtikęs jos knygą bibliotekoje.

— Ji taip pat ir buvusi mano žmona bei sena tavo bičiulė.

Bernis Lukui padiktavo numerį.

— Nieko nelaukdamas su ja susisieksiu. Berni...

— Aha.

— Aš prarandu atmintį, ir pasirodo, kad sena mano bičiulė tyrinėja atmintį. Argi ne stulbinamas sutapimas?

— Ir ne tik tai, — atsakė Bernis.

16 val. 45 min.

Viršutinė pakopa, kurioje įtaisytas palydovas, yra 80 colių ilgio ir 6 colių skersmens, sveria apie 30 svarų. Jos forma primena cilindrą.

Bilės dienotvarkėje buvo numatytas valandos ilgumo pokalbis su vienu pacientu, futbolininku, kuris buvo „trenktas" — per susidūrimą su varžovu patyrė smegenų sukrėtimą. Tai buvo įdomus atvejis, nes jis kuo puikiausiai atsiminė viską iki tos akimirkos, kai iki rungtynių pradžios buvo likusi viena valanda laiko, o nuo tos akimirkos iki kitos, kai jis jau stovėjo ant galinės linijos nugara į aikštę, pats nustebęs, ką jis čia daro, atmintyje žiojėjo skylė.

Per pokalbį jos mintys vis nuklysdavo šalin, iš galvos neišėjo Sauerbio fondas ir Entonis Kerolis. Kol baigė pokalbį su futbolininku ir paskambino Entoniui, jau buvo gerokai įsikarščiavusi. Jai pasisekė jį sugauti pirmu bandymu.

— Entoni, — išbėrė ji. — Kas čia, po velnių, dedasi?

— Daug kas, — atsiliepė jis. — Egiptas ir Sirija nutarė susivienyti, suknelės eina vis trumpyn, o Rojus Kampanela susilaužė sprandą autoavarijoje ir, galimas daiktas, jau negalės žaisti už „Dodgers".

Ji vos susivaldė neužrikusi ant jo.

— Man sukliudė tapti tyrimų direktore, — tarė ji, stengdamasi kalbėti kuo ramiau. — Darbas atiteko Lenui Rosui. Ar tau tai žinoma?

— Na, greičiausiai taip.

— Nieko nesuprantu. Maniau, kad galiu pralošti kokiam aukšto lygio specialistui iš pašalio — Solui Veinbergui iš Prinstono ir panašiai. Tačiau visi žino, kad aš vertesnė šio posto nei Lenas.

— Tikrai?

— Neapsimetinėk, Entoni! Pats kuo puikiausiai žinai. Po velnių, juk pats mane skatinai imtis būtent tokių tyrimų, kai mes...

— Gerai, gerai, prisimenu, — nutraukė jis. — Tie dalykai vis dar įslaptinti.

Ji nepatikėjo, kad tos užduotys, kurias vykdė per karą, vis dar gali būti laikomos paslaptyje. Tačiau tai nesvarbu.

— Tai kodėl aš negavau darbo?

— O iš kur man žinoti?

Jautė vedžiojama už nosies, tačiau užgniaužė kylantį pyktį, nes labai knietėjo išsiaiškinti iki galo.

— Fondas stumia Leną.

— Na, o kas jiems gali tai uždrausti?

— Entoni, neišsisukinėk!

— Neišsisukinėju.

— Tu taip pat fondo narys. Paprastai koncernas nesikiša į tokio pobūdžio paskyrimus, tai paliekama spręsti ekspertams. Turėtum žinoti, kodėl jie pasielgė visiškai priešingai.

— Tiesą sakant, nenumanau. Spėju, kad tai dar galutinai nenuspręsta. Susirinkimas šiuo klausimu dar nešauktas, tikrai būtų pranešę ir man.

— Čarlzas kalbėjo be jokių užuolankų.

— Neabejoju, jog taip ir yra, ką padarysi. Tačiau tokie dalykai paprastai sprendžiami ne viešai. Veikiausiai direktorius ir pora valdybos narių aptarė šiuos reikalus gurkšnodami kokteilius kosmoso klube. Kuris nors paskambino Čarliui ir leido suprasti, ko pageidautų. O Čarlis turi paisyti jų nuomonės, taip jau panašūs reikalai visada tvarkomi. Tiesiog stebiuosi, kad Čarlis su tavimi buvo toks atviras.

— Manau, jis taip pat buvo priblokštas tokio kišimosi. Negali suprasti, kam jiems kišti savo trigrašį. Pamaniau, gal tu žinosi.

— Greičiausiai kokia kvaila priežastis. Ar Rosas vedęs?

— Taip. Turi keturis vaikus.

— Direktorius nelabai linkęs skirti moterį į gerai apmokamą darbą, kai yra vyras, turintis išlaikyti gausią šeimyną.

— Dėl Dievo meilės! Aš auginu mažametį vaiką ir prižiūriu senyvą mamą!

— Nesakau, kad tai logiška. Klausyk, Bile, turiu eiti. Apgailestauju. Paskambinsiu vėliau.

— Gerai, — atsakė ji.

Padėjusi ragelį, dar kiek pasėdėjo įsmeigusi akis į telefoną, bandydama sugaudyti spiečiais sūkuriuojančias mintis. Jai susidarė įspūdis, kad Entonis išsisukinėja, ir dabar ji bandė išsiaiškinti sau, kodėl jai taip pasirodė. Visiškai tikėtina, kad Entonis gali nežinoti apie kitų valdybos narių užkulisinius žaidimėlius. Tai kodėl ji juo netiki? Mintyse perkračiusi jųdviejų pokalbį suprato, kad jis išsisukinėja, o tai jam nebūdinga. Pabaigoje pasakė jai tai, ką žinojo, bet ir tai nenoriai. Viskas aišku.

Entonis jai pūtė miglą.

17 val.

Ketvirtoji raketos pakopa pagaminta iš lengvo titano, o ne plieno. Sutaupytas svoris leido įtaisyti papildomus 2 svarus mokslinės įrangos.

Vos Entonis padėjo telefono ragelį, telefonas tuojau pat vėl suskambo. Atsiliepė ir išgirdo persimainiusį Elspetės balsą:

— Dėl Dievo meilės, jau penkiolika minučių bandau prasimušti!

— Kalbėjausi su Bile, ji...

— Nesvarbu. Ką tik šnekėjausi su Luku.

— Jėzau, kaip tai?

— Užsičiaupk ir paklausyk! Jis Smitsono institute, Aerodinamikos skyriuje, kartu su kažkokiais fizikais.

— Jau lekiu.

Entonis numetė ragelį ir išbėgo pro duris. Išvydęs jį dumiantį koridoriumi, iš paskos pasileido ir Pitas. Jiedu nulėkė į automobilių stovėjimo aikštelę ir sušoko į Entonio automobilį.

Entonis sunerimo dėl fakto, kad Lukas skambino Elspetei. Vadinasi, jam viskas sprūsta iš rankų. Tačiau jeigu surastų Luką greičiau už kitus, dar galėtų viską sutvarkyti. Nulėkti Konstitucijos aveniu iki 10-osios gatvės jiems užtruko vos keturias minutes. Pastatė automobilį prie galinio įėjimo į muziejų ir tekini pasileido į seną angarą, kur ir buvo įsikūręs Aerodinamikos skyrius.

Prie pat įėjimo kabojo taksofonas, tačiau šalia nieko nesimatė.

— Išsiskirsim, — paliepė Entonis. — Aš į dešinę, tu į kairę.

Jis patraukė per ekspoziciją, įdėmiai tirdamas veidus žmonių, spoksančių pro stendų stiklus ar užvertusių galvas į palubėje pakabintus skraidymo aparatus. Salės gale susitiko su Pitu, kuris tik skėstelėjo rankomis.

Palei vieną sieną matėsi kelerios kabinetų ir tualeto durys. Pitas įsmuko į vyrų tualetą, o Entonis įkišo galvą į kabinetus. Lukas greičiausiai skambino iš kokio kabineto, tačiau jo čia nesimatė.

Pitas pasirodė vyrų tualeto tarpduryje ir pranešė:

— Ničnieko.

Entonis tarė:

— Tai tikra katastrofa.

Pitas susimąstė.

— Tikrai? — nusistebėjo jis. — Katastrofa? Tas vyrukas iš tikrųjų kur kas stambesnė žuvis nei man sakėte?

— Taip, — atkirto Entonis. — Ko gero, pavojingiausias žmogus visoje Amerikoje.

— Jėzau.

Prie galinės sienos Entonis pastebėjo sukrautas kėdes ir kilnojamą tribūną. Jaunas vyriškis tvido kostiumu šnekėjosi su dviem vyrais, vilkinčiais chalatus. Entoniui dingtelėjo Elspetę sakius, jog Lukas ten yra su kažkokiais fizikais. Gal jam dar pavyks už ko nors užsikabinti.

Jis priėjo prie vyriškio tvido kostiumu ir prabilo:

— Dovanokite, ar čia vyko kažkoks susirinkimas?

— Taip, profesorius Larklis skaitė apie raketinį kurą paskaitą, kuri buvo skirta tarptautiniams geofizikos metams, — atsakė vyriškis. — Aš esu Vilas Makdermotas, organizatorius.

— Ar daktaras Klodas Lukasas dalyvavo?

— Taip. Jūs jo bičiulis?

— Taip.

— Ar žinote, kad jis prarado atmintį?

— Žinau. Jis net neprisiminė savo pavardės, kol jam nepasakiau.

Entonis vos susilaikė nesusikeikęs. To ir bijojo išgirdęs, kad Lukas skambino Elspetei. Jis jau žino, kas esąs.

— Žūtbūt reikia kuo skubiausiai surasti daktarą Lukasą, — tarė Entonis.

— Gaila, jūs ką tik prasilenkėte.

— Ar jis nepasakė, kur vyko?

— Ne. Siūliau jam apsilankyti ligoninėje, pasitikrinti, tačiau jis atsakė, kad jaučiasi puikiai. Atrodė toks sutrikęs...

— Taip, taip, ačiū. Dėkoju už pagalbą.

Entonis skubiai apsigręžė ir nužingsniavo išėjimo link. Viduje tiesiog siuste siuto.

Išėjęs į lauką, Nepriklausomybės aveniu išvydo policijos automobilį. Du policininkai tikrino kitoje gatvės pusėje pastatytą automobilį. Entonis, priėjęs arčiau, išvydo melsvąjį fordą „Fiesta".

— Pažiūrėk, — tarė jis Pitui.

Pats žvilgtelėjo į fordo „Fiesta" numerius. Tai buvo tas pats automobilis, kurį Džordžtaune pro savo langą matė Smalsioji Roza.

Jis patruliams pakišo savo CŽV pažymėjimą.

— Radote šį automobilį pastatytą neleistinoje vietoje?

Vyresnysis patrulis atsiliepė:

— Ne, pastebėjome mašiną, važiuojančią gatve, — tarė jis. — Tačiau vairuotojas paspruko.

— Leidote jam pabėgti? — negalėdamas patikėti savo ausimis, paklausė Entonis.

— Jis apsisuko ir ėmė lėkti tiesiai prieš eismą! — tarė jaunesnysis patrulis. — Velniškas vairuotojas, kad ir kas jis būtų.

— Po kelių minučių aptikome tą automobilį pastatytą čia, tačiau jo ir pėdos ataušo.

Entoniui niežėjo rankos sudaužti tuos puodyngalvius kaktomis. Tačiau jis dar pasiteiravo:

— Galbūt bėglys kur nors netoliese pavogė kitą mašiną ir nurūko.

Jis išsitraukė savo vizitinę kortelę.

— Jeigu praneštų apie kur nors netoliese nuvarytą automobilį, malonėkite informuoti mane šiuo numeriu.

Vyresnysis paėmė iš jo rankų vizitinę, užmetė į ją akį ir atsakė:

— Būtinai, misteri Keroli.

Entonis su Pitu grįžo prie geltonojo kadilako ir susėdę vidun nuvažiavo.

Pitas pasiteiravo:

— Kaip manote, kaip jis elgsis toliau?

— Nežinau, gali mauti į oro uostą ir išskristi į Floridą, gal vyksta į Pentagoną, gal pakeliui į viešbutį. Velnias, jam gali net šauti į galvą vykti į Niujorką aplankyti savo mamos. Teks ieškoti visomis kryptimis.

Jis pasuko į stovėjimo aikštelę ir, žingsniuodamas į Q pastatą, tyliai mąstė. Įžengęs į savo kabinetą, prabilo:

— Tegu du žmonės vyksta į oro uostą, du į Centrinę stotį, du į autobusų stotį. Du lieka kabinete ir skambina visiems Luko giminėms, draugams ir pažįstamiems, išsiaiškina, gal jis kartais paskambino. Tu su dviem vyrais vyksti į „Karltono" viešbutį. Išsinuomokite kambarį ir budėkite vestibiulyje. Aš ten vėliau atvyksiu.

Pitas pasišalino vykdyti komandų, ir Entonis užtrenkė duris.

Pirmąsyk per visą dieną jis išsigando, kad viskas slysta iš rankų. Jeigu jau Lukas išsiaiškino, kas esąs, gali lengvai prisikasti prie bet ko. Šis projektas turėjo tapti didžiausiu Entonio triumfu, tačiau viskas išvirto nesėkme, galinčia sužlugdyti jo karjerą.

Kaip ir gyvenimą.

Jeigu surastų Luką, dar galėtų sulipdyti yrantį reikalą. Tačiau teks griebtis drastiškų priemonių. Dabar jau nepakaks vien jį stebėti ir prižiūrėti. Reikia visam laikui išspręsti šią problemą.

Sunkia širdimi jis prisiartino prie kabančio ant sienos prezidento Eizenhauerio portreto. Pakreipė jį į šoną, ir už jo pasimatė seifo durelės. Surinko kodą, atidarė dureles ir išsiėmė ginklą.

Tai buvo automatinis pistoletas valteris P38. Per Antrąjį pasaulinį tokius nešiojosi vokiečių kariai. Entonis juo apsirūpino dar prieš vykdamas į Šiaurės Afriką. Šalia gulėjo ir specialiai šiam ginklui pritaikytas bei STT pagamintas duslintuvas.

Pirmą sykį žmogų nušovė būtent iš šio pistoleto.

Albinas Mulję buvo skundikas, išdavinėjęs Prancūzų pasipriešinimo dalyvius policijai. Jis nusipelnė mirties bausmės — penketas vyrų, susirinkusių rūsyje, nutarė vieningai. Jie, išsirikiavę apleistame nuošaliame tvarte, siūbuojančiai lempelei metant šokinėjančius šešėlius ant netašytų akmenų sienos, traukė burtus. Entonis, kaip vienintelis svetimšalis, gal ir galėjo nedalyvauti egzekucijoje, tačiau tokiu atveju būtų praradęs vyrų pagarbą, todėl pagaliukus traukė ir jis. Ir ištraukė trumpąjį.

Albinas buvo pririštas prie surūdijusio seno plūgo rato, sėdėjo net neužrištomis akimis, klausydamasis, ką kalba vyrai, ir stebėdamas traukiamus burtus. Jiems paskelbus mirties nuosprendį, jis apsidirbo, o kai Entonis išsitraukė valterį, ėmė klykti. Tai padėjo: Entoniui norėjosi jį nudėti kuo greičiau, kad tik liautųsi tas ausį rėžiantis klyksmas. Jis iš arti šovė Albinui į kaktą. Vėliau kiti gyrė jį ir sakė, kad atliko tai vyriškai, nedvejodamas ir šaltakraujiškai.

Dar dabar kartais sapnuoja Albiną.

Jis išsitraukė iš seifo duslintuvą ir stipriai užsuko jį ant pistoleto vamzdžio. Užsivilko paltą. Tai buvo žieminis kupranugarių vilnos paltas giliomis vidinėmis kišenėmis. Jis įsidėjo pistoletą vamzdžiu aukštyn į dešiniąją kišenę. Neužsagstęs palto, kairiąja sučiupo ginklą už duslintuvo, mikliai permetė į dešiniąją ir smiliumi nuleido saugiklį. Visa tai užtruko ne ilgiau kaip sekundę. Duslintuvas pistoletą apsunkino. Būtų kur kas patogiau įsidėti jį atskirai. Tačiau prieš šaudydamas gali neturėti laiko jį užsukti. Taip bus paprasčiau.

Jis užsisagstė paltą ir išėjo pro duris.

18 val.

Palydovo forma labiau primena kulką nei rutulį. Teoriškai rutulys turėtų būti stabilesnis, tačiau praktiškai palydovas negali apsieiti be kyšančių radijo antenų, o jos sujaukia rutulio sferiškumą.

Lukas į Džordžtauno psichiatrijos kliniką nusigavo taksi, registratūroje prisistatė ir pasakė susitaręs susitikti su daktare Džozefson. Iš pokalbio telefonu ji pasirodė labai miela: jai esą malonu girdėti jo balsą, yra susirūpinusi jo prarasta atmintimi, trokštanti kuo greičiau susitikti. Kalbėjo su pietietišku akcentu, ir galėjai pamanyti, kad ji taip be perstojo visada ir juokiasi.

Ir štai ji dabar jau lipo laiptais žemyn, nedidelė moteris baltu chalatu, išraudusi nuo susijaudinimo, žvelgdama didelėmis rudomis akimis. Lukas ją išvydęs nepajėgė sulaikyti šypsenos.

— Taip smagu tave matyti! — šūktelėjo ji ir pripuolusi apkabino.

Magėjo atsakyti jai tuo pačiu ir tvirtai prispausti prie krūtinės. Tačiau jis sudvejojo, pabūgo galimos neigiamos reakcijos ir sustingo pakeltomis apkabinimui rankomis kaip koks pasiduodąs karo belaisvis.

Ji nusijuokė žvelgdama į jį.

— Visiškai neprisimeni, kaip su manimi elgtis, — tarė ji. — Nebijok, aš visai nepavojinga.

Jis apkabino ją per pečius. Po chalatu pajuto švelnias stamantraus jos kūno linijas.

— Eime į mano kabinetą.

Jiedu užlipo laiptais.

Jiems einant plačiu koridoriumi, kažkokia žila moteriškė, apsirengusi chalatu, šūktelėjo:

— Daktare, man irgi patinka jūsų draugas!

Bilė šyptelėjo ir atsakė:

— Supažindinsiu tave su juo, Marlena.

Bilės kabinetas buvo mažas, jame stovėjo rašomasis stalas ir geležinė spintelė su kartoteka, tačiau jam teikė jaukumo visur pristatyti gėlių vazonai, gyvino ir ryškių šviesių spalvų paveikslas ant sienos. Ji pasiūlė Lukui kavos, atplėšė sausainių pakelį ir tada užklausė apie amneziją.

Jam atsakinėjant, žymėjosi kažką savo užrašuose. Lukas jau pusdienį nė kąsnio burnoje neturėjo, todėl beregint sušlamštė visus sausainius. Ji nusišypsojo ir pasiūlė:

— Nori dar? Turiu dar pakelį.

Jis papurtė galvą.

— Na, galima sakyti, man jau viskas aišku, — galų gale prabilo ji. — Patyrei bendrą amneziją, tačiau šiaip neturi jokių psichikos sutrikimų. Fizinės būklės negaliu įvertinti, nesu šios srities specialistė, tačiau mano pareiga pasiūlyti tau nedelsiant apsilankyti pas daktarą. — Ji šyptelėjo. — Tačiau atrodai neblogai, tiktai smarkiai sukrėstas.

— Ar tokią amneziją galima išgydyti?

— Deja, ne. Dažniausiai ji negrįžtama.

Tai buvo smūgis Lukui. Jis vylėsi, kad atsiminimai ims ir grįš.

— Jėzau, — sumurmėjo jis.

— Nenusimink, — nuramino jį Bilė. — Tokie pacientai išlaiko visus gebėjimus, todėl gali atstatyti tas žinias, kurias pamiršo, paprasčiausiai jie sėkmingai užtaiso atminties spragas ir ramiausiai gyvena toliau. Viskas susitvarkys.

Net ir girdėdamas tokias baisias žinias, paslapčia gėrėjosi ja, stebėjo prielankumu kibirkščiuojančias jos akis, putlias lūpas, lempos nušviestas tamsias garbanas. Galėjo taip sėdėti ir klausytis jos be galo.

Jis pasiteiravo:

— O kas gali sukelti amneziją?

— Visų pirma smegenų traumos. Tačiau sužeidimo ženklų nėra, be to, sakei, kad galvos neskauda.

— Taip. O kas dar?

— Yra keletas galimybių, — kantriai dėstė ji. — Tai gali sukelti ilgalaikis stresas, netikėtas šokas arba vaistai. Pasitaiko ir kaip pašalinis šizofrenijos gydymo elektrošoku ir vaistais efektas.

— O ar įmanoma nustatyti, kas atsitiko man?

— Tvirtai — ne. Sakei, jog šįryt tave pykino. Jeigu ne pagirios, galėtų būti šalutinis vaistų poveikis. Tačiau joks daktaras negalėtų pasakyti galutinio atsakymo. Privalai išsiaiškinti, kas tau atsitiko tarp pirmadienio vakaro ir šios dienos ryto.

— Na, bent žinosiu, ko ieškoti, — tarė jis. — Elektrošokas, vaistai arba šizofrenijos terapija.

— Tu ne šizofrenikas, — tarė ji. — Puikiai orientuojiesi pasaulyje. Ką ruošiesi daryti toliau?

Lukas atsistojo. Nesinorėjo palikti šios kerinčios moters kabineto, tačiau iš jos jau išgirdo viską, ką norėjo sužinoti.

— Susitiksiu su Berniu Rotsteinu. Gal jis turės kokių minčių.

— Tu su automobiliu?

— Paprašiau palaukti taksi.

— Palydėsiu tave.

Jiedviem leidžiantis laiptais, Bilė jausmingai sugriebė jam už rankos.

Lukas tarė:

— Kiek laiko jūs jau išsiskyrę su Berniu?

— Penkeri metai. Pakankamai ilgas laiko tarpas, kad vėl taptume bičiuliais.

— Keistas klausimas, bet negaliu nepaklausti. Ar mes su tavimi kada nors vaikščiojom į pasimatymus?

— O-jo-joi, — atsiliepė Bilė. — Ir dar kaip.

1943

Tą dieną, kai kapituliavo Italija, Bilė kaktomuša susidūrė su Luku Q pastato vestibiulyje.

Iš pradžių ji jo net nepažino. Prieš ją stovėjo liesas kokių trisdešimties metų vyras, jo per didelis kostiumas karojo ant sulysusio kūno, ir jos akys praslydo juo nepažinusios. Tada jis prabilo:

— Bile? Neprisimeni manęs?

Ji, žinoma, pažino balsą, ir jos širdis kone iššoko iš krūtinės. Vėl pažvelgusi į išsekusį vyrą, net šūktelėjo iš nuostabos. Jo galva buvo išdžiūvusi kaip kaukolė. Blizgantys tamsūs plaukai papilkėjo. Plonas kaklas mataravo plačioje marškinių apykaklėje, o švarkas atrodė lyg kadaruotų ant pakabos.

— Lukai! — šūktelėjo ji. — Atrodai siaubingai!

— O, ačiū, — vangiai šyptelėjęs atsiliepė jis.

— Nepyk, — skubiai atsiprašė ji.

— Nieko tokio. Pats žinau, kad numečiau kiek svorio. Ten, kur buvau, šiek tiek stigo maisto.

Norėjo jį apkabinti, tačiau susilaikė — nežinojo, kaip jis į tai sureaguos.

Jis pasiteiravo:

— Ką tu čia veiki?

Moteris giliai įkvėpė ir pratarė:

— Mokymai — žemėlapiai, radijo ryšys, šaunamieji ginklai, koviniai veiksmai.

Jis šyptelėjo.

— Tu neapsirengus džiudžitsu kimono.

Nors visu smarkumu vyko karas, Bilė vis tiek dailiai rengėsi.

Tądien buvo pasidabinusi gelsvu kostiumėliu — trumpu švarkeliu, iki kelių sijonu ir mūvėjo didelę skrybėlę, primenančią apverstą lėkštę. Žinoma, už savo kuklų atlyginimą nebūtų įstengusi eiti koja kojon su mada, ji pati visa tai pasisiuvo, pasiskolinusi siuvamąją mašiną. Jos tėvas visus vaikus išmokė šio amato.

— Priimsiu tai kaip komplimentą, — atsakė ji, po truputį atsigaudama nuo patirto šoko. — Kur tu buvai?

— Ar galime trumpai šnektelėti?

— Žinoma.

Tuosyk kaip tik vyko slaptaraščio užsiėmimas, tačiau velniai jo nematė.

— Eime į lauką.

Buvo šilta rugsėjo popietė. Jiems traukiant palei tvenkinį, Lukas nusivilko švarką ir persimetė sau per petį.

— Kaip atsidūrei STT?

— Entonio Kerolio dėka, — atsakė ji. Strateginių tyrimų tarnybai buvo atseikėta daugybė pinigų, todėl visi veržėsi jon patekti. — Entonis čia pateko pasinaudojęs savo šeimos pažintimis. Dabar jau pakilo iki Bilo Donovano padėjėjo. — Generolas Pasiutėlis Bilis vadovavo STT. — Metus darbavausi šį bei tą Vašingtone, todėl tikrai apsidžiaugiau gavusi šią vietą. Entonis, naudodamasis savo ryšiais, susirinko visus senus pažįstamus iš Harvardo laikų. Elspetė Londone. Pegė Kaire, o jūs su Berniu, kaip suprantu, veikėte kažkur priešo užnugaryje.

— Prancūzijoje, — atsiliepė Lukas.

— Na ir kaip ten ėjosi?

Jis prisidegė cigaretę. Tai buvo naujas jo įprotis, anksčiau Harvarde nerūkė, tačiau dabar dūmą traukė kaip dūstantis orą.

— Pirmas žmogus, kurį nužudžiau, buvo prancūzas, — sumurmėjo jis.

Buvo akivaizdu, kad jam maudžia apie tai pasikalbėti.

— Papasakok, kaip tai atsitiko, — paprašė ji.

— Jis buvo policininkas, žandaras. Klodas, mano bendravardis. Nebuvo koks nors labai blogas vyrukas — antisemitas, tačiau ne ką aršesnis už vidutinį prancūzą ar daugelį amerikiečių. Jis užklydo į fermą, kurioje kaip tik buvo susirinkusi mūsų kuopelė. Buvo visiškai akivaizdu, kuo mes čia užsiimame — ant stalo gulėjo patiesti žemėlapiai, kampe sustatyti styrojo šautuvai, o Bernis rodė prancūzams, kaip daroma bomba su laikrodiniu mechanizmu. — Lukas nusijuokė kažkokiu keistu juoku. — Kvailelis mėgino mus visus suimti. Tačiau būtų tekę jį nugalabyti bet kuriuo atveju.

— Ir ką tu jam padarei? — sušnibždėjo Bilė.

— Išsivedžiau į lauką ir nušoviau į pakaušį.

— Dieve mano!

— Jis mirė ne iš karto. Truko kokią minutę.

Ji paėmė jo ranką ir tvirtai suspaudė. Jis neatitraukė, ir jie susikibę vaikštinėjo palei ilgą siaurą tvenkinį. Jis papasakojo dar vieną nutikimą, kaip vieną pasipriešinimo kovotoją moterį suėmė ir kankino, ir Bilė nepajėgė sulaikyti ašarų, riedančių skruostais, šildomais neįkyrios rugsėjo saulės. Saulė jau pasislinko vakarop, atvėso, o jis vis dar žėrė vieną po kitos klaikias istorijas: sprogstančius automobilius, žudomus vokiečių karininkus, per susišaudymus žūstančius kovos draugus ir žydus, vežamus nežinoma kryptimi, laikančius viltingai į juos žvelgiančių vaikų rankutes.

Taip jiedviem vaikštant jau antrą valandą, jis kluptelėjo, ir ji sulaikė jį, kad neparkristų.

— Jėzau, aš visai nusivaręs nuo kojų, — tarė jis. — Prastai miegojau.

Ji sugavo taksi ir nulydėjo jį į viešbutį.

Lukas buvo apsistojęs „Karltone". Kariuomenė paprastai taip prabangiai negyvendavo, tačiau Bilė prisiminė, kad jo šeima pasiturinti. Jo kambarys buvo cokolinis. Svetainėje stovėjo fortepijonas — ji nieko panašaus dar nebuvo regėjusi — telefonas vonioje.

Bilė paskambino kambarinei ir užsakė vištienos sriubos ir keptų kiaušinių, karštų spurgų ir šalto pieno litrą. Jis įsitaisė ant sofos ir leidosi pasakoti dar vieną istoriją, šįkart juokingą, apie fabriko, gaminusio prikaistuvius vokiečių armijai, sabotavimą.

— Įbėgau į tas didžiules metalo dirbtuves, o ten triūsia maždaug penkiasdešimt augalotų, drūtų moterų, kūrenančių aukštakrosnes ir mosuojančių kūjais. Aš surikau:

— Apleiskite pastatą! Mes jį tuoj susprogdinsime! Tačiau jos tik juokėsi! Jos neišbėgo, o toliau sau dirbo. Jos manė, kad juokauju.

Dar jam nepabaigus pasakoti, atnešė maistą.

Bilė pasirašė sąskaitą, davė kambarinei arbatpinigių ir atnešusi padėjo lėkštes ant stalo. Kai ji atsisuko, jis jau miegojo.

Ji pabudino jį, kad galėtų nuvesti į miegamąjį ir paguldyti į lovą.

— Neišeik, — sumurmėjo jis, ir jo akys užsimerkė.

Ji nuavė jam batus ir atsargiai atlaisvino kaklaraištį. Pro atdarą langą dvelkė švelnus vėjelis, todėl galėjo miegoti nešaldamas ir neužklotas.

Kurį laiką ji sėdėjo ant lovos ir stebėjo jį miegantį, prisimindama prieš dvejus metus vykusią ilgą jų kelionę iš Kembridžo į Niuportą. Paglostė jam skruostą savo mažyliu piršteliu, visai kaip tąnakt. Jis nė nesujudėjo.

Bilė nusiėmė skrybėlę, nusiavė batus, kurį laiką padvejojo, paskui nusimetė savo švarkelį ir nusisegė sijoną. Tada, likusi vienais apatiniais ir kojinėmis, atsigulė į lovą. Apkabino sulysusius išsišovusius jo pečius, paguldė jo galvą sau ant pilvo ir laikė priglaudusi prie savęs.

— Miegok ramiai, — sušnibždėjo ji. — Kai atmerksi akis, būsiu šalia.

>>><<<

Užslinko naktis. Atvėso. Ji uždarė langą ir apkamšė jį antklode. Po vidurnakčio, apsivijusi rankomis šiltą jo kūną, užsnūdo.

Paryčiais, išmiegojęs dvylika valandų, jis staigiai pakirdo ir nuėjo į vonią praustis. Po keleto minučių sugrįžo ir atsigulė. Dabar nusimetė kostiumą, marškinius ir šmurkštelėjo į lovą. Apkabino ją ir priglaudė prie savęs.

— Pamiršau tau kai ką pasakyti, — prabilo jis.

— Ką?

— Prancūzijoje galvodavau apie tave. Kiekvieną dieną.

— Galvodavai? — sušnibždėjo ji. — Tikrai tikrai?

Jis neatsakė. Vėl buvo nugrimzdęs į miegą. Ji gulėjo jo glėbyje ir mąstė, kaip jam sekėsi Prancūzijoje, kaip jis kasdien žvelgdamas mirčiai į akis prisimindavo ją, ir iš džiaugsmo jai širdis vos neiššoko iš krūtinės.

Atsikėlusi aštuntą nuėjo į svetainę ir, paskambinusi į Q pastatą, pranešė sunegalavusi. Per tarnybos metus armijoje pirmą kartą atsiprašė negalėsianti atvykti dėl ligos. Paskui nusiprausė, išsitrinko galvą ir apsitaisė. Užsakė kavos ir javainių. Kambarinis pavadino ją misis Lukas. Širdyje ji džiaugėsi, kad tai ne kambarinė, nes moteris tikrai būtų pastebėjusi, jog ji nenešioja vestuvinio žiedo.

Tikėjosi, kad kavos aromatas pabudins Luką, tačiau jis toliau sau ramiausiai pūtė į akį. Ji perskaitė nuo pirmo iki paskutinio puslapio *Washington post*, net ir sporto skyrelį. Sėdėjo prie stalelio ir rašė savo mamai laišką į Dalasą, kai jis vienais apatiniais išsvirduliavo iš miegamojo, susivėlęs ir apšepęs melsva barzdele. Ji nusišypsojo jį išvydusi, džiaugdamasi, kad pagaliau pakirdo.

Jis atrodė sutrikęs.

— Kiek laiko miegojau?

Ji dirstelėjo į laikrodį. Buvo jau beveik vidudienis.

— Beveik aštuoniolika valandų.

Iš veido sunku buvo įskaityti, kokios mintys sukasi Luko galvoje. Ar jam malonu ją matyti šalia? O gal jaučiasi nepatogiai? Gal norėtų, kad ji dabar išeitų?

— Dieve, — prabilo jis. — Jau metus taip gerai nemiegojau. — Jis pasitrynė akis. — Tu visą laiką buvai šalia? Atrodai šviežia kaip laukų gėlelė.

— Šiek tiek sumerkiau bluostą.

— Buvai čia per naktį? — Jis suraukė kaktą, bandydamas prisiminti. — Regis, prisimenu... — Jis papurtė galvą. — O, kokius aš sapnus sapnavau...

Lukas priėjo prie telefono.

— Kambarinė? Pageidaučiau didžiulio kepsnio, gerai apskrudusio, trijų keptų kiaušinių. Taip pat apelsinų sulčių, bandelės ir kavos.

Bilė pyktelėjusi susiraukė. Dar niekada nebuvo leidusi nakties su vyru, todėl nežinojo, ko iš jo galima tikėtis ryte, tačiau tai, ką išvydo dabar, ją nuvylė. Viskas buvo taip buitiška, kad ji beveik pasijuto įžeista. Vaizdelis priminė iš miego besiritančius jos brolius — jie taip pat išlįsdavo užsimiegoję, apsiblausę ir susivėlę. Tačiau, kiek ji pamena, užkandę kaipmat atsigaudavo.

— Luktelėkit, — paprašė jis kambarinės ir klausiamai žvilgtelėjo į Bilę. — Ko nors norėtum?

— Taip, arbatos su ledukais.

Jis perdavė jos pageidavimą ir padėjo ragelį.

Paskui klestelėjęs įsitaisė šalia jos ant sofos.

— Vakar maliau neužsičiaupdamas.

— Tai jau taip.

— Kiek laiko prašnekėjau?

— Ištisas penkias valandas.

— Apgailestauju.

— Neatsiprašinėk. Kad ir ką darytum, dėl nieko nesijausk kaltas. — Jos akyse sužvilgo ašaros. — Man tiesiog prieš akis stovi tavo pasakojimai.

Jis suėmė ją už rankų.

— Aš taip džiaugiuosi, kad mes vėl kartu.

Jos širdis suspurdėjo iš džiaugsmo.

— Ir aš.

Šitokio prisipažinimo ji nesitikėjo.

— Norėčiau tave išbučiuoti, tačiau pirma reikia persirengti, neišlindau iš savo drabužių ištisą parą.

Jos viduje tarsi upeliu prasiveržė kažkur giliai besitvenkę jausmai, ir Bilė pajuto, kaip nuo užplūdusios šilumos sudrėko. Net pati išsigando: taip greit ji dar niekad nebuvo susijaudinusi.

Tačiau ji susilaikė. Dar nebuvo galutinai nutarusi, kur tai turėtų įvykti. Turėjo į valias laiko per naktį tai apsvarstyti, tačiau apie tai negalvojo. Dabar baiminosi, kad vos jam prisilytėjus negalės susivaldyti. O kas tada?

Per karą moralinės nuostatos Vašingtone pasidarė gerokai laisvesnės, tačiau Bilei tai liko svetima. Ji sunėrė rankas sau ant pilvo ir tarė:

— Neketinu bučiuotis su tavimi, kol neapsirengsi.

Jis pašaipiai ją nužvelgė.

— Bijai suteršti gerą savo vardą?

Ją užgavo pašaipus jo tonas.

— Ir ką tu nori tuo pasakyti?

Jis gūžtelėjo.

— Kartu praleidome naktį.

Ji pasijuto įžeista.

— Pasilikau, nes prašei manęs neišeiti! — paprieštaravo jam.

— Gerai, nesikarščiuok.

Tačiau jos aistra akimirksniu virto lygiai stipriu pykčiu.

— Tu buvai visiškai nusivaręs ir vos laikeisi ant kojų, todėl paguldžiau tave į lovą, — įsiutusi pratrūko ji. — Paskui paprašei pasilikti, ir aš likau.

— Vertinu tavo rūpestį.

— Tai nekalbėk taip, tarsi būčiau kokia... šliundra!

— Aš ne tai turėjau galvoje.

— Aišku, kad tai! Leidai suprasti, kad jau ir taip esu susitepusi, todėl koks skirtumas, kaip toliau elgsiuos.

Jis sunkiai atsiduso.

— Na, to tai tikrai neturėjau galvoje. Jėzau, pakėlei tokį triukšmą dėl menko žodelio.

— Velniškai menko.

Bėda ta, kad jos garbė *iš tikrųjų* nukentėjo.

Į duris kažkas pasibeldė.

Jiedu susižvalgė. Lukas tarė:

— Greičiausiai kambarinė.

Ji visai nenorėjo, kad kambarinė išvystų ją su pusnuogiu vyru.

— Eik į miegamąjį.

— Gerai.

— Bet pirma duok man savo žiedą.

Jis dirstelėjo į savo kairiąją plaštaką. Ant mažylio pirštelio mūvėjo auksinį graviruotą žiedą.

— O kam jis tau?

— Kambarinei atrodys, kad aš ištekėjusi.

— Kad aš jo niekada nenusimaunu.

Ji visiškai įsiuto.

— Dink man iš akių, — sušnypštė.

Jis nuėjo į miegamąjį. Bilė atidarė duris, ir kambarinė vidun įstūmė vežimėlį.

— Prašau, mis, — tarė ji.

Bilė nuraudo. Tas „mis" nuskambėjo paniekinamai. Ji pasirašė sąskaitas, tačiau arbatpinigių nedavė.

— Prašau, — mestelėjo ir atsuko nugarą.

Kambarinė išėjo. Bilė išgirdo čiurškiantį dušą. Pasijuto visiškai išsunkta. Ištisas valandas gyveno romantiškos aistros nuojauta, ir per keletą minučių ji išgaravo. Paprastai Lukas toks galantiškas, tačiau dabar tapo tikru storžieviu. Kaip jis galėjo taip neatpažįstamai pasikeisti?

Kad ir kaip ten būtų, ji pasijuto pažeminta. Po minutės kitos pasirodys vonios tarpdury nusiprausęs ir pasiruošęs sėsti su ja pusryčiauti, tarsi jie būtų vyras ir žmona. Tačiau jiedu nesusituokę ir ji kas akimirksnį jautėsi vis nepatogiau.

„Na, pamanė ji sau, jeigu man tai nepatinka, ko aš čia delsiu?" Tai buvo geras klausimas.

Ji užsidėjo skrybėlę. Verčiau jau nieko nelaukiant išeiti, kol jos garbė dar labiau nenukentėjo.

Sudvejojo, ar nereikėtų palikti jam raštelio. Vandens šniokštimas liovėsi. Jis tuoj pasirodys tarpduryje, dvelkdamas muilu, susisupęs į chalatą, šlapiais plaukais, basas, žvalus ir nusiteikęs pusryčiauti.

Ji skubiai išėjo ir tyliai užvėrė duris.

>>><<<

Kitas keturias savaites jiedu susitikdavo kone kasdien.

Iš pradžių Lukas dalyvaudavo Q pastate vykstančiose instruktažuose. Jis kviesdavosi ją pietauti, ir jiedu kartu užkąsdavo kokioj kavinėj ar nusinešdavo į parką sumuštinių. Dabar jis vėl tapo globėjiškas ir galantiškas, ir ji vėl pasijuto apsupta jo rūpesčio ir dėmesio. Jo šiurkštumas, kuris pasireiškė „Karltone", išgaravo. Jai dingtelėjo, kad, galimas daiktas, jis prieš tai irgi niekada nebuvo miegojęs su moterimi, kaip ir ji su vyru, ir todėl nežinojo, kaip derėtų elgtis. Jis elgėsi su ja kasdieniškai, tarsi su savo seserimi, ir greičiausiai jo sesuo buvo vienintelė moteris, mačiusi jį vienomis trumpikėmis.

Savaitės pabaigoje jis pakvietė ją į pasimatymą, ir šeštadienį jiedu kartu nuėjo pasižiūrėti *Džeinės Eir*. Sekmadienį irstėsi kanojomis Potomako upe. Vašingtono ore pleveno lengvabūdiškumo dvasia. Miestas buvo pilnas jaunų vyrų pačiame žydėjime, vykstančių į frontą ar grįžtančių namo, vyrų, kuriems mirties alsavimas buvo kasdienybė. Jie veržėsi žaisti, lėbauti, šokti, mylėtis, nes galbūt kitos progos nepasitaikys. Barai tiesiog ūžė, ir merginoms netekdavo vakarų leisti vienoms. Sąjungininkai jau spaudė nacius, bet pakilią nuotaiką kasdien slopindavo žinios apie sužeistus ir žuvusius gimines, kaimynus ir bendramokslius.

Lukas šiek tiek atkuto ir pradėjo geriau miegoti. Iš jo akių dingo įtampa. Įsitaisė savo dydžio drabužių: marškinėlių trumpomis rankovėmis, baltas kelnes ir kostiumą, kuriais apsivilkdavo per vakarinius pasimatymus. Atrodė kur kas gyvesnis ir šelmiškesnis.

Jie kalbėdavo be galo be krašto. Ji dėstydavo savo samprotavimus apie tai, kad žmogaus sąmonės tyrimai padės gydyti psichikos sutrikimus, o jis jai pasakodavo, kaip žmonės skris į kosmosą. Kartu jie prisimindavo tą lemtingą savaitgalį Harvarde, apvertusį jų gyvenimus aukštyn kojom. Jiedu kalbėdavosi apie karą ir tai, kiek jis dar galėtų tęstis. Bilei atrodė, kad, kapituliavus Italijai, vokiečiai ilgai neatsilaikys, tačiau Lukas laikėsi nuomonės, kad prireiks dar ne vienerių metų išrūkyti japonus iš Ramiojo vandenyno. Kartais vaikštinėdavo sykiu su Entoniu ir Berniu ir susėdę kokiam bare įsileisdavo į ginčus apie politiką, kaip ir anais senais laikais, kai pasaulis dar buvo visiškai kitoks. Vieną savaitgalį Lukas nuskrido į Niujorką aplankyti savo šeimos ir Bilė jo klaikiai pasiilgo. Ji su juo niekada nenuobodžiaudavo. Lukas buvo sąmojingas ir įdomus pašnekovas.

Porą kartų per savaitę jiedu kaip reikiant susikirsdavo. Ir visada beveik lygiai dėl to, kaip ir pirmą sykį viešbutyje. Jis ką nors atsainiai mestelėdavo arba nutardavo, ką jiems veikti vakare, nepasitaręs su ja, arba manydavosi geriau išmanąs automobilius ar tenisą. Ji išsyk šokdavo karštai prieštarauti, o jis apkaltindavo ją neadekvačia reakcija. Ji imdavo vis labiau pykti ir karščiuotis, bergždžiai mėgindama išaiškinti jam savo požiūrį, o jis pasijusdavo kaip kryžminėje apklausoje. Įsikarščiavusi ji puldavo tvirtinti nebūtus dalykus, puikiai žinodama, kad šneka netiesą, vieną po kito sviesdavo iš piršto laužtus kaltinimus. Tada jis apkaltindavo ją elgiantis nenuoširdžiai ir pasakydavo, kad jiedviem nėra prasmės ginčytis, nes ji nepaisanti argumentų, tik siekianti bet kuria kaina laimėti. Ir jis, dar labiau įsitikinęs savo teisumu, išeidavo lauk. Po kelių minučių, atvėsus įkarščiui, ji imdavo graužtis, puldavo jo ieškoti, melsdavo atleidimo ir prašydavo nesipykti. Iš pradžių jis sėdėdavo akmeniniu veidu, o paskui ji pasakydavo ką nors, kas Luką prajuokindavo, ir jis atlyždavo.

Tačiau per visą tą laiką ji neapsilankė pas jį viešbutyje ir bučiuodamasi tik skubiai brūkštelėdavo jo lūpas ir atšlydavo — ir tai tik viešose vietose. Tačiau, net ir taip besisaugant, vis tiek vos prisilytėjus nusmelkdavo kiaurai gilus virpulys, ir ji puikiai suvokė, kad leidusi sau bent kruopelę daugiau, puls stačia galva.

Saulėtas rugsėjis persirito į žvarbų spalį, ir Lukui atėjo šaukimas.

Jį ši žinia pasiekė penktadienio popietę. Kai ji baigė darbą, Lukas lūkuriavo Q pastato vestibiulyje. Jau iš veido matėsi, jog kažkas ne taip.

— Kas atsitiko? — skubiai pasiteiravo ji.

— Grįžtu į Prancūziją.

Jos širdį it replėmis sugniaužė liūdesys.

— Kada?

— Išvykstu iš Vašingtono pirmadienio ryte. Drauge su Berniu.

— Dėl Dievo meilės, argi dar neatitarnavai savo?

— Pavojų nebijau, — atsakė jis. — Tiesiog nenoriu su tavimi išsiskirti.

Jos akys paplūdo ašaromis. Ji sunkiai nurijo gerkle pakilusį šiltą kamuolį.

— Dvi dienos.

— Turiu susiruošti.

— Aš tau padėsiu.

Jiedu patraukė į viešbutį.

Kai tik įžengė į jo kambarį ir uždarė duris, ji sugriebė jį už megztinio, prisitraukė prie savęs ir atstatė bučiniui suglaustas lūpas. Šįsyk jis jau nebuvo toks nekaltas. Ji liežuvio galiuku apvedė jo lūpas ir, pravėrusi savąsias, įleido vidun besiskverbiantį jo liežuvį.

Ji išsinėrė iš palto. Vilkėjo melsva suknele balta apykakle. Ji tarė:

— Paliesk mano krūtis.

Jis stovėjo sumišęs.

— Nagi, — paragino ji.

Jo delnai apglėbė nedideles jos krūtis. Ji užsimerkė ir atsidavė užplūdusiam svaiguliui.

Jiedu loštelėjo vienas nuo kito, ir ji godžiai akimis įsisiurbė į jo veidą. Norėjosi visada atmintyje išlaikyti žydras jo akis, juodų plaukų sruogą, krintančią ant kaktos, jo smakrą, švelnų burnos apvalumą.

— Norėčiau turėti tavo fotografiją, — prabilo ji. — Ar turi?

— Nesinešioju fotografijų pluošto, — šyptelėjo jis.

Ir pamėgdžiodamas Niujorko kalbėseną pridūrė:

— Aš ne Frenkas Sinatra.

— Turėtum turėti kokią nors savo nuotrauką.

— Galimas daiktas, turiu šeimos nuotrauką. Tuoj pažiūrėsiu. Jis dingo miegamajame.

Ji patraukė įkandin.

Lukas pasirausė po lagaminą, gulintį ant kėdės, ir išsitraukė nediduką sidabrinį rėmelį, atsiverčiantį kaip knyga. Viduje buvo įdėtos dvi fotografijos. Jis ištraukė vieną ir ištiesė jai.

Ji buvo daryta prieš trejetą ar ketvertą metų, joje matėsi kur kas jaunesnis ir drūtesnis Lukas, vilkįs sportiniais marškinėliais. Su juo stovėjo vyras ir moteris, greičiausiai jo tėvai, taip pat kokių penkiolikos metų dvynukai ir mažėlesnė mergaitė. Visi buvo apsirengę maudymosi kostiumėlius.

— Negaliu jos priimti, čia visa tavo šeima, — tarė ji, nors širdyje trokšte troško ją pasilaikyti sau.

— Noriu, kad ją turėtum. Aš juk šeimos dalis.

Jai visada patiko jo šeimyniškumas.

— Vežeisi ją kartu su savimi į Prancūziją?

Nuotrauka jam buvo tokia brangi, tad ji paėmė ją sunkia širdimi, nors dėl to nuotrauka pasidarė tik dar brangesnė.

— Parodyk ir kitą, — paprašė ji. — Ten dvi fotografijos.

Jis nenoriai atvertė ir antrą. Ji buvo iškirpta iš Redklifo metų knygos. Tai buvo Bilės nuotrauka.

— Ir ją nešiojaisi Prancūzijoje? — paklausė ji.

Jai net užėmė žadą.

— Taip.

Ji apsipylė ašaromis. Tai buvo nepakeliama. Jis išsikirpo jos nuotrauką iš albumo ir, kasdien akis į akį susidurdamas su mirtimi, nešiojosi sykiu su savo šeimos atvaizdu. Ji net nenumanė, kad tiek daug jam reiškia.

— Ko verki? — nustebo jis.

— Nes tu myli mane, — atsiliepė ji.

— Taip, — tarė jis. — Kažkaip nedrįsau tau pasakyti. Įsimylėjau tave nuo pat to Perl Harboro savaitgalio.

Jos aistra akimirksniu virto pykčiu.

— Ką tu čia kalbi, šmiki? Palikai mane!

— Jeigu tada būtume susigiedoję su tavimi, būtume įskaudinę Entonį.

— Kam jis rūpi!

Ji trinktelėjo savo kumšteliu jam į krūtinę, tačiau jis to nė nepajuto.

— Kodėl tau Entonis rūpi labiau nei aš, šunsnuki?

— Būčiau pasielgęs negarbingai.

— Tačiau argi nesupranti, kad ištisus dvejus metus būtume galėję džiaugtis vienas kitu! — Jos skruostai sudrėko nuo ašarų. — O dabar turime tik dvi dienas — dvi sumautas dieniūkštes!

— Tai nustok žliumbti ir pabučiuok mane, — tarė jis.

Ji apsivijo jo kaklą rankomis ir palenkė jo galvą prie savęs. Jis burnoje pajuto jos ašarų sūrumą. Ėmė sagstyti suknelę. Ji nekantriai mestelėjo:

— Tiesiog nuplėšk ją.

Jis smarkiai trūktelėjo, ir sagos išlakstė į šalis iki pat pusiaujo.

Po antro trūktelėjimo suknelė neatsilaikė. Ji išsinėrė iš jos ir dabar stovėjo priešais jį vienais nėriniais.

Jis susvyravo.

— Vėliau nesigailėsi?

Ji išsigando, kad kaltės jausmas jį tuoj atšaldys.

— Trokštu, geidžiu, tik nesustok! — šūktelėjo ji.

Jis lengvai stumtelėjęs parvertė ją ant lovos. Ji gulėjo ant nugaros, o jis, pasirėmęs ant alkūnių, prigludo prie jos ir pažvelgė jai į akis.

— Tai man pirmas kartas.

— Nieko tokio, — atsakė ji. — Man taip pat.

> > > < < <

Pirmas sykis tebuvo pykšt pokšt keberiokšt, tačiau po valandėlės jų geismas vėl įsidegė ir šįkart jie mėgavosi vienas kitu jau ilgėliau. Ji jam sakėsi trokštanti pildyti visus jo norus ir tenkinti slapčiausias svajones. Jiedu ištisą savaitgalį mylėjosi apsvaigę nuo aistros ir išsiskyrimo skausmo, numanydami, kad gali daugiau ir nepasimatyti.

Lukui išvykus pirmadienio rytą, Bilė dvi dienas praverkė.

Po aštuonių savaičių paaiškėjo, kad ji nėščia.

18 val. 30 min.

Mokslininkai gali tik apytikriai numanyti, kokį karštį ir šaltį pakaitomis palydovui teks pakelti kosmose, skriejant iš tamsaus Žemės šešėlio į tiesioginius plieskiančius Saulės spindulius. Siekiant kaip įmanoma sumažinti galimus padarinius, cilindras yra padengtas 1/8 colio pločio Saulę atspindinčio oksiduoto aliuminio juostelėmis ir apsuktas stiklo pluoštu, turinčiu saugoti nuo kosminio speigo.

— Taip, mes draugavome, — atsakė Bilė, kai jiedu nusileido laiptais.

Lukui perdžiūvo burna. Jis įsivaizdavo, kaip laiko ją už rankų, žvelgdamas į jos veidą prie žvakės nušviesto stalo, bučiuoja, kaip nuo jos stangraus kūno nuslysta drabužiai. Smilktelėjo kaltė, nes žinojo, kad yra vedęs, tačiau neprisiminė žmonos išvaizdos, o Bilė buvo visai šalia, linksmai šnekėjo, giedrai šypsojosi ir dvelkė švara.

Jie pasiekė laukujes duris ir stabtelėjo.

— Ar mes buvome įsimylėję? — paklausė Lukas.

Jis įsmeigė akis į jos veidą, stebėdamas išraišką. Iki šiol jos veidas buvo atviras kaip delnas, tačiau dabar jis tarsi užsivėrė.

— O, taip, — atsiliepė ji, ir nors atsakė nerūpestingai, balsas buvo šiek tiek pasikeitęs. — Laikiau tave vieninteliu savo gyvenimo vyru.

Kaip jis galėjo išleisti iš savo rankų tokią moterį? Tai atrodė blogiau nei išsitrynusi atmintis.

— Tačiau sutikai geresnį.

— Esu pakankamai subrendusi, kad žinočiau, jog nėra princo ant balto žirgo, tik būrys daugiau ar mažiau ydingų vyriškių. Kartais jie atjoja spindinčiais šarvais, tačiau vietomis jie vis tiek esti parūdiję.

Jam knietėjo ją kaip reikiant iškamantinėti, sužinoti kiekvieną smulkmeną, tačiau visų klausimų vis tiek nebūtų spėjęs paklausti.

— Tai tu ištekėjai už Bernio.

— Taip.

— Na, o jis koks?

— Protingas. Visi mano vyrai privalo būti galvoti. Antraip jie man greitai nusibosta. Taip pat stipraus charakterio, žinantys, ko nori.

Ji liūdnokai šyptelėjo.

Jis pasiteiravo:

— Tai kas buvo ne taip?

— Skirtingos vertybės. Skamba sausokai, tačiau Bernis rizikavo galva kovodamas dėl laisvės dviejuose karuose — Ispanijos pilietiniame ir Antrajame pasauliniame, ir todėl jam politika yra aukščiau visko.

Vienas klausimas Lukui labai knietėjo. Nesugalvojo, kaip jį pateikti užuolankomis, todėl išdrožė tiesiai šviesiai:

— O dabar turi kokį draugą?

— Žinoma. Haroldas Brodskis.

Lukas pasijuto kvailai. Be jokios abejonės, ji ką nors turi. Žavinga išsiskyrusi trisdešimtmetė, vyrai, ko gero, vienas per kitą varžosi dėl jos. Jis tik nelinksmai šyptelėjo.

— Ar jis — tas princas ant balto žirgo?

— Ne, tačiau jis protingas, pralinksmina mane ir žavisi manimi.

Luko širdį ėmė graužti pavydas. „Pasisekė tam Haroldui!", — tyliai pamanė.

— Ir jūsų pažiūros tikriausiai sutampa?

— Taip. Jam svarbiausias dalykas gyvenime yra jo vaikas, — jis našlys, — o tik paskui akademinis darbas.

— Kuo jis užsiima?

— Jodų chemija. Mano požiūris į darbą toks pat. — Ji šyptelėjo. — Dabar jau taip beatodairiškai nesižaviu vyrais, tačiau vis dar šventai tikiu, kad galima atskleisti žmogaus psichikos paslaptis.

Tai vėl jam netikėtai ir skaudžiai priminė jį kamuojančias bėdas.

— Gerai būtų, kad išsiaiškintum mano paslaptingą atvejį.

Ji suraukė kaktą, ir jis, nors slegiamas savo rūpesčių naštos, negalėjo nepastebėti, kokia ji žavinga, kai mąstydama suraukia savo nosytę.

— Keista, — prabilo ji. — Galbūt patyrei kaukolės traumą, kuri nepaliko žymių, tačiau tokiu atveju stebėtina, kad tau neskauda galvos.

— Nė trupučio.

— Tu ne alkoholikas ir ne narkomanas, galiu tai pasakyti vos užmetusi akį. Jeigu patyrei šoką arba ilgalaikį stresą, būtų pasiekusi žinia iš tavęs paties ar bendrų pažįstamų.

— Tai lieka?..

Ji papurtė galvą.

— Tu ne šizofrenikas, taigi niekaip negalėjai būti gydytas vaistais ar elektrošoku, kuris galėtų sukelti... — Ji staiga nutilo, priblokšta netikėtos minties, nebaigusi sakinio, iš nuostabos plačiai atmerktomis akimis.

— Kas? — pasiteiravo Lukas.

— Tiesiog prisiminiau Džo Brauną.

— Kas jis toks?

— Džozefas Belou. Pavardė man užkliuvo, nes pasirodė išgalvota.

— Ir?

— Jį atvežė pas mus vakar vėlai vakare, kai aš jau buvau išėjusi namo. O paryčiais išrašė — labai keista.

— O kuo jis sirgo?

— Šizofrenija. — Ji išblyško. — O, mėšlas.

Lukas pradėjo susigaudyti, kur link ji suka.

— Tai tas pacientas...

— Eime, patikrinsim jo bylą.

Ji apsisuko ir užbėgo laiptais į viršų. Jiedu skubiu žingsniu pralėkė koridoriumi ir įžengė į registratūrą. Viduje nieko nebuvo. Bilė uždegė šviesą.

Ji atidarė stalčių, pažymėtą raidėmis „A–D", pasirausė tarp bylų ir išsitraukė vieną aplanką. Garsiai perskaitė:

— Vyras, baltasis, ūgis 6 pėdos ir vienas colis, svoris 180 svarų, 37 metų amžiaus.

Luko spėjimas pasitvirtino.

— Manai, kad tai buvau aš?

Ji linktelėjo.

— Pacientui pritaikė gydymą, sukeliantį bendrą amneziją.

— Dieve mano.

Luką ši žinia ir gąsdino, ir masino. Jeigu ji teisi, ši procedūra jam atlikta tyčia. Tai paaiškintų, kodėl jis visą laiką sekamas, greičiausiai kažkieno, norėjusio įsitikinti, ar planas išdegė.

— Kas tai atliko?

— Paciento ėmėsi mano kolega, daktaras Leonardas Rosas. Jis psichiatras. Norėčiau sužinoti, kuo remdamasis jis paskyrė tokį gydymą. Paprastai toks pacientas kurį laiką stebimas ir tik vėliau sprendžiama, kokį metodą taikyti. Be to, neįsivaizduoju, dėl kokios medicininės priežasties pacientą iškart po procedūrų galėtų išrašyti, net ir artimiesiems sutinkant. Paprastai taip nedaroma.

— Panašu, kad Rosas už kažką atidirbinėja.

Bilė atsiduso.

— Greičiausiai ne. Jeigu skųsčiausi, žmonės sakytų, kad pavydžiu, nes Lenas gavo paskyrimą į tą vietą, į kurią pretendavau ir aš — tyrimų direktoriaus.

— Kada jį paskyrė?

— Šiandien.

Lukas buvo priblokštas.

— Rosą paskyrė *šiandien*?

— Taip. Regis, tai ne šiaip sutapimas.

— Po velnių, ne! Jį papirko. Jam pažadėjo vietą su sąlyga, jeigu jis žengs tokį nederamą žingsnį.

— Negaliu tuo patikėti. Tačiau ne, galiu. Jis tikrai minkštakūnis.

— Tačiau jis tik įrankis kažkieno rankose. Veikiausiai jį tai privertė padaryti ligoninės direktorius.

— Ne, — Bilė papurtė galvą. — Šiam naujam darbui pinigus skiriantis Sauerbio fondas stūmė Rosą į šią vietą. Viršininkas man taip sakė. Negalėjome suprasti kodėl. Dabar aišku.

— Viskas sutampa, tačiau vis tiek reikalas lieka neaiškus. Kažkas iš fondo siekė ištrinti man atmintį?

— Spėju, jog žinau kas, — atsiliepė Bilė. — Entonis Kerolis. Jis valdybos narys.

Išgirdęs šią pavardę, Lukas sukluso. Prisiminė Elspetę minėjus, jog Entonis dirba CŽV.

— Vis tiek priežastis neaiški.

— Tačiau dabar bent žinome, ko apie tai paklausti, — tarė Bilė ir pakėlė telefono ragelį.

Jai renkant numerį, Lukas bandė sugaudyti spiečiais besisukančias mintis. Per pastarąją valandą patyrė vieną šoką po kito. Sužinojo, kad išsitrynusi atmintis jam negrįš. Kad buvo įsimylėjęs Bilę ir jos neteko, ir niekaip negalėjo suprasti, kaip jis galėjo būti toks bukas. Dabar išaiškėjo, kad amnezija jam sukelta tyčia ir už tai atsakingas CŽV darbuotojas. Tačiau ko tuo siekta, vis dar liko paslaptis.

— Prašau pakvieskite Entonį Kerolį, — prašneko Bilė į ragelį. — Čia daktarė Bilė Džozefson. — Jos tonas skambėjo įsakmiai. — Gerai, tada perduokite jam, jog man reikia skubiai su juo šnektelėti. — Ji dirstelėjo į savo laikrodį. — Tegu tiksliai po valandos paskambina man į namus. — Jos veidas staiga apniuko. — Nežaisk su manimi, šmiki, žinau, kad gali su juo susisiekti dieną ar naktį, kad ir kur jis būtų.

Ji trenkė telefono ragelį.

Pastebėjo Luko žvilgsnį ir sumišo.

— Atsiprašau, — tarė ji. — Tas vyriokas atsakė „pasistengsiu susisiekti", tarsi darytų man didžiausią paslaugą.

Lukas prisiminė Elspetę sakius, kad Entonis Kerolis yra senas bičiulis, kartu studijavęs Harvarde su Luku ir Berniu.

— Tas Entonis, — tarė jis. — Maniau, kad jis draugas.

— Aha, — susirūpinusiu veidu linktelėjo Bilė. — Aš taip pat.

19 val. 30 min.

Didžiausias galvosūkis išsiųsti žmogų į kosmosą — kosmoso temperatūros. Temperatūrai matuoti *Explorer* įtaisyti keturi termometrai: trys raketos paviršiuje ir vienas — prietaisų skyriuje. Kad kosmonautas galėtų skristi, temperatūra viduje turi išsitekti tarp 40 ir 70 laipsnių pagal Farenheitą.

Bernis gyveno Masačiūsetso aveniu, tiesiai priešais Rok Kryką, vaizdingą didingų pastatų ir užsienio ambasadų kvartalą. Jo butas buvo įrengtas Iberijos stiliumi, apstatytas tamsaus medžio raižytais Ispanijos kolonijinių laikų baldais. Akinamai baltos sienos buvo nukabinėtos paveikslais su saulės nutviekstais peizažais. Lukas prisiminė Bilę sakius, jog Bernis dalyvavo Ispanijos pilietiniame kare.

Savo išvaizda jis tikrai buvo panašus į karį. Tamsūs plaukai dabar jau buvo šiek tiek praretėję, ir išsiveržęs virš kelnių pūpsojo apvalainas pilvukas, tačiau jo veidas buvo griežtas, o pilkšvos akys vėrė kiaurai. Lukas mintyse suabejojo, ar toks vėtytas ir mėtytas žmogus patikės keistu jo pasakojimu.

Bernis stipriai paspaudė Lukui ranką ir pasiūlė stiprios kavos. Ant plokštelių grotuvo, pastatyto ant spintelės, buvo padėta pagyvenusio vyro, vilkinčio suplyšusiais marškiniais ir laikančio rankose šautuvą, nuotrauka. Lukas ją pakėlė geriau įsižiūrėti.

— Largo Benito, — paaiškino Bernis. — Didžiausia asmenybė, kokią kada teko sutikti. Kovojome drauge su juo Ispanijoje. Mano sūnaus vardas Largo, bet Bilė jį vadina Lariu.

Greičiausiai Berniui metai, praleisti Ispanijoje, atrodė geriausias jo gyvenimo laikas. Lukas pavydžiai ėmė svarstyti, o kokį savo gyvenimo tarpsnį jis galėtų pavadinti geriausiu.

— Veikiausiai ir aš turėjau kokių nors didingų atsiminimų, — galų gale liūdnai pratarė jis.

Bernis pažvelgė jam tiesiai į akis.

— Kokia velniava čia vyksta, bičiuli?

Lukas prisėdo ir mintyse surikiavo viską, ką jiedu su Bile išsiaiškino ligoninėje.

Tada prabilo:

— Aš manau, kad man atsitiko štai kas. Nežinau, ar patikėsi, tačiau vis tiek papasakosiu, nes tikrai labai viliuosi, kad padėsi šiek tiek pasistūmėti šioje tamsioje istorijoje.

— Padarysiu, ką galiu.

— Atvykau į Vašingtoną pirmadienį, prieš pat paleidžiant raketą, susitikti su kariuomenės generolu dėl kažkokios paslaptingos priežasties, apie kurią niekam kitam nebūčiau prasitaręs. Mano žmona nerimavo dėl manęs ir, paskambinusi Entoniui paprašė, kad jis mane pasaugotų. Entonis su manimi susisiekė, ir antradienio ryte sutarėme sykiu papusryčiauti.

— Tai suprantama. Jūs su Entoniu draugai nuo neatmenamų laikų. Kai mes su tavimi susipažinome, jūs jau buvote kambariokai.

— Kas vyko toliau, tik spėju. Mums su Entoniu susėdus pusryčiauti, prieš man vykstant į Pentagoną, Entonis įpylė į kavą migdomųjų, įsivertė į automobilį ir nugabeno į Džordžtauno psichiatrinę. Prieš tai pasirūpino kur nors išsiųsti Bilę arba palaukė, kol ji išeis namo. Žodžiu, pasirūpino, kad jos ten nebūtų, ir užregistravo mane svetima pavarde. Tada pasitelkė daktarą Leną Rosą, nes žinojo, kad jį galima paspausti. Būdamas Sauerbio fondo valdybos narys, įkalbėjo Rosą atlikti tokias procedūras, kurios ištrintų man atmintį.

Lukas trumpam nutilo laukdamas, kad Bernis mestelės, jog visa tai juokinga, neįmanoma, įsiaudrinusios vaizduotės vaisius. Tačiau Bernis to nepasakė. Nustebindamas Luką, jis paprasčiausiai paklausė:

— Bet, dėl Dievo meilės, kam to griebtis?

Lukas išsyk pasijuto tvirčiau. Jeigu Bernis juo tiki, tai galima iš jo sulaukti pagalbos. Lukas tarė:

— Kol kas susitelkime ties tuo, kaip tai padaryta, o paskui aiškinsimės kodėl.

— Gerai.

— Siekdamas užšluoti pėdsakus, išvežė mane iš ligoninės, perrengė skarmalais, — greičiausiai kol dar gulėjau be sąmonės po visų procedūrų, — atgabeno mane į Centrinę stotį ir paliko sykiu su pakištu savu žmogumi, turėjusiu mane įtikinti esant valkatą ir slankiojant su manimi kartu, patikrinti, ar atmintis tikrai išsitrynė.

Dabar Bernis tikrai abejojo.

— Tačiau juk turėjo numanyti, kad anksčiau ar vėliau prisikasi iki tiesos.

— Nebūtinai turėjau prisikasti, bent jau ne iki visos. Aišku, numatė, jog po kelių dienų ar savaičių išsiaiškinsiu, kas esu. Tačiau galvojo, kad aš vis tiek patikėsiu, jog paprasčiausiai stipriai padauginau. Žmonės persilėbavę praranda atmintį, bent jau taip tvirtina legenda. Jeigu tuo netikėčiau ir imčiau ieškoti atsakymų į kai kuriuos klausimus, pėdsakai jau būtų atšalę. Bilė greičiausiai taip pat būtų užmiršusi tą paslaptingą ligonį, o jeigu prisimintų, Rosas būtų sunaikinęs jo bylą.

Bernis susimąstęs linktelėjo:

— Planas rizikingas, tačiau lydint sėkmei įgyvendinamas. Slaptosiose tarnybose tai daugiausia, ko galima tikėtis.

— Stebiuosi, kad tiki, jog taip galėjo būti.

Bernis gūžtelėjo pečiais.

Lukas neatstojo.

— Ar yra kokia priežastis, dėl kurios taip lengvai įvertinai šią istoriją kaip įtikinamą?

— Mes visi darbavomės specialiosiose tarnybose. Tokių operacijų pasitaiko.

Lukas jautė, kad Bernis kažką nutyli. Jam neliko nieko kita, kaip tik maldauti nieko neslėpti.

— Berni, jeigu dar ką nors žinai, dėl Dievo meilės, atskleisk man, netylėk. Man labai reikia pagalbos.

Bernis dvejojo.

— Yra kai kas, bet tai slapta, o aš nenoriu paskui užtraukti kam nors bėdos.

Luko širdis viltingai suplakė.

— Prašau, pasakyk man, aš visai nežinau, ko griebtis.

Bernis įsmeigė į jį skvarbų žvilgsnį.

— Matau, kad nežinai. — Jis giliai atsiduso. — Na, gerai. Karo pabaigoje Bilė su Entoniu vykdė ypatingą STT programą — liežuvį atrišančių vaistų projektą. Mes su tavimi tuo metu apie tai nė nenutuokėme, aš išgirdau apie tai tik vedęs Bilę. Jie ieškojo vaistų, galinčių per tardymus atrišti liežuvius belaisviams. Dirbo su meskalinu, karbinitratais. Išbandydavo juos su kareiviais, įtariamais prijaučiant komunistams. Bilė su Entoniu vykdavo į karines bazes Atlantoje, Memfyje ir Naujajame Orleane. Jiedu įgaudavo kokio įtariamojo pasitikėjimą, šiūpteldavo jam miltelių ir stebėdavo, ar jis apie ką nors tokio išsiplepės.

Lukas nusijuokė:

— Ir klausydavosi tų vyriokų sapalionių!

Bernis linktelėjo.

— Tada viskas atrodė tik nekalti žaidimėliai. Po karo Bilė grįžo į universitetą ir parašė disertaciją apie tai, kokį poveikį psichikai daro įvairios legalios narkotinės medžiagos, pavyzdžiui, nikotinas. Tapusi dėstytoja, tęsė savo tyrimus toje pat srityje, susitelkusi ties klausimu, kaip cheminiai preparatai ir kitokie faktoriai veikia atmintį.

— Bet ji nedirbo CŽV.

— Aš irgi taip maniau. Bet klydau. 1950 metais, kai valdybai vadovavo Roskas Hilenketeris, jie pradėjo projektą *Bluebird*, ir Hilenketeris palaimino slaptą lėšų naudojimą, todėl popieriuose viso to nesimatė. *Bluebird* projektas buvo skirtas kontroliuoti sąmonę. Jie finansavo daugybę legalių akademinių tyrimų, nukreipdami pinigus per labdarą, kad nuslėptų tikrą jų kilmę. Bilės tyrimus taip pat finansavo CŽV.

— Ir kaip ji į tai žiūrėjo?

— Mes dėl to kivirčydavomės. Aš laikiausi nuomonės, kad tai blogai, nes CŽV ruošiasi žmonėms praplauti smegenis. Ji tvirtino, kad bet kokie mokslo atradimai gali būti panaudoti tiek kilniems, tiek blogiems tikslams, ji vykdanti neįkainojamos mokslinės vertės tyrimus ir jai nerūpi, kas juos užsako.

— Ar dėl to ir išsiskyrėte?

— Lyg ir. Dirbau prie radijo pjesės *Detektyvinė istorija*, tačiau norėjau prasimušti į kiną. 1952-ais parašiau scenarijų apie slaptą vyriausybinę tarnybą, plaunančią smegenis nieko neįtariantiems piliečiams. Džekas Vorneris jį nupirko. Tačiau nuo Bilės tai nuslėpiau.

— Kodėl?

— Žinojau, jog CŽV padarys viską, kad filmo nestatytų.

— Argi tai jų jėgoms?

— Galiu lažintis iš savo sumautos gyvybės, jeigu netiki.

— Tai kas atsitiko?

— Filmas pasirodė 1953-iais. Frenkas Sinatra vaidino naktinio klubo dainininką, tampantį politinės žmogžudystės liudininku, ir jo atmintis paskui paslapčia ištrinama. Jo vadybininkę vaidino Džoana Krouford. Filmas susilaukė milžiniško pasisekimo. Aš padariau svaiginamą karjerą — iš visų studijų pylėsi pasiūlymai su dideliais honorarais.

— O kaip į tai pažiūrėjo Bilė?

— Nusivedžiau ją į premjerą.

— Tikriausiai ji supyko?

Jis liūdnai šyptelėjo.

— Ji visai išskydo. Kartojo, kad panaudojau slaptą informaciją, kurią sužinojau iš jos. Buvo tikra, kad CŽV nutrauks jos darbų finansavimą, sužlugdys visus tyrimus. Mūsų santuoka iširo.

— A, dabar suprantu, ką Bilė turėjo galvoje sakydama, kad nesutapo jūsų pažiūros.

— Ji teisi. Jai reikėjo ištekėti už tavęs. Taip ir nesupratau, kodėl to nepadarė.

Lukui net kvapą užėmė. Jam knietėjo daugiau apie tai iškamantinėti, tačiau nutarė šį klausimą atidėti patogesnei progai.

— Tačiau grįžkim į 1953-iuosius. Juk CŽV nenutraukė paramos jos moksliniams darbams.

— Ne. — Bernio veidas persikreipė iš įtūžio. — Jie sužlugdė mano karjerą.

— Kaip?

— Buvo suabejota mano patikimumu. Iki pat karo pabaigos buvau komunistas, už to buvo lengviausia užsikabinti. Mane Holivude įtraukė į juodąjį sąrašą, atsisakė priimti net į senąjį darbą radijuje.

— O koks čia Entonio vaidmuo?

— Pasak Bilės, stengėsi kaip įmanydamas mane apginti, bet nepajėgė. — Bernis suraukė kaktą. — Bet po to, ką iš tavęs išgirdau, abejoju, ar tai tiesa.

— Kaip tada verteisi?

— Keleri metai buvo tikrai liesi, bet paskui sėdau ir parašiau *Neklaužadas dvynukus*.

Lukas klausiamai pakėlė antakį.

— Tai vaikiškų knygelių serija. — Jis ranka mostelėjo į knygų lentyną. Joje švietė spalvingų knygų nugarėlės. — Tu taip pat skaitei jas savo sesers sūnui.

Lukas nudžiugo išgirdęs, jog turi sūnėną ar dukterėčią, o gal net ir ne vieną. Jam buvo smagu įsivaizduoti save jiems skaitantį.

Jis dar tiek daug apie save nežino.

Lukas apvedė ranka prabanga tviskantį butą.

— Tikriausiai knygos buvo neblogai perkamos.

Bernis linktelėjo.

— Pirmą knygą išleidau pasirašęs pseudonimu ir pasitelkiau redaktorių, prijaučiantį nukentėjusiems nuo Makarčio raganų medžioklės. Knygą tiesiog išgraibstė, o dabar per metus parašau dar dvi iš tos pačios serijos.

Lukas atsistojo, iš lentynos išsitraukė knygą ir perskaitė:

— *Kas lipnesnis: medus ar ištirpęs šokoladas? Dvyniai niekaip negalėjo nuspręsti. Todėl ir atliko tokį bandymą, dėl kurio mama taip supyko.*

Jis prajuko. Vaikai mėgsta tokias istorijas. Staiga širdį suspaudė liūdesys.

— O mes su Elspete neturime vaikų.

— Nežinau kodėl, — atsiliepė Bernis. — Tu visada labai norėjai vaikų.

— Mėginome, bet nepavyko, — tarė Lukas ir užvertė knygą. — Ar mūsų santuoka vykusi?

Bernis atsiduso.

— Jeigu jau klausi, ne.

— Kodėl?

— Tarp jūsų kažkokia trintis, aš pats nežinau kodėl. Vienąsyk skambinai, prašei patarimo, bet aš niekuo negalėjau padėti.

— Prieš kelias minutes sakei, kad Bilei reikėjo tekėti už manęs.

— Jūs vienas kitą buvote įsimylėję iki ausų.

— Tai kodėl pasukome skirtingais keliais?

— Nežinau. Po karo dėl kažkokios priežasties mirtinai susipykote. Nenumanau, dėl ko.

— Reikės paklausti Bilės.

— Tikriausiai.

Lukas vėl padėjo knygą į lentyną.

— Kad ir kaip ten būtų, tačiau dabar man aišku, kodėl patikėjai tokiu neįtikimu mano pasakojimu.

— Taip, — atsakė Bernis. — Panašu, tai Entonio darbas.

— Ar nutuoki kodėl?

— Nė trupučio.

20 val.

Jeigu temperatūros pokyčiai bus didesni nei tikėtasi, gali perdegti germanio tranzistoriai, merkurio baterijos užšalti, ir palydovas negalės perduoti duomenų į Žemę.

Bilė sėdėjo miegamajame prie tualetinio stalelio ir dažėsi. Visada manė, kad turi išskirtinio grožio akis, todėl jas gražindavo ypač rūpestingai, apvesdavo juodu pieštuku, užtepdavo pilkšvo šešėlio ir šiek tiek tušo. Paliko miegamojo duris praviras, ir pro jas iš televizoriaus apačioje aidėjo šūvių garsai: Laris su Mamyte Beke žiūrėjo *Traukinio vagoną*.

Šįvakar nesinorėjo eiti į pasimatymą. Dienos įvykiai sujaukė nusistovėjusius jausmus. Pyko, kad negavo siekto darbo, niršo už tai, kad čia nagus prikišo Entonis, jautėsi sutrikusi ir baugšti, kad senoji trauka tarp jos ir Luko vis dar tokia pat galinga ir nenumaldoma. Mintyse perkratė savo pažintis su Entoniu, Luku, Berniu ir Haroldu, svarstydama, ar tik nebus gyvenime padariusi kokių klaidingų žingsnių. Po viso to perspektyva visą vakarą praleisti su Haroldu žiūrint per TV dėžę kokį šou neatrodė viliojanti, nors ir kokį prielankumą jam jautė.

Suskambėjo telefonas.

Ji pašoko nuo kėdės, ir jau būdama tarpduryje išgirdo, kaip prieškambaryje ragelį pakėlė Laris. Išgirdo iš ragelio sklindantį Entonio balsą:

— Čia CŽV. Vašingtoną puola maištininkų kopūstų armija.

Laris sukrizeno.

— Dėde Entoni, juk tai jūs!

— Jeigu susidursite su kopūstu, jokiu būdu, kartoju, jokiu būdu nemėginkite su juo ginčytis.

— Kopūstai juk nekalba!

— Vienintelis būdas su jais susidoroti yra užtalžyti juos duonos kepalu.

— Išsigalvoji! — nusijuokė Laris.

Bilė prabilo:

— Entoni, aš prie kito telefono.

Entonis tarė:

— Pasisaugok, Lari, gerai?

— Sutarta, — atsiliepė Laris ir padėjo ragelį.

Entonio balsas pasikeitė.

— Bile?

— Taip, klausau.

— Prašei kuo skubiausiai tau paskambinti. Greičiausiai suvažinėjai kokį policininką.

— Aha. Entoni, ką ten po velnių rezgi?

— Patikslink klausimą, jeigu...

— Neišsisukinėk, dėl Dievo meilės. Žinau, kad kai neseniai kalbėjomės, melavai, tačiau tada dar nežinojau kodėl, o dabar jau žinau. Žinau, ką šiąnakt padarei Lukui psichiatrinėje.

Ragelyje stojo tyla.

Bilė tarė:

— Tučtuojau visa tai man paaiškink.

— Telefonu tikrai negaliu to pasakoti. Jeigu artimiausiomis dienomis kur susitiktume...

— Baik tuos atsikalbinėjimus.

Ji nesiruošė atidėlioti.

— Klok viską tiesiog dabar.

— Žinai, kad aš neturiu teisės...

— Gali daryti viską, ką panorėjęs, todėl neapsimetinėk.

Entonis paprieštaravo:

— Patikėk manimi. Juk esame seni draugai.

— Taip, ir per pirmą pasimatymą privirei košės.

Entonio balse pasigirdo linksmos gaidelės:

— O tu vis dar dėl to siunti?

Bilė atsileido.

— Po velnių, aišku, kad nebe. Norėčiau tavimi patikėti. Tu mano sūnaus krikštatėvis.

— Susitikime rytoj, ir aš tau viską paaiškinsiu.

Ji jau buvo besutinkanti, tačiau staiga prisiminė, ką jis padarė.

— O tu pats vakar manimi nepasitikėjai, ką? Veikei man už nugaros psichiatrinėje, nors aš ten dirbu.

— Sakiau, kad viską galiu paaiškinti...

— Reikėjo paaiškinti *prieš* mane apgaudinėjant. Klok viską, arba tučtuojau einu į FTB. Rinkis.

Grasinti vyrams nepatartina, dažniausiai jie tik dar labiau užsispiria. Tačiau ji puikiai žinojo, kaip CŽV nemėgsta užklausimų iš FTB, ypač kai valdyba krėsdavo abejotino teisėtumo darbelius, o dažniausiai taip ir būdavo. Federalai, pavydžiai saugantys savo teisę gaudyti šnipus JAV, nepraleis progos išknisti nelegalią CŽV veiklą šalies viduje. Jeigu Entonis veikė visiškai švariai ir teisėtai, Bilės grasinimas sudus kaip į sieną. Tačiau priešingu atveju jis turėtų pabūgti.

Jis atsiduso.

— Na, aš kalbu iš taksofono, o tavo telefono gal niekas ir nesiklauso, — tarė jis ir kiek patylėjęs tęsė. — Tau bus sunku tuo patikėti.

— Varyk, pažiūrėsim.

— Na gerai, klausyk. Bile, Lukas yra šnipas.

Ji akimirką neteko žado, o atsipeikėjusi pasakė:

— Nesąmonė.

— Jis komunistas, Maskvos agentas.

— Dėl dievo meilės! Jeigu tikiesi, kad aš užkibsiu...

— Man nerūpi, tiki tu ar ne. — Entonio balsas suskambo it metalas. — Jis jau seniai perdavinėja sovietams raketų paslaptis. Kaip tau atrodo, kaip jie įsigudrino paleisti savo *Sputniką*, kai mūsų palydovas dar riogsojo laboratorijoje ant darbastalio? Dėl Dievo meilės, juk jų mokslas tikrai ne pažangesnis už mūsiškį! Jie gauna visus mūsų tyrimų duomenis ir prideda prie savų. Už tai atsakingas Lukas.

— Entoni, mes abu Luką pažįstam jau ne pirmą dešimtmetį. Jo niekad nedomino politika!

— Tai pati geriausia priedanga.

Bilė dvejojo. Argi tai galėtų būti tiesa? Be jokios abejonės, rimtas šnipas apsimestų, kad nė trupučio nesidomi politika.

— Tačiau Lukas niekada neišduotų savo šalies.

— Žmonės yra žmonės. Prisimink, kai visi dalyvavome prancūzų pasipriešinime, jis veikė su komunistais. Aišku, tada jie buvo mūsų pusėje, tačiau akivaizdu, kad jis palaikė ryšius ir po karo. Aš manau, tavęs nevedė tik dėl to, kad kliudytum jo darbui raudoniesiems.

— Jis vedė Elspetę.

— Taip, tačiau jie neturi vaikų.

Bilė suglumusi prisėdo ant laiptų.

— Ar turi įrodymų?

— Turiu *įkalčius* — labai slaptus brėžinius, kuriuos jis perdavė vienam KGB karininkui.

Ji visai sumišo, nesumojo, ką ir galvoti.

— Tačiau net jeigu visa tai ir tiesa, kam jam ištrinti atmintį!

— Kad išgelbėčiau jam gyvybę.

Dabar ji galutinai susipainiojo.

— Nieko nesuprantu.

— Bile, mes turėjome jį likviduoti.

— Kas jį turėjo likviduoti?

— Mes, CŽV. Žinai, kad karinės pajėgos kaip tik ruošiasi paleisti palydovą. Jeigu šis startas nepavyks, rusai artimiausiu metu šeimininkaus kosmose, kaip britai Amerikoje šeimininkavo du šimtmečius. Turi suvokti, kad Lukas yra didžiausia grėsmė Amerikos saugumui ir prestižui po karo. Sprendimas jį likviduoti priimtas nepraėjus nė valandėlei, kai iškilo aikštėn jo veikla.

— Kodėl jo tiesiog nenuteisus kaip šnipo?

— Ir apsijuokti prieš visą pasaulį, kad mūsų saugumas toks žioplas, kad sovietai jau ne vienerius metus gauna mūsų raketų brėžinius? Tik pagalvok, kaip tai pakirstų Amerikos įtaką, ypač tose besivystančiose šalyse, koketuojančiose su Maskva. Niekas kitokio sprendimo net nesiūlė.

— Tai kas vis dėlto atsitiko?

— Aš įtikinau juos pamėginti veikti kitaip. Veikiu su pačių aukščiausių pareigūnų žinia. Niekas nežino, kokią operaciją vykdau, išskyrus CŽV direktorių ir prezidentą. Ir būtų nė lapė nesulojusi, jeigu Lukas nebūtų toks nepataisomas šiknius. Galėjau ir ištraukti Luką, ir išlaikyti viską paslaptyje. Jeigu tik jis būtų patikėjęs, kad po didelių išgertuvių prarado atmintį, ir dar šiek tiek pasitrynęs gatvėse kaip valkata, viskas būtų kaip sviestu patepta — jis net nebūtų prisiminęs, kad kada nors perdavė kokius slaptus popierius.

Bilei smilktelėjo savimyla.

— Tačiau nė akimirkos nedvejojai griaudamas mano karjerą.

— Kad išgelbėčiau Lukui gyvybę? Nemanau, kad tau patiktų mano priešingas elgesys.

— Nevaizduok angelėlio, tai visada buvo didžiausia tavo yda.

— Kad ir kaip ten būtų, Lukas sujaukė mano planą su tavo pagalba. Ar jis dabar su tavimi?

— Ne.

Bilei per nugarą perbėgo šiurpas.

— Man reikia jį susirasti, kol jis dar daugiau neprisivirė sau košės. Kur jis dabar?

Bilė instinktyviai sumelavo:

— Nežinau.

— Juk tu neslėptum nuo manęs, ar ne?

— Žinoma, slėpčiau. Juk sakei, kad nutarėte jį nugalabyti. Jeigu žinočiau, kvaila būtų jį išduoti. Tačiau aš nežinau.

— Bile, paklausyk. Aš esu vienintelė jo viltis išgyventi. Jeigu linki jam gero, paragink paskambinti man.

— Pamąstysiu, — atsakė Bilė, tačiau Entonis jau buvo padėjęs ragelį.

20 val. 30 min.

Talpa, kurioje įtaisyti įrenginiai, neturi jokių angų, todėl Kanaveralo kyšulio inžinieriai, norėdami ten ką nors įrengti, nukelia visą dangtį. Tai nepatogu, tačiau leidžia sutaupyti svorio, kuris yra pagrindinis veiksnys raketai besiveržiant nuo Žemės traukos.

Lukas drebančia ranka padėjo telefono ragelį.

Bernis pasiteiravo:

— Dėl Dievo meilės, ką ji tau pasakė? Tu baltas kaip numirėlis!

— Entonis sako, kad aš esu sovietų agentas, — sumurmėjo Lukas.

Bernis prisimerkė.

— Ir?..

— Kai CŽV tai išsiaiškino, buvo nutarta mane nudėti, tačiau Entonis juos perkalbėjo ir įtikino, kad lygiai taip pat veiksminga bus ištrinti man atmintį.

— Sunkiai tikėtina, — šaltai mestelėjo Bernis.

Lukas atrodė sugniuždytas.

— Dieve, negi tai tiesa?

— Velniai rautų, ne.

— Negali būti toks tikras.

— Galiu.

Lukas viltingai pažvelgė į jį.

— Kaip tai?

— Ne, aš *esu* sovietų agentas.

Lukas spoksojo į jį. Kas toliau?

— Galėjome abu jiems dirbti ir vienas kito nežinoti.

Bernis papurtė galvą.

— Tu mane ir išaiškinai.

— Kaip?

— Gal nori dar kavos?

— Ne, dėkui, nuo jos man sukasi galva.

— Atrodai nekaip. Kada paskutinįsyk turėjai kąsnį burnoje?

— Bilė pavaišino sausainiais. Pamiršk tą maistą, verčiau papasakok, ką žinai.

Bernis atsistojo.

— Kol dar neapalpai, padarysiu tau sumuštinį.

Lukas pajuto, kaip iš alkio sukasi galva.

— Būtų neblogai.

Jiedu patraukė į virtuvę. Bernis atidarė šaldytuvą ir ištraukė ruginės duonos puskepalį, sviesto pakelį, jautienos kepsnį ir svogūną. Lukas nurijo seilę.

— Tai atsitiko per karą, — ėmė pasakoti Bernis, tepdamas keturias duonos riekes. — Prancūzijos pasipriešinimas buvo pasidalijęs į golistus ir komunistus ir jie varžėsi dėl įtakos pokarinėje valdžioje. Ruzveltas su Čerčiliu nėrėsi iš kailio, kad komunistai rinkimų nelaimėtų. Todėl visi ginklai ir šaudmenys plaukė tik golistams.

— Kaip aš į visa tai žiūrėjau?

Bernis ant sumuštinių uždėjo keptos jautienos, garstyčių ir skiltelėmis supjaustytų svogūnų.

— Tu nesukai sau galvos dėl prancūzų politinių srovių, norėjai sumušti nacius ir grįžti namo. Tačiau mano užmojai buvo kitokie. Siekiau, kad su abiem pusėm būtų elgiamasi sąžiningai.

— Ir ko griebeisi?

— Šnibžtelėjau komunistams, kur laukiama išmetant iš lėktuvų amunicijos, kad jie galėtų surengti pasalą ir pasiimti juos sau. — Jis liūdnai papurtė galvą. — Tačiau jie visiškai susimovė. Turėjo pastoti kelią mums grįžtant į bazę, atseit atsitiktinai, ir pareikalauti draugiškai pasidalyti. Tačiau jie užgriuvo vos amunicijai palietus žemę. Taigi tu žinojai, kad buvote išduoti. Įtarimas krito ant manęs.

— Ir ko aš ėmiausi?

— Pasiūlei susitarti. Turėjau tuojau pat liautis dirbęs Maskvai, o tu pasižadėjai tylėti apie mane.

— Ir?..

Bernis gūžtelėjo pečiais.

— Mes abu laikėmės duoto žodžio. Tačiau, atrodo, tu man neatleidai. Kad ir kaip ten būtų, po to įvykio mūsų santykiai gerokai atšalo.

Iš kažkur išlindo pilkas Siamo katinas, miauktelėjo, ir Bernis numetė jam mėsos gabalėlį. Katinas jį suėdė ir apsilaižė letenas.

Lukas tarė:

— Jeigu būčiau buvęs komunistas, būčiau tave pridengęs.

— Be abejo.

Lukas ėmė tikėti esąs nekaltas.

— Tačiau komunistuoti galėjau pradėti ir pasibaigus karui.

— Ką tu. Tuo arba užsikreti jaunystėje, arba niekada.

Nuskambėjo įtikinamai.

— Tačiau, galimas daiktas, šnipinėjau dėl pinigų.

— Kam tau pinigai. Tu iš pasiturinčios šeimos.

Tai irgi tiesa. Elspetė jam sakė tą patį.

— Vadinasi, Entonis klysta.

— Arba pučia miglą.

Bernis supjaustė duonos riekeles perpus ir išdėstė jas dviejose lėkštėse.

— Mineralinio?

— Gerai.

Bernis iš šaldytuvo ištraukė dvi vaisvandenių skardines ir atidarė. Pastūmė Lukui jo lėkštę ir skardinę, paėmė savąsias, ir jiedu grįžo į svetainę.

Lukas jautėsi išbadėjęs it vilkas. Dviem kąsniais prarijo sumuštinį. Bernis nustebęs stebėjo, kaip jis doroja antrą.

— Štai, imk ir mano, — pasiūlė.

Lukas papurtė galvą.

— Dėkui, ne.

— Nesivaržyk, stiprinkis. Man vis tiek reikia laikytis dietos.

Lukas paėmė Bernio sumuštinį ir ėmė jį doroti.

Bernis tarė:

— Jeigu Entonis meluoja, tai kokia *tikroji* priežastis privertė jį ištrinti tau atmintį?

Lukas kramtė pilna burna.

— Turėtų būti susijusi su staigiu mano išvykimu iš Kanaveralo kyšulio pirmadienį.

Bernis linktelėjo.

— Tikrai nepanašu į sutapimą.

— Greičiausiai sužinojau kažką ypač svarbaus, tokio lemiamai svarbaus, kad viską metęs nuskubėjau į Pentagoną apie tai pranešti.

Bernis suraukė kaktą ir susimąstė.

— O kodėl to nepasakei savo bendradarbiams Kanaveralo kyšulyje?

Lukas suko galvą, ieškodamas galimo atsakymo.

— Turbūt ten niekuo nepasitikėjau.

— Gerai. Ir tada nespėji nuvykti į Pentagoną, kai kelią tau užkerta Entonis.

— Taip. Spėju, kad jam patikėjau tai, ką sužinojau.

— O tada?

— Jis nutarė, jog reikalas toks svarbus, kad verčiau ištrinti man atmintį, idant paslaptis neiškiltų aikštėn.

— Įdomu, koks velnias tai galėtų būti.

— Kai iki to prisikasiu, viskas stos į savo vietas.

— Nuo ko pradėsi?

— Veikiausiai grįšiu į viešbutį ir pasirausiu po savo daiktus. Gal rasiu už ko užsikabinti.

— Jeigu jau Entonis ištrynė tau atmintį, bus patvarkęs ir tavo daiktus.

— Jis galėjo sunaikinti visas akivaizdžias užuominas, tačiau galėjo užsilikti kokia smulkmena, kurią jis palaikė nesvarbia. Manau, derėtų patikrinti.

— O paskui?

— Paskui reikėtų vykti tiesiai į Kanaveralo kyšulį. Šįvakar išskrisiu ten...

Jis dirstelėjo į laikrodį. Buvo jau po devintos valandos vakaro.

— Arba rytoj iš pat ryto.

— Nakvok pas mane, — pasiūlė Bernis.

— Kodėl?

— Net nežinau. Verčiau laikytis drauge. Varyk į „Karltoną", pasiimk savo daiktus ir grįžk pas mane. Ryte nuvešiu tave į oro uostą.

Lukas linktelėjo. Jausdamasis nepatogiai, padėkojo:

— Tu man labai pagelbėjai.

Bernis tik patraukė pečiais.

— Mes juk seni bičiuliai.

Lukas prisiminė jų draugystės peripetijas.

— Tačiau minėjai, kad po to įvykio Prancūzijoje mūsų santykiai atšalo.

— Taip ir buvo.

Bernis pažvelgė Lukui tiesiai į akis.

— Tu manei, kad sykį išdavęs išduos ir antrą.

— Tikiu, kad galėjau taip manyti, — susimąstęs atsiliepė Lukas. — Tačiau juk aš klydau?

— Taip, — patvirtino Bernis. — Klydai.

21 val. 30 min.

Įrengimų skyriui gresia perkaitimas dar net nepakilus nuo žemės. Šis galvosūkis sprendžiamas paprastai, ir tai būdinga apskritai visam skubinamam *Explorer* projektui. Prie raketos elektromagnetais pritvirtinami konteineriai su ledu. Kai įrenginių skyriuje temperatūra pernelyg pakyla, termostatas įjungia ventiliatorių. Prieš pat raketos startą magnetas išjungiamas ir šaldymo įtaisas nukrinta ant žemės.

Geltonas Entonio kadilakas stovėjo K gatvėje, esančioje tarp Penkioliktosios ir Šešioliktosios, užkištas už taksi virtinės, laukiančios ženklo iš Karltono durininko. Sėdėdamas automobilyje, Entonis kaip ant delno matė viešbučio įėjimą ir ryškiai nušviestą privažiavimą automobiliams. Pitas budėjo viduje, išsinuomotame kambaryje, laukdamas skambučio iš agentų, naršančių po miestą Luko.

Viena vertus, Entonis vylėsi, kad niekas nepaskambins, Lukas kaip nors paspruks. Tada jam, Entoniui, bent jau nereikėtų priimti skausmingiausio sprendimo savo gyvenime. Antra vertus, žūtbūt knietėjo kuo greičiau surasti Luką ir viską užbaigti.

Lukas yra geras draugas, kilniaširdis žmogus, ištikimas vyras ir puikus mokslininkas. Bet galų gale koks skirtumas. Per karą jiems visiems kartais tekdavo žudyti gerus žmones, kurie paprasčiausiai atsidurdavo ne toje pusėje. Lukas per šaltąjį karą atsidūrė kitoje pusėje. Sunku tik todėl, kad tavo pažįstamas.

Pitas išskubėjo iš viešbučio. Entonis nuleido lango stiklą. Pitas pranešė:

— Skambino Ekis. Lukas Masačiūsetso aveniu, pas Bernį Rotsteiną.

— Pagaliau, — tarė Entonis.

Jis nusiuntė savo vyrus budėti prie Bernio ir Bilės namų, įtardamas, kad Lukas gali ieškoti savo senų bičiulių pagalbos, ir dabar nudžiugo, kad neapsiriko.

Pitas pridūrė:

— Jam išėjus, Ekis seks jį motociklu.

— Gerai.

— Manote, jis patrauks čia?

— Galimas daiktas. Aš palauksiu.

Viešbučio vestibiulyje budėjo dar du agentai, kurie būtų perspėję Entonį, jeigu Lukas įžengtų pro galinį įėjimą.

— Taip pat tikėtina, kad vyks į oro uostą.

— Ten keturi mūsiškiai.

— Tvarka. Regis, pridengėme visas skyles.

Pitas linktelėjo.

— Grįžtu prie telefono.

Entonis mintyse prasuko būsimą sceną. Lukas bus sutrikęs ir , įtarus, bet jam labai rūpės Entonio daug ko paklausti. Entonis pabandys jį nusivesti kur nuošaliau. Kai liks akis į akį, jam užteks akimirkos išsitraukti ginklą su duslintuvu iš savo palto kišenės.

Aišku, Lukas dar pabandys grumtis dėl savo gyvybės. Jis niekada nepasiduoda. Puls Entonį, šoks pro langą arba mesis prie durų. Entonis veiks šaltakraujiškai, žudymas jam ne pirmiena. Ramiai laikys pistoletą ir nuspaus gaiduką, taikydamas Lukui į krūtinę, iššaus porą kartų, kad nepaliktų Lukui nė menkiausios galimybės. Lukas parkris. Entonis prieis prie jo, patikrins pulsą ir, jeigu reikės, iššaus kontrolinį šūvį. Ir senas jo bičiulis bus negyvas.

Dėl to neturėtų kilti kokių didesnių keblumų. Entonis turi Luko išdavystės įrodymus, brėžinius su Luko brūkštelėtais keliais sakiniais. Sunku būtų įrodyti, kad jie gauti iš sovietų šnipo, tačiau CŽV patikės juo ir taip.

Kūnu kur nors atsikratys. Aišku, vėliau jį suras ir pradės tyrimą. Anksčiau ar vėliau policija išsiaiškins, kad auka domėjosi CŽV ir ims šniukštinėti, tačiau valdyba turi panašią patirtį ir lengvai atmuš įtarimus. Policijai bus pranešta, kad valdybos veikla, susijusi su auka, yra valstybės paslaptis, tačiau nieko bendra su žmogžudyste neturi.

Bet kas tuo suabejojęs ir ėmęs knaisiotis — faras, žurnalistas, politikas — užsitrauks tyrimą dėl politinio nepatikimumo. Agentai apklaus draugus, kaimynus ir gimines, miglotai užsimins apie galimas simpatijas komunistams. Aišku, tyrimas prie jokios išvados taip ir neprieis, tačiau tokio asmens reputacija bus visiškai pašlijusi. „Saugumas gali sau leisti viską", — nuožmiai pamanė jis sau.

Prie viešbučio pririedėjo taksi, ir iš jo išlipo Lukas. Jis vilkėjo pilką paltą ir mūvėjo tokios pat spalvos skrybėlę, greičiausiai kur nusipirkęs arba nudžiovęs. Kitoje gatvės pusėje motociklu atbirbė Ekis Horvicas. Entonis išlipo iš automobilio ir patraukė prie įėjimo.

Lukas atrodė įsitempęs, tačiau nusiteikęs ryžtingai. Mokėdamas taksi vairuotojui, jis dirstelėjo į Entonį, bet jo nepažino. Liepė vairuotojui pasilaikyti grąžą ir įėjo į viešbutį. Entonis patraukė iš paskos.

Jie buvo vienmečiai, abu turėjo po trisdešimt septynerius metus. Susipažino Harvarde būdami aštuoniolikos, bet dabar atrodo lyg prieš pusšimtį metų.

„Kas galėjo pamanyti, kad viskas taip pasibaigs", — karčiai pagalvojo Entonis.

>>><<<

Lukas pastebėjo, kad jį nuo pat Bernio namo atsekė motociklininkas. Dabar jis ėjo ištempęs ausis ir pastatęs akis.

Karltono vestibiulis labiau panėšėjo į milžinišką svetainę, apstatytą prancūziškų baldų kopijomis. Kitoje vestibiulio pusėje stovintis administratoriaus biuras buvo įtaisytas nišoje, todėl negadino bendros taisyklingos patalpos formos. Prie įėjimo į barą dvi kailiniuotos ponios šnekučiavosi su frakuotais vyriškiais. Patarnautojai su livrėjomis ir juodomis prijuostėmis vilkį padavėjai nepastebimai ir vikriai dūzgė vykdydami savo pareigas. Tai buvo prabangos sala, sukurta pailsėti po kelionės išvargusiems keliauninkams. Tik ne Lukui.

Akimis apmetęs vestibiulį, jis bematant pastebėjo du vyrus, iš išvaizdos ir elgesio panašius į agentus. Vienas iš jų sėdėjo ant elegantiškos sofos ir skaitė laikraštį, o kitas rymojo prie lifto, traukdamas cigaretę. Jų apranga taip pat išsiskyrė iš visų. Jiedu buvo apsirengę darbo drabužiais, lietpalčiais ir kostiumais, o jų kaklaraiščiai ir marškiniai buvo gerokai pasiglamžę, vadinasi, nekeisti nuo pat ryto. Jiedu aiškiai atėjo čia ne atsipūsti ir pasilinksminti prabangiame bare ar restorane.

Šmėstelėjo mintis, ar tik nevertėtų tuojau pat smukti atgal, tačiau taip juk nieko ir neišsiaiškins. Jis prisiartino prie administratoriaus biuro, pasakė savo pavardę ir paprašė rakto nuo numerio. Jam apsisukus eiti, užkalbino kažkoks nepažįstamas vyriškis:

— Sveikas, Lukai!

Tas vyras atsekė paskui jį į viešbutį. Jis nebuvo panašus į agentą, tačiau Lukas nelabai atkreipė dėmesį į jo drabužius: vyras buvo aukštas, Luko ūgio ir atrodė gana išsiskiriančiai, tik buvo apsirengęs kaip papuolė. Jo ištaigingas kupranugarių vilnos paltas buvo jau pagyvenęs ir aptrintas, batai atrodė taip, lyg niekada nebūtų valomi, apsikirpti taip pat būtų ne prošal. Tačiau nuo jo dvelkė pasitikėjimu savimi.

Lukas tarė:

— Deja, tavęs nepažįstu. Praradau atmintį.

— Entonis Kerolis. Labai džiaugiuosi, kad pagaliau susitikome!

Jis ištiesė ranką.

Lukas delsė. Neaišku, Entonis draugas ar priešas. Jis paspaudė Entoniui ranką ir tarė:

— Norėčiau tavęs daug ko paklausti.

— Esu pasirengęs atsakyti į visus klausimus.

Lukas tylomis žvelgė į jį, nežinodamas, nuo ko pradėti. Entonis nebuvo panašus į tokį, kuris galėtų išduoti seną bičiulį. Jo veidas buvo visiškai atviras, nepasakytum, kad gražus, tačiau įdomus. Galų gale Lukas prabilo:

— Kodėl su manimi taip pasielgei?

— Turėjau tai padaryti tavo paties labui. Mėginau išgelbėti tau gyvybę.

— Aš ne šnipas.

— Viskas kur kas sudėtingiau.

Lukas įdėmiai tyrinėjo Entonį, negalėdamas nuspręsti, kas dedasi jo galvoje. Sunku buvo suprasti, ar jis sako tiesą. Atrodė, jog kalba nuoširdžiai. Veide nesimatė jokio suktumo. Tačiau Lukas vis tiek pajuto, kad jis kažką slepia.

— Niekas netiki tavo pasakojimu, kad aš dirbu Maskvai.

— Kas tas niekas?

— Nei Bernis, nei Bilė.

— Jie visko nežino.

— Tačiau pažįsta mane.

— Aš taip pat.

— Tai ką tokio tu žinai?

— Viską papasakosiu. Tačiau čia negalime kalbėtis. Tai visiškai slapta. Gal vykstam pas mane į biurą? Čia pat, penkios minutės kelio.

Lukas neketino vykti su Entoniu į biurą, bent jau kol negaus atsakymų į daugelį rūpimų klausimų. Tačiau jis suvokė, kad vestibiulis nėra pati tinkamiausia vieta slaptiems pokalbiams.

— Einam į mano numerį, — pasiūlė jis.

Jiedu liks vienudu akis į akį, tačiau Entonis vienas nepajėgs jo priveikti.

Entonis svyravo, tačiau persigalvojo ir sutiko.

— Gerai.

Jiedu perėjo vestibiulį ir sulipo į liftą. Lukas žvilgtelėjo į savo apartamentų numerį ant rakto: 530.

— Penktas aukštas, — nurodė jis liftininkui.

Vyras uždarė duris ir patraukė svirtį.

Jiedu kilo tylėdami. Lukas užmetė akį į Entonio drabužius: seną paltą, apglamžytą kostiumą, nenusakomos formos kaklaraištį. Keista, tačiau aplaidžiai prižiūrimi apdarai ant jo atrodė kažkaip keistai elegantiškai.

Staiga Luko akys užkliuvo už nežymiai nukarusios dešiniosios palto pusės. Kišenėje guli kažkas sunkaus.

Per nugarą perbėgo šiurpas. Jis pats įkišo galvą į spąstus.

Nepagalvojo, kad Entonis gali turėti ginklą.

Stengdamasis neišsiduoti nė menkiausiu veido krustelėjimu,

Lukas įtemptai suko galvą. Ar gali būti, kad Entonis jam suvarytų kulką čia, tiesiog viešbutyje? Jeigu jis tai ruošiasi padaryti jo numeryje, niekas nematys. O garsas? Pistoletas gali būti su duslintuvu.

Liftui sustojus penktajame aukšte, Entonis prasisagstė paltą.

„Kad galėtų greičiau išsitraukti", — šmėkštelėjo Lukui mintis.

Jiedu išlipo iš lifto. Lukas nežinojo, kurioje pusėje jo numeris, tačiau Entonis užtikrintai pasuko į dešinę. Greičiausiai Luko numeryje jau bus lankęsis.

Luką išpylė šaltas prakaitas. Regis, jam kažkada, seniai seniai, yra tekę atsidurti panašiose situacijose. Gailėjosi, kad nepasiėmė to faro, kuriam sulaužė pirštą, pistoleto. Tačiau devintą ryto dar nė nesapnavo, kad įsipainiojęs į tokią košę, paprasčiausiai atrodė, kad užkrito atmintis.

Pasistengė susitvardyti. Jiedu galų gale tik vienas prieš vieną. Entonis turi šaudyklę, tačiau Lukas įspėjo jo ketinimus. Jų šansai beveik lygūs.

Eidamas koridoriumi smarkiai plakančia širdimi, Lukas dairėsi ko nors, kuo galėtų vožti Entoniui: stiklinės peleninės, paveikslo sunkiais rėmais. Tačiau po ranka nieko nebuvo.

Reikia kažko imtis dar prieš jiems įeinant į numerį.

Gal vertėtų pabandyti atimti iš Entonio ginklą? Gali ir pavykti, tačiau pernelyg rizikinga. Grumiantis pistoletas lengvai gali išsprūsti, ir neįmanoma numatyti, kieno rankose jis atsidurs.

Jiedu priėjo prie durų, ir Lukas išsitraukė raktą. Kaktą išmušė šaltas prakaitas. Įžengs vidun, ir jis lavonas.

Jis atrakino duris ir stumtelėjęs plačiai jas atidarė.

— Prašau, — tarė jis ir atsistojo šone, praleisdamas svečią.

Entonis akimirką sudvejojo, tačiau vis dėlto žengė pro Luką vidun. Lukas pakišo Entoniui koją, užmetė delnus jam ant pečių ir iš visų jėgų pastūmė. Entonis nulėkė ir įsirėžė į nedidelį stalelį, nuversdamas nuo jo vazelę su geltonaisiais narcizais. Krisdamas bandė prisilaikyti ir sugriebti šviestuvą rausvu gaubtu, tačiau tik nusitempė jį su savimi ant grindų.

Lukas užtrenkė duris ir pasileido bėgti kiek kojos neša. Jis prašvilpė koridoriumi, tačiau liftas jau buvo nuvažiavęs. Išpuolė pro avarinio išėjimo duris ir nudundėjo laiptais žemyn.

Aukštu žemiau susidūrė su tarnaite, nešančia rankšluosčių krūvą.

— Atsiprašau! — šūktelėjo jis, kai tarnaitė klyktelėjo iš išgąsčio ir į šalis išsilakstė rankšluosčiai.

Po kelių sekundžių jis jau buvo apačioje ir skuto kažkokiu siauru koridoriumi. Vienoje pusėje, pro nedidelę arką, į kurią vedė kelios pakopos, šmėstelėjo vestibiulis.

>>><<<

Entonis žinojo darąs klaidą, pirmas įeidamas pro duris, tačiau atsisakyti negalėjo. Laimė, jo rimtai nesužeidė. Atsikvošėjęs jis atsikėlė. Apsisuko, šoko prie durų ir, atplėšęs jas, išpuolė į koridorių. Apsidairęs išvydo Luką, dumiantį koridoriumi. Leidosi pavymui, o Lukas tuo metu pasuko į šoną ir dingo iš akių, greičiausiai įsmukęs į laiptinę.

Entonis lėkė paskui, tačiau būgštavo, kad jam vienam nepavyks suraityti ūgiu ir jėga nė kiek jam nenusileidžiančio Luko. Ar Kurtis su Melounu vestibiulyje sugebės jį sulaikyti?

Kai nusileido aukštu žemiau, Entoniui po kojomis pasipainiojo tarnaitė, klūpomis renkanti išbirusius rankšluosčius. Entoniui šmėkštelėjo mintis, kad į ją bus įsirėžęs Lukas. Jis susikeikė ir, sulėtinęs žingsnį, ją apėjo. Aplenkęs merginą, išgirdo atsidarant lifto duris. Jo širdis šoktelėjo iš džiaugsmo: sėkmė vėl ėmė jam šypsotis.

Iš lifto svyruodama netvirtai išlipo porelė, aiškiai kaip reikiant pasilinksminusi restorane. Entonis prasibrovė pro juos į liftą ir paliepė:

— Pirmas aukštas, malonėkite paskubėti.

Liftininkas užtrenkė duris ir trūktelėjo svirtį. Entonis bejėgiškai stebėjo lėtai mažėjančia tvarka užsižiebiančius aukštų skaičius. Liftas pasiekė pirmąjį aukštą. Durys prasidarė, ir jis iššoko lauk.

>>><<<

Lukas įlėkė į vestibiulį visai šalia lifto durų. Jo širdis nupuolė į kulnus. Tiedu agentai, kuriuos pastebėjo anksčiau, dabar buvo įsitaisę priešais pagrindinį išėjimą ir užtvėrę jam kelią. Po kelių akimirkų jam už nugaros prasivėrė lifto durys ir pro jas išniro Entonis.

Reikėjo žaibiškai pasispręsti: grumtis ar sprukti.

Visai nesinorėjo grumtis su trimis vyrais. Jie jį nesunkiai įveiktų. Prie jų prisidėtų ir viešbučio apsauga. Entonis išsitrauktų CŽV pažymėjimą, ir visi mestųsi ant Luko. Ir Lukas atsidurtų kalėjime.

Jis apsisuko ir puolė atgal į viešbučio gilumą. Už nugaros girdėjo dundančius besivejančio Entonio žingsnius. Čia turėtų būti galinis išėjimas — maisto juk neneši pro paradinį įėjimą.

Jis prasmuko pro užuolaidas ir atsidūrė nedideliame kiemelyje, įrengtame kaip kokia pietų kavinė. Nedidelėje šokių aikštelėje sukosi keletas porų. Laviruodamas tarp staliukų, jis prilėkė prie išėjimo. Į kairę vedė siauras koridorius. Jis pasileido juo. Sumetė, kad dabar turėtų būti kažkur netoli galinio išėjimo, bet jo nesimatė.

Prasigrūdo į virtuvėlę, kur pustuzinis uniformuotų padavėjų šildė maistą krosnelėse ir ant padėklų dėliojo lėkštes. Virtuvėlės viduryje jis pastebėjo žemyn vedančius laiptus. Lukas prasibrovė pro padavėjus ir ėmė leistis laiptais, nepaisydamas įspėjamo šūksnio:

— Malonėkite, pone! Jums ten negalima eiti!

Paskui Luką įšokus Entoniui, tas pats pasipiktinęs balsas tarė:

— Čia kas, Centrinė stotis?

Rūsyje buvo pagrindinė virtuvė, kur tarp garų prakaituotais veidais sukosi dešimtys virėjų, gaminančių maistą šimtams lankytojų. Ūžė dujinių viryklių liepsnelės, kamuoliais virto garai, kunkuliavo puodai. Padavėjai laidė gerkles ant virėjų, o virėjai — ant savo padėjėjų. Jie buvo pernelyg užsiėmę, kad kreiptų dėmesį į Luką, vinguriuojantį tarp šaldytuvų ir stalų, lėkščių kaugių ir dėžių su daržovėmis.

Virtuvės gale išvydo laiptus į viršų. Spėjo, kad jie veda prie galinio išėjimo. Antraip jis bus užspeistas į kampą. Surizikavo ir metėsi laiptais aukštyn. Viršuje pro duris išpuolė į šaltą nakties orą.

Jis atsidūrė tamsiame galiniame kieme. Blyški lemputė virš durų nušvietė milžiniškas šiukšliadėžes ir sukrautas medines dėžes nuo daržovių ir vaisių. Už penkiolikos metrų jo dešinėje stūksojo aukšta vielų tvora su užrakintais vartais, o už jų driekėsi gatvė, kaip jis spėjo, Penkioliktoji.

Pasileido prie vartų. Išgirdo, kaip jam už nugaros su trenksmu atsilapojo durys. Veikiausiai pro jas išpuolė Entonis. Jiedu vėl buvo vienudu.

Jis prišoko prie vartų. Šie buvo užrakinti ir užremti storu metaliniu strypu. Jeigu už jų pasirodytų koks praeivis, Entonis nedrįstų šauti. Tačiau nesimatė nė gyvos dvasios.

Smarkiai plakančia širdimi Lukas ėmė kabarotis tvora. Pasiekęs jos viršų, išgirdo prislopintą pistoleto kostelėjimą. Tačiau jis nieko nepajuto. Pataikyti į tamsoje judantį už penkiolikos metrų taikinį nėra lengva, bet įmanoma. Jis persisvėrė per tvoros viršų. Pistoletas kostelėjo dar sykį. Lukas persirito per tvorą ir nušoko ant žemės. Išgirdo trečią duslų šūvį. Lukas stryktelėjo ant kojų ir nuskuodė rytų pusėn. Pistoletas tylėjo.

Prie kampo jis grįžtelėjo per petį pasižiūrėti. Entonio nesimatė. Jam pavyko pasprukti.

>>><<<

Entoniui pasidarė silpna. Jis atsirėmė delnu į šaltą sieną. Kiemelis dvokė gendančiomis daržovėmis. Atrodė, tarsi alsuotų puvėsiais.

Tai buvo sunkiausia užduotis jo gyvenime. Palyginti su šia, nudėti Albiną Muljė buvo vienas juokas. Taikydamasis į Luko figūrą, besikabarojančią vielos tvoros, vos įstengė paspausti gaiduką.

Viskas pakrypoo pačia blogiausia puse. Lukas gyvas, o kadangi į jį jau šauta, saugosis ir žūtbūt stengsis išsiaiškinti tiesą.

Virtuvės durys trinktelėjo ir pro jas išvirto Melounas su Kurčiu. Entonis vogčiomis įsimetė ginklą kišenėn. Tada šniokštuodamas paliepė:

— Per tvorą — paskui jį.

Jis kuo puikiausiai žinojo, kad jiems nepavyks sugauti Luko. Kai jiedu dingo už kampo, gilzes rankioti suskato pats.

22 val. 30 min.

Raketos konstrukcija remiasi V2 artilerijos raketomis, kuriomis per karą buvo apšaudytas Londonas. Netgi variklis beveik toks pat. Visi akceleratoriai, relės ir giros perkelti iš V2. Variklio pompa per kadmio katalizatorių pumpuoja hidrogeno peroksidą, o išsiskirianti energija ir varo turbiną. Tai irgi perimta iš V2.

Haroldas Brodskis padarė gero sauso martinio kokteilį, o misis Raili tuno kepsnys buvo toks skanus, kaip ir žadėta. Desertui Haroldas patiekė vyšnių pyrago ir ledų. Bilė pajuto maudžiant kaltės jausmą. Jis kaip įmanydamas stengėsi jai įtikti, tačiau jos galva buvo užimta tik Luku ir Entoniu, jų bendra praeitimi ir ta keista maišalyne, kuri dabar tarp jų visų užvirė.

Haroldui ruošiant kavą, ji paskambino namo ir patikrino, ar Lariui su Mamyte Beke nieko neatsitiko. Grįžęs Haroldas pasiūlė persikelti į svetainę žiūrėti televizoriaus. Jis ištraukė butelį brangaus prancūziško konjako ir dosniai šliūkštelėjo į dvi dideles taures. Bilė svarstė, ar taip jis bando drąsinti save, o gal palaužti jos pasipriešinimą? Ji įtraukė konjako aromatą, tačiau lūpomis nė neprisilietė.

Haroldas taip pat sėdėjo susimąstęs. Paprastai būdavo labai smagus pašnekovas, šmaikštus ir įdomus, ir dažniausiai leisdama su juo laiką ji daug juokdavosi, tačiau šįvakar jo galva buvo užimta kažkuo kitu.

Jiedu žiūrėjo trilerį *Bėk, Džo, bėk!* Dženė Sterling vaidino padavėją, draugaujančią su buvusiu gangsteriu Aleksu Nikolu. Bilė niekaip nepajėgė įsitraukti į ekrane kurpiamą įtampą. Jos mintys klydinėjo ieškodamos paslaptingų priežasčių, kodėl Entonis taip pasielgė su Luku. Dirbdami STT, jie daugybę kartų pažeisdavo įvairiausius įstatymus, ir Entonis toliau dirba saugume. Tačiau Bilei niekaip netilpo galvoje, kad galima taip toli nueiti. Ar taikos metu tikrai galioja kitos taisyklės?

Ir kokie galėtų būti jo motyvai? Paskambinęs Bernis papasakojo apie atvirą jųdviejų pokalbį su Luku, ir tai tik patvirtino jos nuojautą, kad Lukas negali būti šnipas. Tačiau gal Entonis įsitikinęs priešingai? Jeigu ne, tai kur čia šuo pakastas?

Haroldas išjungė televizorių ir įsipylė sau dar konjako.

— Mąsčiau apie mus, — prabilo jis.

Bilė tiesiog nutirpo. Jis rengiasi prašyti jos rankos. Jeigu būtų padaręs tai vakar, ji būtų sutikusi tekėti nė nesvarsčiusi. Tačiau šiandien jos galva buvo užimta visai kitkuo.

Jis paėmė jai už rankos:

— Myliu tave, — tarė jis. — Mums drauge smagu, sutampa mūsų požiūriai į gyvenimą, abu turime po vaiką, tačiau ne tik dėl to. Veikiausiai norėčiau tave vesti, net jeigu būtum gumą čiaumojanti padavėja, kuri alpsta dėl Elvio Preslio.

Bilė nusijuokė.

Jis tęsė:

— Tiesiog žaviuosi tavimi tokia, kokia esi. Žinau, jog tai tikra, nes man taip yra buvę tik vieną sykį gyvenime, su Lesle. Mylėjau ją visu savimi, kol ją iš manęs išplėšė likimas. Todėl dabar nė kiek neabejoju. Myliu tave ir trokštu, kad amžinai būtume kartu. — Jis pažvelgė į ją ir paklausė: — O kaip į tai žiūri tu?

Ji atsiduso.

— Tu man labai patinki. Norėčiau su tavimi permiegoti; manau, tai būtų puiku.

Nustebintas tokių jos žodžių jis net kilstelėjo antakius, tačiau laukė, ką ji pasakys toliau.

— Ir suprantu, kad besidalijant rūpesčiais gyvenimas būtų kur kas lengvesnis.

— Tai gerai.

— Vakar būtų buvę to gana, kad pasakyčiau taip, myliu tave,

susituokime. Tačiau šiandien sutikau seną draugą ir prisiminiau, ką reiškia mylėti, kai tau dvidešimt vieneri metai. — Ji tiesiai pažvelgė į jį. — Tau to nejaučiu, Haroldai.

Jis visiškai sutriko.

— O kas taip jaučiasi mūsų amžiaus?

Ji troško vėl būti šauni ir laukinė kaip anksčiau. Tačiau kvaila to norėti išsiskyrusiai moteriai, auginančiai septynmetį sūnų. Kad nereikėtų nieko sakyti, ji priglaudė brendžio taurę prie lūpų.

Į duris kažkas paskambino.

— Ką čia, po galais, velnias nešioja? — piktai suurzgė Haroldas. — Tikiuosi, tai ne Sidnis Baumanas tokiu metu atėjo pasiskolinti pompos automobiliui.

Jis atsistojo ir nupėdino į prieškambarį.

Bilė jautė, kas tai. Ji pastatė taurę ant stalo ir atsistojo.

Nuo durų atsklido Luko balsas.

— Man reikia pasikalbėti su Bile.

Bilė stebėjosi, kad ją apėmė džiugesys, vos tai išgirdo.

Haroldas atsakė:

— Abejoju, ar ji dabar norės būti trukdoma.

— Tai be galo svarbu.

— Iš kur sužinojai, kad ji čia?

— Jos mama pasakė. Dovanokite, Haroldai, neturiu kada čia smaukytis.

Bilė išgirdo dunkstelėjimą, paskui pasipiktinusio Haroldo šūksnius ir spėjo, kad Lukas įsiveržė vidun jėga. Ji priėjo prie svetainės durų ir pažvelgė į prieškambarį.

— Prilaikyk arklius, Lukai, — tarė ji. — Čia juk Haroldo namai.

Luko paltas buvo perplėštas, stovėjo be skrybėlės, atrodė sukrėstas.

— Kas dabar atsitiko? — pasiteiravo ji.

— Entonis mėgino mane nušauti.

Bilė netikėjo savo ausimis.

— Entonis? — perklausė ji. — Jėzau, kas jam užėjo? Jis šovė į *tave*?

Haroldas išsigandęs klausėsi.

— Apie kokį šaudymą čia kalbate?

Lukas praleido tai negirdomis.

— Reikia apie visa tai pranešti kam nors iš vadovybės, — tarė jis Bilei. — Vykstu į Pentagoną. Tik bijau, kad jie manimi nepatikės. Gal vykstam kartu, palaikytum mane?

— Žinoma, — atsakė ji ir nusikabino nuo pakabos paltą.

Haroldas šūktelėjo:

— Bile! Dėl dievo meilės, juk mes dar nebaigėme labai svarbaus pokalbio.

Lukas įsiterpė:

— Neišsiversiu be tavo pagalbos.

Bilė kurį laiką dvejojo. Haroldui būtų tikras smūgis. Akivaizdu, kad jis jau seniai ruošėsi šitam vakarui. Tačiau Luko gyvybei gresia pavojus.

— Dovanok, — tarė ji Haroldui. — Turiu eiti.

Ji atsuko veidą bučiniui, tačiau jis nusigręžė.

— Nereikia, — paprašė Bilė. — Rytoj apie viską pasišnekėsime.

— Nešdinkitės iš mano namų, abu — įniršęs tėškė jis.

Bilė išėjo pirma, jai iš paskos — Lukas, ir Haroldas užtrenkė duris.

23 val.

Jupiter programa 1956 metais atsiėjo 40 milijonų dolerių, 1957 — 140 milijonų dolerių. 1958 metais numatoma išleisti 300 milijonų.

Pito išsinuomotame viešbučio kambaryje, stalo stalčiuje, Entonis aptiko raštinės reikmenų. Išsitraukęs voką, iš kišenės iš-žvejojo tris kulkas ir tris tuščias šovinių tūteles, subėrė jas į voką ir užklijavęs įsimetė kišenėn. Progai pasitaikius jomis atsikratys.

Jis naikino pėdsakus. Visiškai nėra laiko (reikia skubėti, negalima delsti), bet nevalia prarasti ir budrumo. Būtina kruopščiai užglaistyti visas incidento žymes. Be to, tai padėjo užmiršti bjaurų pasišlykštėjimo savimi skonį burnoje.

Pasipiktinęs viešbučio direktoriaus pavaduotojas įžengė į numerį šnypšdamas kaip virdulys. Mažiukas, puošniai apsitaisęs plikšis.

— Malonėkite prisėsti, misteri Sušardai, — paprašė Entonis.

Paskui išsitraukė ir parodė CŽV pažymėjimą.

— CŽV! — iš nuostabos Sušardo pasipiktinimas ėmė blėsti.

Entonis iš piniginės išsitraukė vizitinę kortelę.

— Kortelėje nurodoma tik „Vyriausybė", tačiau bet kada galite su manimi susisiekti šiuo telefonu.

Sušardas paėmė kortelę atsargiai, tarsi ji galėtų sprogti.

— Kuo galiu jums pasitarnauti, misteri Keroli?

Jo tartyje jautėsi lengvutis akcentas, kaip pasirodė Entoniui, švediškas.

— Visų pirma norėčiau atsiprašyti dėl nedidelio sąmyšio, kurį čia sukėlėme.

Sušardas patylomis linktelėjo, tarsi ir būtų laukęs tokių atsiprašinėjimų.

— Laimė, į tai atkreipė dėmesį vos keli svečiai. Tik virtuvės personalas ir keli padavėjai matė, kaip vijotės kažkokį džentelmeną.

— Džiaugiuosi, kad pernelyg neapgadinome nuostabaus jūsų viešbučio, nors ir valstybės saugumo reikalu.

Sušardas nustebęs kilstelėjo antakius.

— Valstybės saugumo reikalu?

— Aišku, aš jums neturiu teisės atskleisti smulkmenų...

— Suprantama, suprantama.

— Tačiau manau, kad galiu jumis pasitikėti.

Viešbučio darbuotojai puikuodavosi saugantys svetimas paslaptis, ir Sušardas tik energingai pakinkavo galva.

— Tikrai galite.

— Apie šį incidentą net nereikėtų pranešti direktoriui.

— Gal...

Entonis išsitraukė banknotų pluoštą.

— Vyriausybė panašiems atvejams kompensuoti turi nedidelį fondą. — Jis išpešė iš pluošto dvidešimtinę. Sušardas ją paėmė. — Ir jeigu dar kas nors iš personalo reikštų nepasitenkinimą, gal...

Jis neskubėdamas ištraukė dar keturias dvidešimtines ir ištiesė jas žmogeliui.

Direktoriaus pavaduotojui tai buvo karališkas atlygis.

— Dėkoju, sere, — tarė Sušardas. — Neabejoju, kad viską sutvarkysim, kaip jūs pageidaujate.

— Jeigu kas nors imtų klausinėti, geriausia jums būtų sakyti, jog nieko nežinote.

— Žinoma.

Sušardas atsistojo eiti.

— Jeigu dar kas nors...

— Aš su jumis susisieksiu.

Entonis galvos linktelėjimu leido jam pasišalinti, ir Sušardas išėjo.

Tarpduryje išdygo Pitas.

— Kariuomenės saugumo vadas Kanaveralo kyšulyje yra pulkininkas Bilas Haidas, — pranešė jis. — Apsistojęs „Žvaigždėtajame" motelyje.

Jis ištiesė Entoniui popieriaus skiautelę su numeriu ir vėl dingo. Entonis surinko numerį.

— Čia Entonis Kerolis, CŽV, Techninių tarnybų skyrius, — prisistatė jis.

Haidas kalbėjo lėtai, tęsdamas žodžius, ir atrodė, lyg jis neseniai būtų šiek tiek pasivaišinęs.

— Na, kuo galiu jums padėti, misteri Keroli?

— Skambinu dėl daktaro Lukaso.

— A, taip?

Jo balsas skambėjo atšiaurokai, todėl Entonis nutarė, jog ne prošal būtų šiek tiek įsiteikti.

— Būčiau dėkingas jums už patarimą, jeigu tokiu vėlyvu metu skirtumėte man šiek tiek laiko, pulkininke.

Haidas išsyk atlyžo.

— Žinoma, padėsiu kuo galėsiu.

Taip jau geriau.

— Manau, jums žinomas keistas daktaro Lukaso elgesys, o turint omeny, kad jis disponuoja slapta informacija, tai neramina.

— Žinoma.

Entonis norėjo, kad Haidas pasijustų autoritetu.

— Kaip jūs vertintumėte jo psichikos būklę?

— Kai paskutinįsyk mačiau, atrodė normalus, tačiau kai šnekėjomės prieš kelias valandas, man pranešė praradęs atmintį.

— Yra dar kai kas. Jis pavogė automobilį, įsilaužė į namą, susimušė su faru ir taip toliau.

— Dievulėliau, regis, jo būklė blogesnė nei maniau.

Entonis lengviau atsipūtė: Haidas užkibo. Jis suokė toliau:

— Manome, jis visai pametė galvą, tačiau jūs jį pažįstate geriau už mus. Kaip manote, kas čia iš tikrųjų dedasi? — Entonis nutilo laukdamas norimo atsakymo.

— Na, velniai rautų, jis patyrė nervų krizę.

Entonis kaip tik ir siekė, kad Haidas tuo patikėtų, tačiau Haidui dabar atrodė, kad tai jo paties mintis, ir jis ėmėsi tuo įtikinti Entonį.

— Paklausykit, misteri Keroli, armija pamišėlio neįtrauktų į slaptą projektą. Šiaip Lukasas buvo toks pat sveikas kaip jūs ir aš. Greičiausiai kas nors sujaukė jam protą.

— Regis, įsikalė sau į galvą, kad prieš jį rezgamas sąmokslas, tačiau, jūsų teigimu, nereikėtų tuo besąlygiškai tikėti.

— Visiškai nereikėtų.

— Vadinasi, turėtume nekelti nereikalingos sumaišties. Turiu galvoje, nereikėtų pranešti Pentagonui.

— Jėzau, ne, — susijaudinęs atsakė Haidas. — Tiesą sakant, verčiau jiems paskambinti ir įspėti, kad, regis, Lukasui išbyrėjo balkiai.

— Kaip pasakysite.

Įėjo Pitas, ir Entonis iškėlęs pirštą davė ženklą tylėti, kol baigs. Jis sušvelnino balsą ir tarė į ragelį:

— Beje, aš atsitiktinai esu senas daktaro ir misis Lukasų draugas. Mėginsiu įkalbėti Lukasą kreiptis į psichiatrą.

— Tai gera mintis.

— Dėkui, pulkininke. Padėjote susigaudyti, ir elgsiuos pagal jūsų siūlymus.

— Prašau, nėra už ką. Jeigu dar norėsite kokiu nors klausimu su manimi pasitarti, drąsiai skambinkite.

— Be abejo.

Entonis padėjo ragelį.

Pitas paklausė:

— Į psichiatrą?

— Tai jo paties labui.

Entonis mintyse įvertino padėtį. Viešbutyje jokių įkalčių neliko. Jis nuteikė Pentagoną tam atvejui, jeigu Lukas į juos kreipsis. Liko tik Bilės ligoninė.

Jis atsistojo.

— Po valandos grįšiu, — tarė. — Lik čia. Tačiau ne vestibiulyje. Tegu Melounas su Kurčiu patepa kambarinę, kad įleistų į Luko numerį. Nujaučiu, kad jis dar sugrįš.

— O ką daryti tuomet?

— Nepaleiskite jo bet kokia kaina.

Vidurnaktis

Jupiter C raketą varo hidinas, slaptas aukštos kaitros kuras, 12 procentų galingesnis už įprastą alkoholio mišinį, naudojamą įprastose *Redstone* raketose. Toksiška, ėdi medžiaga, tai yra UOMH — nesimetriško diemtilhidrazino — ir dietileno triamino mišinys.

Bilė įvairavo raudoną „Thunderbird" į Džordžtauno psichiatrinės ligoninės mašinų parkavimo aikštelę ir užgesino variklį. Pulkininkas Lopesas iš Pentagono privažiavo šalia žalsvu fordu „Fairlane".

— Jis netiki nė vienu mano žodžiu, — piktai tarė Lukas.

— Negali jo kaltinti, — atsakė Bilė. — Karltono direktoriaus pavaduotojas tvirtina, kad viešbutyje nevyko jokios gaudynės, o galiniame kiemelyje nėra jokių šovinių tūtelių.

— Entonis iššlavė pėdsakus.

— Aš žinau, bet pulkininkas Lopesas nežino.

— Dėkui Dievui, kad šalia tu, paremsi mane.

Jiedu išlipo iš automobilio ir su pulkininku, ramiu ispaniško gymio vyru, suėjo į vidų. Bilė linktelėjo budėtojui ir drauge su abiem vyrais užlipo laiptais ir patraukė į registratūrą.

— Parodysiu jums Džozefo Belou, kurio fiziniai duomenys atitinka Luko, bylą, — paaiškino ji.

Pulkininkas linktelėjo.

Bilė tęsė:

— Įsitikinsite, kad antradienį jį atvežė, atliko gydymo procedūras ir trečiadienį, ketvirtą ryto, išrašė. Supraskit, šizofrenikams paprastai netaiko procedūrų prieš tai jų kurį laiką nestebėję. Ir nereikia nė sakyti, kad niekas ligonių iš psichiatrinės ligoninės neišrašo ketvirtą ryto.

— Suprantu, — atsainiai mestelėjo Lopesas.

Bilė pradarė stalčių, išsitraukė Belou bylą, pasidėjo ant stalo ir atvertė. Ji buvo tuščia.

— Dieve mano, — sušnibždėjo ji.

Lukas, negalėdamas patikėti savo akimis, spoksojo į tuščią kartoninį aplanką.

— Juk mažiau nei prieš šešias valandas savo akimis mačiau bylą!

Lopesas stovėjo nuvargusiu veidu.

— Na, regis, viską pamačiau.

Lukas pasijuto, tarsi gyventų kažkokiame pamėkliškame pasaulyje, kuriame su juo bet kas gali elgtis kaip panorėjęs, šaudyti į jį, sujaukti jo smegenis, o jis net negali įrodyti, kad visa tai iš tikrųjų įvyko.

— Gal aš iš tikrųjų šizofrenikas, — sumurmėjo jis.

— Na, bet aš tai ne, — tarė Bilė. — O aš taip pat mačiau tą bylą.

— Tačiau dabar jos nebėra, — pasakė Lukas.

— Palaukit, — staiga tarė Bilė. Registratūros žurnale turėtų būti įrašas apie jo priėmimą. Jis registratūroje.

Ji užtrenkė spintos stalčių. Jie nusileido į vestibiulį. Bilė kreipėsi į registratorių:

— Norėčiau užmesti akį į žurnalą, Čarli.

— Tuojau, daktare Džozefson.

Jaunas juodaodis vyras ėmė žiūrinėti po lentyną.

— Velnias, kur, po galais, jis galėjo dingti? — mestelėjo jis.

Lukas sumurmėjo:

— Jėzau Kristau.

Registratorius paraudo iš sumišimo.

— Juk prieš kelias valandas dar tikrai mačiau savo akimis.

Bilės veidas buvo tamsus it audros debesis.

— Klausyk, Čarli. Ar šįvakar čia lankėsi daktaras Rosas?

— Taip, madam. Prieš keletą minučių išėjo.

Ji linktelėjo.

— Kai jį pamatysi, pasiteirauk, kur dingo žurnalas. Jis žinos.

— Būtinai pasiteirausiu.

Bilė atsisuko nuo registratūros staliuko.

Lukas piktai tarė:

— Leiskite jūsų kai ko pasiteirauti, pulkininke. Ar niekas su jumis nekalbėjo apie mane prieš mums susitinkant?

Lopesas svyravo.

— Taip.

— Kas?

Jis kiek patylėjo ir nenoriai atsakė:

— Manau, jūs turite teisę žinoti. Su mumis susisiekė pulkininkas Haidas iš Kanaveralo kyšulio. Jis pranešė, kad CŽV tave stebi, nes keistai elgiesi.

Lukas niūriai linktelėjo.

— Ir vėl Entonis.

Bilė kreipėsi į Lopesą:

— Na, daugiau nežinau, kaip galėtume jus įtikinti. Suprantu, kad neturite pagrindo mumis tikėti — jokių įrodymų.

— Nesakau, kad jumis netikiu, — tarė Lopesas.

Lukas nustebęs su nauja viltimi pažvelgė į pulkininką.

Lopesas tarė:

— Galiu suabejoti, kad CŽV darbuotojas vaikėsi jus po Karltoną ir šaudė. Netgi galiu įtarti, kad judu su daktare Džozefson susimokėte apsimesti, neva čia būta bylos, kuri dabar dingo. Tačiau nepanašu, kad ir Čarlis dalyvautų šioje kebeknėje. Čia turėtų būti žurnalas, ir jis dingęs. Nemanau, kad jį paėmėte jūs — kokiam tikslui? Tačiau tada kas? Kažkas mėto pėdsakus.

— Vadinasi, tikite manimi? — paklausė Lukas.

— Kad neaišku, kuo tikėti. Jūs nežinote, kas čia vyksta. Aš taip pat. Tačiau nekyla abejonių, kad čia dedasi kažkokia velniava. Manau, tai susiję su numatomu raketos paleidimu.

— Tai ko manote imtis?

— Paskelbsiu aukščiausią saugumo laipsnį Kanaveralo kyšulyje.

Lankiausi ten, mačiau, kokie visi atsipalaidavę. Rytoj ryte net nežinos, kas jiems pakenkė.

— O kaip dėl Entonio?

— Turiu CŽV pažįstamą. Papasakosiu jam, ką išgirdau iš jūsų. Nors kol kas niekas neaišku, bet visa tai verčia susirūpinti.

— Taip nieko nepešime! — užprotestavo Lukas. — Turime išsiaiškinti, kas ir kodėl ištrynė man atmintį!

— Sutinku, — linktelėjo Lopesas. — Tačiau daugiau niekuo negaliu padėti. Kapstykitės patys.

— Jėzau, — tarė Lukas. — Vėl lieku vienas.

— Ne, — paprieštaravo Bilė. — Tu ne vienas.

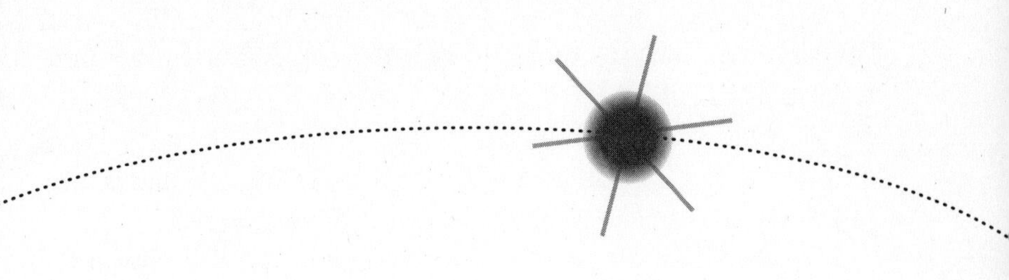

KETVIRTA DALIS

1 val. nakties

Naujasis raketinis kuras gaminamas iš nervus paralyžiuojančių dujų ir yra mirtinai pavojingas. Jis į Kanaveralo kyšulį pristatomas specialiu traukiniu, kuriuo sykiu gabenamas ir azotas, išsiliejimo atveju turintis jį neutralizuoti. Vienas vienintelis lašelis, netyčia užtiškęs ant odos, akimirksniu į ją įsigertų ir būtų mirtinas. Technikai sako: „Jeigu pakvipo žuvimi, lėk tolyn kaip akis išdegęs".

Bilė lėkė dideliu greičiu, užtikrintai perjunginėdama tris „Thunderbird" pavaras. Lukas ją stebėjo susižavėjęs. Jiedu švilpė ištuštėjusiomis tyliomis Džordžtauno gatvėmis, per tiltą virš nedidelės įlankos įskriejo į Vašingtono centrą ir pasuko prie Karltono.

Lukas jautė jėgų antplūdį. Dabar žinojo, kas yra jo nedraugas, šalia savęs turėjo bičiulę ir numanė, ką reikia daryti toliau. Jį vis dar glumino tai, kas atsitiko, tačiau buvo tvirtai pasiryžęs šią paslaptį išsiaiškinti ir nekantravo kuo greičiau tai padaryti.

Bilė pastatė automobilį už kampo, toliau nuo įėjimo.

— Aš eisiu pirma, — pasakė ji. — Jeigu vestibiulyje pastebėsiu ką nors įtartina, bematant grįšiu atgal. O jeigu pamatysi, kad nusivelku paltą, tuomet žinosi, jog ten ramu.

Lukui toks planas nelabai patiko.

— O jei viduje tyko Entonis?

— Jis į mane nešaus.

Ji išlipo iš automobilio.

Lukas greitosiomis viską apsvarstė ir nutarė, jog prieštarauti neverta. Greičiausiai ji teisi. Aišku, Entonis jau bus nuodugniai išnaršęs jo numerį ir sunaikinęs viską, kas Lukui galėtų priminti tą paslaptį, kurią jis iš visų jėgų stengėsi išlaikyti. Tačiau visiškai sujaukti jo daiktų Entonis taip pat negalėjo — turėjo išlikti regimybė, neva Lukas paprasčiausiai prarado atmintį po besaikio lėbavimo nakties. Taigi Lukas dar vylėsi rasti daugumą savo daiktų. Jie turėtų padėti jam susigaudyti. Be to, tarp jų gali pasitaikyti ir kokia užuomina, prasprūdusi pro Entonio akis.

Jiedu atskirai po vieną prisiartino prie viešbučio. Lukas laikėsi priešingos gatvės pusės. Stebėjo, kaip Bilė sparčiu žingsniu įėjo vidun. Pro stiklines duris galėjo matyti, kas vyksta vestibiulyje. Prie jos beregint prišoko patarnautojas, aiškiai susidomėjęs, kas ši žavinga moteris, tokį vėlyvą metą atvykusi viena. Matė, kaip ji kažką pasakė patarnautojui, ir atspėjo jos žodžius. „Aš esu misis Lukas, mano vyras tuojau turėtų pasirodyti". Tada ji nusivilko paltą.

Lukas perkirto gatvę ir taip pat įžengė į vidų.

Norėdamas galutinai įtikinti patarnautoją juos esant vyrą ir žmoną, tarė:

— Brangioji, prieš lipdamas į viršų, dar norėčiau kai kam paskambinti.

Ant administratoriaus stalelio stovėjo vidinio ryšio telefonas, tačiau Lukas nenorėjo, kad kas nors girdėtų jo pokalbį. Greta budėtojo, nedidelėje nišoje, buvo įrengta taksofono kabina. Lukas pasuko jos link. Bilė nusekė jam įkandin, o kai abudu suėjo vidun, ji uždarė paskui save duris. Jiedu stovėjo beveik susiglaudę. Jis įmetė dešimt centų į plyšelį monetoms ir paskambino į viešbutį. Palenkė ragelį taip, kad pokalbį girdėtų ir Bilė.

— Labas rytas, „Šeratonas Karltonas".

Jam dingtelėjo, kad jau *rytas* — ketvirtadienio rytas. Jis nemigęs jau dvidešimt valandų, nors tebesijautė žvalus ir buklus.

— Prašau sujungti su 530-uoju numeriu.

Operatorius dvejojo:

— Sere, dabar kelios minutės po pirmos nakties, ar jums labai skubu?

— Daktaras Lukasas prašė skambinti dieną ar naktį.

— Gerai.

Ragelyje stojo tyla, paskui pasigirdo kviečiančio signalo pypsėjimas. Luką svaigino Bilės, apsitempusios raudono šilko suknute, šiluma. Turėjo valdytis, kad neapkabintų jos per siaurus dailius petukus ir neprispaustų prie savęs.

Po ketvirto pyptelėjimo, kai jau pamanė, kad kambaryje nieko nėra, kažkas pakėlė ragelį. Vadinasi, Entonis arba kas nors iš jo vyrų tyko pasaloje. Buvo apmaudu, tačiau, antra vertus, dabar paaiškėjo, kad numeryje tūno priešas.

Kažkieno balsas tarstelėjo:

— Alio? — Vyras atsiliepė neryžtingai. Tai ne Entonis, ko gero, Pitas.

Lukas įkaušusio žmogaus kalbėsena išbėrė:

— Ei, Roni, čia Timas. Visi tavęs čia laukiam nesulaukiam.

— Prisilakęs, — tarsi kreiptųsi į kažką šalia, nepatenkintas suniurnėjo vyriškis. — Supainiojai numerį, bičiuli.

— O, Jėzau, atsiprašau, tikiuosi, nepažadinau... — Lukas nutilo, nes pašnekovas jau padėjo ragelį.

— Ten kažkas yra, — tarė Bilė.

— Ir, atrodo, ne vienas, o keliese.

— Žinau, kaip juos iš ten išrūkyti, — šyptelėjo ji. — Esu išdarinėjusi tokius dalykėlius per karą Lisabonoje. Eime.

Jiedu išėjo iš telefono kabinos. Lukas pastebėjo, kaip Bilė vogčiomis pasiėmė degtukų dėžutę, gulinčią peleninėje šalia lifto. Liftininkas užkėlė juos į penktą aukštą.

Jiedu surado 530 numerį ir ant pirštų galiukų pratykino pro duris. Bilė, pravėrusi jokiu numeriu nepažymėtas duris, aptiko patalynės spintą.

— Puiku, — šnibždtelėjo Lukui į ausį. — Ar kur netoliese yra gaisro signalizacija?

Lukas apsižvalgė ir išvydo signalizaciją, kurią galima įjungti plaktuku išdaužus ją dengiantį stiklą.

— Štai čia, — atsiliepė jis.

— Gerai.

Spintoje ant medinių lentynų rikiavosi tvarkingai sulankstytos patalynės rietuvės. Bilė išlankstė antklodę ir nusviedė ją ant grindų. Paskui nutraukė kitą ir padarė tą patį. Po keliolikos sekundžių ant grindų pūpsojo suveltos medvilnės kaugė. Lukas atspėjo, ką ji ketina daryti, ir jo spėjimas pasitvirtino, kai Bilė nuplėšė nuo durų rankenos pusryčių užsakymo lapelį ir pridegė jį degtuku. Popieriui užsiliepsnojus, sviedė jį į antklodžių kalną.

— Štai kodėl nevalia rūkyti lovoje.

Šoktelėjus liepsnoms, Bilė dar užmetė ant viršaus lininių užvalkalų. Jos veidas įraudo nuo kaitros ir susijaudinimo, ir dabar atrodė dar labiau kerinti. Netrukus spintoje visu smarkumu šniokštė liepsna. Dūmai ėmė veržtis į koridorių.

— Metas įjungti signalizaciją, — tarė ji. — Niekas neturėtų nukentėti.

— Taip, — pritarė Lukas, ir vėl jo galvoje šmėkštelėjo ta pati mintis: „Jie ne kolaborantai". Šiuosyk jis jau suprato, iš kur ji kilusi. Kovodamas prancūzų rezistencijos gretose, sprogdindamas gamyklas ir sandėlius, greičiausiai nuolatos nerimaudavo, kad nenukentėtų nekalti žmonės.

Jis čiupo už rankenos nedidelį kūjelį, ant grandinėlės kabantį prie gaisro signalizacijos, smailiuoju galu išdaužė stiklą ir nuspaudė didelį raudoną mygtuką. Po akimirkos koridoriaus tylą perskrodė ausį rėžianti šaiži signalizacijos sirena.

Lukas su Bile atsitraukė nuo lifto šiek tiek atokiau ir užsiglaudė taip, kad per dūmus matytų vien Luko kambario duris.

Prasivėrė gretimos durys, ir jose išdygo moteris vienais naktiniais. Išvydusi dūmus, sukliko ir metėsi laiptų link. Pro kitas duris galvą kyštelėjo trumparankoviais marškinėliais vilkįs vyriškis su pieštuku rankoje, greičiausiai dirbęs iki vėlumos, paskui iššoko į antklodę susisupusi jauna pora, ko gero, priversta sprukti per patį meilės žaidimų įkarštį, užsimiegojęs vyras rausva pižama. Netrukus koridorius prisipildė kosinčių ir per dūmus kelio laiptų link grabinėjančių žmonių.

Lėtai prasivėrė 530-ojo kambario durys.

Lukas išvydo, kaip galvą į koridorių iškišo kažkoks ilgšis. Netgi pro dūmų uždangą Lukas ant jo skruosto įžiūrėjo tamsiai raudoną gandragnybį: Pitas. Lukas prisispaudė prie sienos, kad jo nepažintų.

Išstypusi figūra dar kiek pamindžikavo, o paskui, staigiai apsisprendusi, su visu žmonių srautu puolė prie laiptų. Jam iš paskos išnėrė dar du vyriokai ir pasileido įkandin.

— Švaru, — tarė Lukas.

Jiedu su Bile smuko į kambarį, ir Lukas žaibiškai uždarė duris, kad neprieitų dūmų. Nusivilko paltą.

— Dieve mano, — sušnabždėjo Bilė. — Tai tas pats kambarys.

>>><<<

Išplėtusi akis, Bilė apsižvalgė aplinkui.

— Negaliu patikėti, — tarė. Kalbėjo pašnibždomis, ir jis turėjo įtempti ausis, kad išgirstų. — Tas pats kambarys.

Jis stovėjo ir žiūrėjo į ją, užlietą galingos jausmų bangos.

— Kas čia buvo? — galų gale paklausė jos.

Ji stebėdamasi papurtė galvą.

— Sunku patikėti, kad tu neprisimeni. — Ji ėmė žingsniuoti po kambarį. — Kampe stovėjo didelis pianinas. Tik įsivaizduok, viešbučio numeryje — pianinas! — Ji kyštelėjo galvą į vonią. — O čia — telefonas. Niekada nebuvau mačiusi telefono vonioje.

Lukas tylomis klausėsi. Jos veidą nugiedrijo liūdesys, ir jis užgniaužęs kvapą laukė pasakojimo tęsinio.

— Karo metais buvai čia apsistojęs, — pagaliau vėl prabilo ir skubiai pridūrė: — Čia mylėdavomės.

Jis užmetė akį į miegamąjį.

— Tikriausiai ant šitos lovos.

— Ir ne tik ant lovos. — Ji prunkštelėjo, bet greitai susizgribo ir surimtėjo. — Kokie jauni mes buvom...

Mintis apie mylėjimąsi su šia kerinčia moterimi buvo labai saldi.

— Dieve mano, kaip norėčiau tai prisiminti, — pratarė jis geismu alsuojančiu balsu.

Jo nuostabai, ji išraudo.

Jis nusigręžė ir paskambino operatoriui. Reikia pasirūpinti, kad ugnis neįsisiautėtų. Po ilgo laukimo operatorius galiausiai atsiliepė.

— Čia misteris Deivisas, aš įjungiau signalizaciją, — greitakalbe išbėrė Lukas. — Gaisras kilo patalynės spintoje greta 540-ojo numerio. — Ir nelaukdamas atsakymo padėjo ragelį.

Paskui nuėjo į miegamąjį. Ant lovos gulėjo pilkšvas sportinis švarkas ir juodos vilnonės kelnės, sulankstytos taip, lyg būtų atneštos iš skalbyklos. Jis sumetė, kad greičiausiai bus vilkėjęs šiais drabužiais skrisdamas lėktuvu, o paskui atidavęs skalbti. Ant grindų prie lovos stovėjo pora juodų pusbačių. Viename iš jų tvarkingai susuktas į ritinėlį kyšojo krokodilo odos diržas.

Jis atsidarė naktinio staliuko stalčių. Viduje aptiko piniginę, čekių knygelę ir parkerį. Jo dėmesį patraukė dailiai aptaisyta užrašų knygelė su telefonų numeriais gale. Jis skubiai pervertė puslapius ir susirado paskutinę savaitę.

26-OJI, SEKMADIENIS
Paskambinti Alisai (1928)

27-OJI, PIRMADIENIS
Nusipirkti glaudes.
8.30 Aukščiausio taško ssrnkm, „Avangardo" mtl.

28-OJI, ANTRADIENIS
8 val. pusryčiai su E. K. Hėjaus Adamso kavinėje.

Bilė, prisiartinusi iš už nugaros, žvilgtelėjo, ką jis ten skaito. Uždėjo ranką ant peties. Šis gestas nieko ypatinga nereiškė, tačiau jo kūnu perbėgo malonūs šiurpuliukai.

— Gal nutuoki, kas galėtų būti toji Alisa? — pasiteiravo jis.

— Tavo jaunylė sesuo.

— Kiek jai metų?

— Septyneriais jaunesnė už tave, taigi dabar jai trisdešimt.

— Vadinasi, gimusi 1928-ais. Greičiausiai skambinau pasveikinti su gimtadieniu. Galėčiau ir dabar jai paskambinti, pasiteirauti — gal pasakiau ką nors svarbaus.

— Puiki mintis.

Lukas išsyk pasijuto smagiau, net akyse prašvito. Jis po kruopelę ima atstatyti savo praeitį.

— Tikriausiai nuvykau į Floridą be glaudžių.

— O kas sausį galvoja apie maudynes?

— Todėl pasižymėjau pirmadienį jas įsigyti. Pusę devynių lankiausi „Avangardo" motelyje.

— O koks ten susirinkimas dėl aukščiausio taško?

— Spėju, kad skirtas raketos kreivei, kurią ji brėžia ore. Žinoma, nepamenu, ar prie to esu prikišęs nagus, tačiau žinau, kad tam reikia atlikti begalę sudėtingų skaičiavimų. Antroji pakopa turi įsijungti tiksliai aukščiausiame taške, kad iškeltų palydovą į reikiamą orbitą.

— Gali išsiaiškinti, kas dalyvavo susirinkime, ir jų paklausinėti.

— Reikės taip ir padaryti.

— Paskui, antradienį, Hėjaus Adamso kavinėje pusryčiavai su Entoniu.

— Daugiau jokių įrašų knygelėje nėra.

Jis atsivertė paskutiniuosius knygelės puslapius. Ten rado Entonio, Bilės, Bernio, mamos, Alisos ir dar keliasdešimt jam nežinomų telefonų numerių.

— Ar tau kas nors kliūva? — užklausė jis Bilės.

Ji papurtė galvą.

Jiedu rado, su kuo būtų galima šnektelėti, bet daugiau jokio siūlo galo. Didelių vilčių jis ir nepuoselėjo, tačiau vis tiek pajuto viduje kylantį apmaudą. Įsimetė užrašų knygelę kišenėn ir apsidairė po kambarį. Ant stalelio gulėjo gerokai aptrintas juodas odinis lagaminas. Pasirausęs jo viduje, aptiko naujus marškinius, bloknotą, išmargintą matematinių skaičiavimų, ir „Senį ir jūrą" minkštais viršeliais, su užlenktu 143 puslapio kampeliu.

Bilė užmetė akį į vonią.

— Skutimosi reikmenys, dantų šepetėlis, daugiau nieko.

Miegamajame Lukas atidarė ir apžiūrėjo visus stalčius ir lentynėles, o Bilė naršė svetainėje. Lukas spintoje aptiko juodą paltą ir skrybėlę, tačiau daugiau ten nieko nebuvo.

— Nieko, — šūktelėjo jis. — Kaip pas tave?

— Ant stalo telefoniniai pranešimai nuo Bernio, pulkininko Haido ir kažkokios Merigoldos.

Lukas sumetė, kad Entonis peržvelgė pranešimus ir nutarė, jog jie nekelia pavojaus jo planui, todėl nelietė jų, nenorėdamas sukelti nereikalingų įtarimų.

— Ar žinai, kas toji Merigolda? — paklausė Bilė.

Lukas minutėlę mąstė. Kažkas praėjusią dieną šį vardą jau minėjo. Pagaliau prisiminė:

— Mano sekretorė Hantsvilyje, — tarė jis. — Pulkininkas Haidas minėjo, kad ji man užsakė lėktuvo bilietus.

— Gal jai paminėjai savo kelionės tikslą?

— Abejoju. Kanaveralo kyšulyje niekam neprasitariau.

— Ji ne Kanaveralo kyšulyje. Visai gali būti, kad savo sekretore pasitikėjai labiau nei kuo kitu.

Lukas pritariamai linktelėjo.

— Visko gali būti. Patikrinsim. Galų gale tai daugiausia vilčių teikiantis kabliukas.

Jis išsitraukė užrašų knygelę ir peržvelgė telefono numerius.

— Valio, — šūktelėjo. — Merigolda, namų numeris.

Įsitaisė prie stalo ir surinko skaičius. Nerimavo, ar turi daug laiko, kol Pitas su kitais agentais sugrįš atgalios.

Bilė, regis, atspėjo Luko mintis ir suskato pakuoti jo daiktus į juodąjį lagaminą.

Atsiliepė mieguistas moteriškas balsas su vos juntamu pietietišku akcentu. Iš balso Lukas spėjo, kad jo sekretorė juodaodė. Jis tarė:

— Dovanokite, kad taip vėlai trukdau. Jūs Merigolda?

— Daktare Lukasai! Dėkoju Viešpačiui, kad apsireiškėt. Kaip jūs?

— Viskas gerai, ačiū.

— Kur buvot prapuolęs? Niekas nežinojo, kur jūs, o dabar pasiekė žinios, kad praradote atmintį. Tai tiesa?

— Taip.

— Kaip tai galėjo atsitikti?

— Nežinau, bet tikiuosi, kad jūs man pagelbėsit.

— Jeigu tik sugebėsiu...

— Norėčiau išsiaiškinti, kodėl staiga pirmadienį nutariau vykti į Vašingtoną? Ar jums nieko neprasitariau?

— Tikrai ne, man labai knietėjo žinoti.

Tokio atsakymo Lukas ir tikėjosi, tačiau vis tiek smilktelėjo apmaudas.

— Ar nieko neužsiminiau, iš ko būtų galima spėti?

— Ne.

— Ką aš *pasakiau*?

— Pareiškėte, kad turite skristi į Vašingtoną per Hantsvilį ir paprašėte manęs užsakyti bilietus MATS linija.

MATS buvo karinė oro linija ir Lukas spėjo, kad jam buvo leidžiama ja naudotis vykstant kariniais reikalais. Tačiau vienas dalykas vis tiek stebino.

— Skridau per Hantsvilį?

Niekas to jam dar nebuvo minėjęs.

— Sakėte norįs ten užsukti keletui valandų.

— Įdomu ko?

— Paskui mestelėjote keistą prašymą niekam nieku gyvu neprasitarti, kad užsuksite į Hantsvilį.

— Aha. — Lukui dingtelėjo, kad tai turėtų būti kažkas svarbaus.

— Taip. Aš išlaikiau tai paslaptyje. Mane kamantinėjo kariuomenės saugumas ir FTB, bet aš niekam neprasitariau, nes jūs taip liepėte. Nežinojau, ar elgiuosi teisingai, ar ne, nes jie tvirtino, kad dingote be žinios, tačiau nutariau verčiau laikytis jūsų nurodymo. Ar gerai pasielgiau?

— Dievaži, Merigolda, nežinau. Tačiau esu dėkingas už tokią ištikimybę.

Gaisro signalizacija liovėsi spiegusi. Lukas sumetė, kad turi pasiskubinti.

— Turiu eiti, — tarė jis Merigoldai. — Dėkoju už pagalbą.

— Na, gerai. Pasirūpinkit savimi, girdit?

Ir padėjo ragelį.

— Supakavau tavo daiktus, — pranešė Bilė.

— Dėkui, — linktelėjo jis.

Nusikabinęs iš spintos užsivilko savo juodą paltą ir užsidėjo skrybėlę.

— Tuoj pat dingstam, kol tie šmikiai dar nepasirodė.

>>><<<

Jiedu nuvažiavo į kiaurą parą veikiančią užkandinę šalia FTB, tuojau už Kinų kvartalo kampo, ir užsisakė kavos.

— Reikėtų sužinoti, kada pirmas skrydis į Hantsvilį, — tarė Lukas.

— Susirasime lėktuvų tvarkaraštyje, — atsiliepė Bilė.

Lukas apsidairė po užkandinę. Joje sėdėjo pora policininkų, kemšančių spurgas, keturi įkaušę studentai užsisakinėjo karštų sumuštinių ir dvi menkai apsitaisiusios moteriškos būtybės, greičiausiai prostitutės.

— Nepanašu, kad jie čia turėtų ką nors panašaus, — tarė jis.

— Lažinuosi, kad Bernis tai tikrai turės. Rašytojai tokius žinynus visada laiko po ranka. Jie tik ir knaisiojasi visokiausių smulkmenų.

— Jis veikiausiai jau miega.

Bilė atsistojo.

— Tai aš jį pažadinsiu. Turi dešimtuką?

— Žinoma.

Luko kišenėje vis dar žvangėjo vakar nukniaukti smulkieji.

Bilė nužingsniavo prie taksofono. Lukas, gurkšnodamas kavą, įsisiurbė į ją žvilgsniu. Šnekindama ką tik iš lovos išverstą žmogų, ji šypsojosi ir kinkavo galva. Atrodė gundomai, ir Lukas degte degė aistra.

Ji sugrįžo prie staliuko ir pranešė:

— Jis atvyks ir atsiveš knygą.

Lukas dirstelėjo į laikrodį. Jau buvo antra nakties.

— Greičiausiai vyksiu tiesiai į oro uostą. Tikiuosi, yra koks rytinis skrydis.

Bilė suraukė kaktą.

— Manai, kad turi skubėti?

— Gali būti. Mintyse vis klausiu savęs: kas mane privertė viską mesti ir dumti į Vašingtoną? Tai turėtų būti susiję su raketa. Kas galėtų būti daugiau, jei ne koks nors trukdis paleidžiant?

— Sabotažas?

— Taip. Jeigu tai tiesa, turiu ją įrodyti iki pusės vienuoliktos vakaro.

— Gal ir man su tavimi skristi į Hantsvilį?

— Tau reikia pasirūpinti Lariu.

— Galiu palikti jį su Berniu.

Lukas papurtė galvą:

— Kad nereikia... Ačiū.

— Tu visada buvai kaip tas katinas, kuris mėgsta vaikščioti vienas.

— Ne todėl, — paprieštaravo jis. Norėjo, kad jį suprastų teisingai. — Geidžiu, kad vyktum drauge. Čia ir yra bėda — pernelyg to trokštu. — Jis ištiesė ranką per stalą ir suėmė jos mažutę plaštaką.

— Nieko baisaus, — atsiliepė ji.

— Tai kebloka. Esu vedęs, tačiau nežinau, ką jai jaučiu. Kokia ji?

Bilė papurtė galvą:

— Ką aš tau galiu pasakyti apie Elspetę? Turėsi pats viską išsiaiškinti.

— Tikriausiai.

Bilė pakėlė jo pirštus sau prie lūpų ir švelniai pabučiavo.

Lukas nurijo seilę.

— Ar tu man visad taip patikai?

— Nuo seno.

— Panašu, kad mes gerai sutariam.

— Nieko panašaus. Pjaunamės kaip šuo su kate. Tačiau negalim vienas be kito.

— Minėjai, kad buvome meilužiai... Kadais, tame viešbučio numeryje.

— Nereikia.

— Mums buvo gera?

Ji pažvelgė į jį ašarų pilnomis akimis.

— Nepakartojama.

— Tai kodėl nesusituokėme?

Ji pradėjo verkti, tramdomas kūkčiojimas purtė gležnus jos pečius.

— Nes...

Ji nusišluostė ašaras, giliai įkvėpė, ir vėl prapliupo verkti. Galų gale išspaudė:

— Tu ant manęs mirtinai supykai, nesikalbėjai ištisus penkerius metus.

1945

Entonio tėvams priklausė žirgynas prie Šarlotsvilio, Virdžinijoje, pora valandų kelio nuo Vašingtono. Tai buvo milžiniškas baltas pastatas su įrengtais keliolika miegamųjų. Čia buvo arklidės, teniso kortai, ežeras ir upelis, pievos ir gojeliai. Entonio mama kartu su penkiais milijonais dolerių paveldėjo visa tai iš savo tėčio.

Lukas atvyko tą penktadienį, kai Japonija jau buvo pasidavusi. Misis Kerol pasitiko jį prie durų. Tai buvo nervinga baltaplaukė, iš kurios išvaizdos galėjai numanyti kadais ją buvus tikrą gražuolę. Ji nuvedė Luką į nediduką blizgantį švara miegamąjį aukštomis lubomis.

Jis nusimetė savo uniformą — tada jau turėjo majoro laipsnį — ir užsivilko juodą švarką ir pilkas kelnes. Jam rišantis kaklaraištį, į vidų galvą kyštelėjo Entonis.

— Kai persirengsi, ateik į svetainę išlenkti kokteilio, — pakvietė jis.

— Jau einu, — atsiliepė Lukas. — Kuris kambarys Bilės?

Entonio veide šmėkštelėjo nerimas.

— Deja, merginos kitame gale, — tarė jis. — Admirolas šiuo požiūriu labai senamadiškas.

Jo tėvas visą gyvenimą ištarnavo laivyne.

— Kaip nors, — gūžtelėjo pečiais Lukas.

Pastaruosius trejus metus kiekvieną naktį Europoje vykdęs karines operacijas, tamsoje tikrai sugebės rasti kelią į mylimosios miegamąjį.

Šeštą valandą nusileidęs į pirmą aukštą, rado jau laukiančius senus draugus. Be Entonio ir Bilės, buvo ir Elspetė, Bernis ir Bernio draugė Pegė. Lukas per karą dažnai susitikdavo su Entoniu ir Berniu, per atostogas matydavosi su Bile, tačiau Elspetės ir Pegės nebuvo regėjęs nuo pat 1941-ųjų.

Admirolas ištiesė jam martinio stiklą, ir jis su pasimėgavimu nugėrė didžiulį gurkšnį. Geresnės progos švęsti nesugalvotum. Visi džiugiai klegėjo vienas per kitą. Entonio mama sėdėjo per jėgą spausdama malonią šypseną, o tėvas tuštino vieną taurę po kitos.

Lukas stebėjo pietaujančius savo bičiulius, mintyse lygindamas su tais žaliais jaunuoliais, kurie prieš ketverius metus drebėjo, kad jų neišmestų iš Harvardo. Elspetė po trejų metų, praleistų karo nuniokotame Londone, buvo išdžiūvusi it šakalys, netgi jos puikiosios krūtys atrodė sumažėjusios. Pegė, anksčiau buvusi geraširdė nevėkšla, dabar pasirodė kuo dailiausiai išsipuošusi, tačiau jos kruopščiai išdažytas veidas švietė ciniška vėtyto ir mėtyto žmogaus beveik neįžiūrima šypsenėle. Bernis, kuriam buvo dvidešimt septyneri, atrodė dešimčia metų senesnis. Jam tai jau antras karas. Triskart buvo sužeistas, jo veidas atrodė paniuręs kaip žmogaus, patyrusio pernelyg daug kančių, savų ir svetimų.

Entonis buvo geriausiai išsilaikęs. Jis dalyvavo ir karo veiksmuose, tačiau didžiąją karo dalį praleido Vašingtone. Jo pasitikėjimas savimi, optimizmas ir iš kojų verčiantis humoro jausmas išliko tokie pat.

Bilė taip pat atrodė šiek tiek pasikeitusi. Vaikystėje patyrė vargo ir skurdo, todėl karas ją nedaug pakeitė. Dvejus metus praleido Lisabonos pogrindyje, ir Lukas žinojo, — nors kiti ne, — kad ten yra užmušusi ir žmogų, tylutėliai perrėžusi jam gerklę galiniame kieme, kur jis taikėsi išduoti paslaptis priešams. Tačiau apskritai ji išliko tokiu pačiu nenustygstančios energijos kamuoliu — vieną akimirką linksma, kitą — jau įpykusi, jos veide besikeičiančių jausmų kaleidoskopo Lukui niekad nepabosdavo stebėti.

Jiems visiems neįtikėtinai pasisekė išlikti gyviems. Daugelyje panašių draugų būrelių trūko bent vieno bičiulio.

— Turėtume pakelti tostą, — prabilo Lukas, pakeldamas savo taurę. — Už tuos, kurie išliko, ir už tuos, kurie krito.

Jie visi išgėrė, ir Bernis tarė:

— Siūlau dar vieną. Už vyrus, kurie perlaužė fašistų karo mašinai stuburą — už Raudonąją Armiją.

Jie visi dar kartą išlenkė savo stiklus, tačiau admirolas atrodė nepatenkintas ir mestelėjo:

— Na, užteks tų tostų.

Bernio komunistinės simpatijos buvo vis dar tokios pat stiprios, tačiau Lukas buvo tikras, kad Maskvai jis jau nebedirba. Jiedu sukirto rankomis, ir Lukas tikėjo, kad Bernis duoto žodžio laikosi. Kad ir kaip ten būtų, jų draugystė dabar kur kas drungnesnė.

Pasitikėjimas kuo nors — tai lyg vandens laikymas rieškučiose: jis bematant gali išbėgti, ir jo niekaip nesurinksi atgal. Lukas gailėjo buvusios jųdviejų draugystės, tačiau neišmanė, kaip ją būtų galima atstàtyti.

Į svetainę atnešė kavos. Lukas visiems išdalijo puodelius. Kai Bilei pasiūlė grietinėlės ir kavos, ji šnibžtelėjo:

— Rytų galas, trečias aukštas, paskutinės durys kairėje.

— Grietinėlės?

Ji šelmiškai kilstelėjo antakį.

Jis sulaikė juoką ir perėjo prie kitų.

Pusę vienuoliktos admirolas primygtinai pakvietė visus vyrus į biliardinę. Ant vieno iš stalų spindėjo išrikiuoti stiprieji gėrimai ir tamsavo Havanos cigarai. Lukas daugiau gerti atsisakė: galvojo apie tai, kaip šmurkštelės po antklode greta šilto ir stangraus Bilės kūno, ir tokią akimirką tikrai nenorėtų užsnūsti.

Admirolas šliūkštelėjo sau milžinišką taurę viskio ir, nusivedęs Luką prie galinės sienos, ėmėsi demonstruoti savo ginklų kolekciją. Luko šeimoje niekas nemedžiojo, ir ginklai, jo supratimu, skirti žudyti žmones, todėl jam visiškai nebuvo įdomūs. Taip pat juto, kad ginklai ir viskis — pavojingas mišinys. Tačiau suvaidino susidomėjusį, kad neįžeistų šeimininko.

— Pažįstu ir gerbiu tavo šeimą, Lukai, — tarė admirolas, jiedviem vartant Enfildo karabiną. — Tavo tėvas — didis vyras.

— Dėkoju jums, — atsiliepė Lukas.

Tai skambėjo kaip įžanga į ilgą prakalbą. Jo tėvas per karą patarinėjo Finansų ministerijoje, tačiau admirolas greičiausiai vis dar galvojo apie jį kaip apie bankininką.

— Kai rinksiesi žmoną, turėk galvoje, kas tavo šeima, vyruti, — toliau mokė admirolas.

— Taip, sere, būtinai.

Lukas spėliojo, kur link senis suka.

— Kad ir kas taptų misis Lukas, jos iš karto jau laukia vieta Amerikos aukštuomenėje. Privalai išsirinkti tokią, kuri nepridarytų tau gėdos.

Lukas pradėjo nujausti, kur jis kreipia. Suirzęs pastatė ginklą atgal į lentyną.

— Turėsiu tai galvoje, admirole, — atsakė jis ir nusigręžė į šalį.

Admirolas uždėjo jam savo leteną ant peties ir sulaikė.

— Niekada nenusileisk žemiau savo lygio.

Lukas dėbtelėjo į jį. Buvo nutaręs neklausti admirolo, ką reiškia visos tos užuominos. Manė žinąs atsakymą ir nenorėjo jo išgirsti ištarto balsu.

Tačiau senis neatlyžo.

— Nesitrink su ta žydaite — ji tavęs neverta.

Lukas iš įsiūčio sugriežė dantimis.

— Dovanokite, tačiau aš šiuos reikalus jei ir aptarinėsiu, tai su savo tėvu.

— Tačiau tavo tėvas apie ją nieko nežino, ar ne?

Lukas įraudo. Admirolas dūrė kaip pirštu į akį. Nei Lukas, nei Bilė nebuvo pristatę vienas kito savo tėvams.

Nepasitaikė tinkamos progos. Jų meilė mezgėsi tomis retomis karo atostogų dienomis. Tačiau buvo ir kita priežastis. Giliai širdyje Lukas nujautė, kad žydaitė iš prastuomenės nėra ta pora, apie kurią svajotų tėvas. Jie ją priimtų, nė kiek tuo neabejojo, netgi pamiltų, kaip ir jis. Tačiau iš pradžių jaustųsi nusivylę. Jis buvo nutaręs pristatyti ją nutaikęs tinkamą progą, neformalioje aplinkoje, kur visi galėtų ją geriau pažinti ir įsitikinti, kokia ji šauni.

Tai, kad admirolo žodžiuose slypėjo ir krislas teisybės, Luką tik dar labiau įsiutino. Vos valdydamasis jis iškošė:

— Dovanokite, tačiau *perspėju*, kad tokias šnekas laikau įžeidimu.

Kambaryje stojo visiška tyla, tačiau Luko grasinimas admirolui buvo nė motais.

— Suprantu, sūneli, tačiau mačiau daugiau gyvenimo už tave ir žinau, ką sakau.

— Atleiskit, tačiau jūs nė nepažįstat tų, apie kuriuos kalbat.

— Nejau? Gal aš žinau net daugiau šiuo požiūriu apie tą merginą nei tu.

Admirolo balse jau suskambo grasinimas, tačiau Lukas buvo pernelyg įtūžęs, kad suklustų.

— Nė velnio tu nežinai, — tėškė jis.

Bernis mėgino įsikišti.

— Ei, vyručiai, atvėskit, gerai? Einam paskaldyti biliardą.

Tačiau admirolo dabar jau niekas nebūtų sulaikęs. Jis apkabino Luką per pečius:

— Klausyk, sūneli, aš juk taip pat vyras, suprantu tave, — it susimokėlis tarė jis. — Kol pernelyg giliai neįklimpai, nieko tokio, kad barškini tą mažą kekšytę, mes visi...

Jis nebaigė sakinio. Lukas atsigręžė ir abiem rankom iš visų jėgų jį stumtelėjo. Admirolas svirduliuodamas nulėkė atbulas, išskėtė rankas, ir viskio taurė išsprūdo iš rankų, nuskrido į šoną. Dar bandė išlaikyti pusiausvyrą, tačiau kojos susipynė ir jis smarkiai žnektelėjo užpakaliu ant grindų. Lukas užriko:

— Užsičiaupk, kol neužkišau tavo purvinos marmūzės!

Išbalęs Entonis sugriebė Luką už rankos:

— Lukai, dėl Dievo meilės, ką čia, po velnių, išdarinėji?

Bernis atsistojo tarp jų ir parkritusio admirolo.

— Abu nusiraminkit, — paragino.

— Nė velnio aš *nesiraminsiu*, — metė Lukas. — Koks padorus žmogus pasikviečia į svečius ir ima įžeidinėti tavo moterį? Laikas seną kvailį pamokyti gerų manierų!

— Ji — kekšė, — vis dar sėdomis ant grindų sviedė admirolas. — Kas kas, o aš tai žinau, velniai rautų. — Ir užkriokė: — Pats mokėjau už jos abortą!

Lukas stovėjo it žaibo trenktas.

— Abortą?

— Taip, velniai rautų. — Admirolas svirduliuodamas pasikėlė. — Pastojo nuo Entonio, ir sumokėjau tūkstantuką, kad atsikratytų to kalės vaiko. — Jo veidą iškreipė pergalingas šypsnys. — Na, dabar nesakysi, kad nežinau, apie ką kalbu?

— Meluoji.

— Paklausk Entonio.

Lukas žvilgtelėjo į Entonį.

Entonis papurtė galvą.

— Tai buvo ne mano vaikas. Pamelavau tėvui, kad *duotų tūkstantį dolerių*. Jis buvo tavo, Lukai.

Lukas paraudo it vėžys. Tas prisigėręs sukriošęs admirolas padarė iš jo visišką kvailį. O dar spyriojosi kaip asilas. Manė, kad gerai pažįsta Bilę, ir še tau, ji nuo jo nuslėpė tokį dalyką. Jis pradėjo vaiką, o jo mergina pasidarė abortą, pašaliniai apie tai žino, o jis — ne. Jautėsi klaikiai pažemintas.

Jis išpuolė iš kambario. Pralėkė koridoriumi ir įsiveržė į svetainę. Joje sėdėjo tik Entonio mama, merginos tikriausiai jau buvo nuėjusios gulti. Misis Kerol išvydo jo veidą ir tarė:

— Lukai, brangusis, kas atsitiko?

Tačiau jis nieko neatsakė ir, trinktelėjęs durimis, išpuolė atgal.

Užbėgo laiptais ir tarsi viesulas praskriejo išilgai visą rytinį sparną. Susirado Bilės kambarį ir net nepasibeldęs įpuolė vidun.

Ji gulėjo nuoga ant lovos ir ranka pasirėmusi galvą skaitė, jos garbanoti tamsūs plaukai išsklidę bangomis užklojo pagalvę. Nuo šio vaizdo jis akimirksnį net sustingo, užmiršęs viską pasaulyje. Šviesa, krintanti nuo lempos, auksu padabino jos kūno išlinkimus nuo dailaus jos petuko link krūtinės ir toliau per klubų gūbrį iki lakuotų kojų nagų. Tačiau jos grožis tik dar labiau užkaitino kraują.

Ji pakėlė akis nuo knygos linksmai šypsodamasi, bet kai išvydo jo veidą, šypsena bematant išblėso.

— Ar kada buvai man neištikima? — užriaumojo jis.

Ji išsigandusi atsisėdo.

— Ne, niekad!

— Tas sumautas admirolas tvirtina, kad sumokėjo už tavo abortą.

Ji išbalo kaip drobė.

— O, ne, — sušnibždėjo vos girdimai.

— Tai tiesa? — riktelėjo jis. — Atsakyk!

Bilė linktelėjo, skruostai pasruvo ašaromis, ir ji užsidengė veidą rankomis.

— Tai vis dėlto mane išdavei.

— Atleisk, — suaimanavo ji. — Troškau nuo tavęs vaiko iš visos širdies. Tačiau su tavimi susisiekti negalėjau. Tu buvai Prancūzijoje, ir nežinojau, ar apskritai grįši. Turėjau apsispręsti pati. Tai buvo blogiausia mano gyvenimo akimirka! — šūktelėjo ji.

Lukas neįstengė atgauti amo.

— Aš buvau to vaiko tėvas, — tarė jis.

Jos skausmas žaibiškai virto įtūžiu.

— Nesiseilėk, — kandžiai įgėlė. — Nesigraudinai dėl savo sėklos kai mane barškinai, tai ir dabar nepradėk — jau per vėlu.

Jos žodžiai Luką užgavo.

— Privalėjai man pranešti. Net jeigu tuo metu ir negalėjai, turėjai pasakyti pirmai progai pasitaikius, man sugrįžus atostogų.

Ji atsiduso.

— Taip, žinau. Tačiau Entonis manė, kad nereikia apie tai niekam pasakoti, o merginą nesunku įtikinti tokį dalyką laikyti paslaptyje. Niekas ir nebūtų sužinojęs, jeigu ne tas pirdžius admirolas Kerolis.

Girdėdamas, kaip ji ramiai samprotauja apie savo klastą ir vienintele blogybe laiko tai, kad toji iškilo į viešumą, Lukas galutinai persiuto.

— Po viso to aš negaliu lyg niekur nieko toliau taip gyventi, — pasakė jis.

— Ką nori tuo pasakyti? — vos girdimai sušnabždėjo ji.

— Mane apgavai, — ir dar dėl tokio dalyko! — kaip aš galėsiu tada tavimi pasitikėti?

Jos veidas ištįso.

— Dabar pasakysi, kad viskas baigta.

Jis tylėjo.

— Žinau, pernelyg gerai tave pažįstu. Juk taip?

— Taip.

Ji vėl prapliupo raudoti.

— Tu kvaily! — ištarė pro ašaras. — Nieko neišmanai, išskyrus karą.

— Kare išmokau svarbiausio dalyko — pasitikėjimo.

— Niekai. Dar nežinai, kad kai žmogų prispaudžia aplinkybės, visi be išimties griebiasi melo.

— Net tiems, kuriuos mylime?

— Jiems meluojame *daugiausia*, nes jie mums labiausiai rūpi. Kodėl, tavo manymu, išklojame tiesą kunigams, vienuoliams ar visiškai nepažįstamiems, sutiktiems kur nors traukinyje? Nes jų nemylime, mums nerūpi, ką jie pagalvos.

Ji tokia velniškai teisi. Tačiau jis tokiais paprastais paaiškinimais netiki.

— Aš gyvenimą suprantu kitaip.

— Tau pasisekė, — sviedė ji. — Užaugai visko pertekęs, nežinai, kas yra artimųjų netektis ir tavęs išsižadėjimas, turi būrį draugų. Sukaisi karo mėsmalėje, tačiau tavęs nesužalojo, nekankino, ir tavo vaizduotė pernelyg skurdi, kad ko nors bijotum. Kol kas gyvenime nieko bloga nepatyrei. Žinoma, nemeluoji dėl tos pačios priežasties, dėl kurios misteris Kerolis nevagia sriubos skardinių iš krautuvių.

Ji nepakartojama — šventai įsitikinusi, kad tai jis neteisus! Nėra prasmės kalbėtis su tokia, kuri sugeba taip puikiai save apgaudinėti. Jis pasibjaurėjęs apsisuko išeiti.

— Jeigu apie mane taip galvoji, turėtum tiktai džiaugtis mūsų meilės pabaiga.

— Ne, aš nesidžiaugiu. — Jos skruostai buvo šlapi nuo ašarų. — Myliu tave, niekada nemylėjau nieko kito, tik tave. Apgailestauju, kad tave apgavau, tačiau nesirengiu savęs graužti dėl to, kad sunkią akimirką suklupau.

Jis visai nepageidavo jos atgailavimų. Tegu daro, ką nori. Troško kuo greičiau atsidurti toliau nuo jos, visų draugų, admirolo Kerolio ir viso šio prakeikto namo.

Kažkur gilumoje silpnutis proto balsas jam kuždėjo, kad atsisako to, kas jam visų brangiausia, ir įspėjo, jog vėliau dėl to gali metų metus graužtis. Tačiau buvo pernelyg įtūžęs, pažemintas ir įskaudintas, kad suklustų.

Jis pasuko į duris.

— Neišeik, — meldžiamai paprašė ji.

— Eik velniop, — metė jis ir išėjo.

2 val. 30 min.

Naujas kuras ir talpesnis bakas padidino *Jupiterio* keliamąją galią iki 83 000 svarų, degimo laikas pailgėjo nuo 121 iki 155 sekundžių.

— Entonis tada pasielgė kaip tikras draugas, — tarė Bilė. — Aš buvau apimta visiškos nevilties. Tūkstantis dolerių! Nieku gyvu nebūčiau įstengusi sukrapštyti tiek pinigų. Jis gavo juos iš savo tėvo, o kaltę prisiėmė sau. Pasielgė kaip tikras vyras. Todėl niekaip negaliu patikėti tuo, ką jis dabar rezga.

— Negaliu patikėti, kad tave palikau, — sumurmėjo Lukas. — Argi nesuvokiau, ką tau teko išgyventi?

— Tai ne vien tavo kaltė, — atsiduso Bilė. — Tuo metu galvojau, kad tik tavo, tačiau dabar regiu ir savo indėlį toje kebeknėje.

Papasakojusi visą istoriją, atrodė pavargusi.

Jiedu kurį laiką taip ir sėdėjo pritilę, apimti gailesio, kad viskas taip susiklostė. Lukas ėmė svarstyti, kiek laiko turėtų užtrukti Bernis, kol atvyks iš Džordžtauno, o paskui jo mintys vėl grįžo prie Bilės pasakojimo.

— Man nelabai patinka, ką sužinau apie save, — prabilo jis. — Negi tikrai praradau du geriausius draugus, tave ir Bernį, vien per savo avigalvišką užsispyrimą.

Bilė kiek padvejojusi nusijuokė:

— O ką čia vynioti į vatą? Taip, būtent taip ir buvo.

— Ir tada tu ištekėjai už Bernio.

Ji vėl šyptelėjo.

— Kartais būni toks savanaudis! — švelniai tarė ji. — Ištekėjau už Bernio ne vien dėl to, kad mane palikai. Tapau jo žmona, nes jis nuostabus vyras. Protingas, švelnus, puikus meilužis. Nelengvai išmečiau tave iš galvos, tačiau ilgainiui pamilau Bernį.

— O mudu vėl tapome draugais?

— Iš lėto. Mes visada tave mylėjome, visa mūsų kuopelė, net jeigu kartais ir elgeisi kietakaktiškai. Parašiau tau laišką, kai gimė Laris, ir tu atvykai manęs aplankyti. Dar kitais metais Entonis iškėlė grandiozinį savo trisdešimtojo gimtadienio vakarėlį, kuriame taip pat pasirodei. Grįžai į Harvardą, rašei disertaciją, o mes dirbome Vašingtone — Entonis, Elspetė ir Pegė darbavosi CŽV, aš pasinėriau į mokslinius tyrimus Džordžo Vašingtono universitete, o Bernis rašė pjeses Amerikos radijui — tačiau tu porą sykių per metus čia pasirodydavai, tuomet visi ir susibėgdavome.

— Kada vedžiau Elspetę?

— 1954-ais, tais pačiais metais, kai išsiskyriau su Berniu.

— Gal gali pasakyti, kodėl ją vedžiau?

Ji susimąstė. Lukui šmėstelėjo mintis, kad šiaip jau atsakymas turėtų būti greitas ir paprastas. Ji turėtų tarti: „Aišku, dėl to, kad ją mylėjai, dėl ko dar?!" Tačiau ji to nepasakė.

— Man sunku atsakyti į šitą klausimą, — galop prabilo ji.

— Paklausiu Elspetės.

— Būtinai paklausk.

Jis pažvelgė į Bilę. Paskutinė jos frazė nuskambėjo kažkaip pabrėžiamai. Lukas ėmė svarstyti, kaip čia išpešus, ką ji galvoja, kai prie užkandinės pričiuožė baltas linkolnas, iš jo iššoko Bernis ir įžengė vidun. Lukas jam tarė:

— Nepyk, kad tave išvertėme iš lovos.

— Pamiršk tai, — numojo ranka Bernis. — Bilei nusišvilpti į prietarą, kad kai žmogus miega, jo žadinti nevalia. Pats žinotum, jeigu nebūtum praradęs atminties. Štai.

Jis padėjo ant stalo storą brošiūrą. Viršelyje švietė didelės raidės: LĖKTUVŲ TVARKARAŠTIS.

Lukas jį atsivertė.

— Ieškok *Capital* oro linijų — jie skraidina į Pietus, — tarė Bilė.

Lukas greitai susirado reikiamą puslapį.

— Štai, lėktuvas išvyksta be penkių septynios — liko tik keturios valandos.

Jis atidžiai išstudijavo maršrutą.

— Velnias, leidžiasi ant kiekvieno kampo ir pasiekia Hantsvilį tik pusę trijų popiet.

Bernis užsidėjo akinius ir pro Luko petį žvilgtelėjo į tvarkaraštį.

— Kitas tik devintą valandą, tačiau beveik niekur nesileidžia ir atvyksta į Hantsvilį anksčiau, kelios minutės prieš vidudienį.

— Sėsčiau į vėlesnį, bet nesinori per ilgai trintis Vašingtone, — tarė Lukas.

— Yra dar keletas keblumų. Pirma, manau, oro uoste budi Entonio žmonės, — svarstė Bernis.

Lukas suraukė kaktą.

— Gal reikėtų išvažiuoti automobiliu ir įsėsti pirmoje lėktuvo stotelėje? — Jis dirstelėjo į tvarkaraštį. — Ankstyvesnio skrydžio pirmasis nusileidimas — Niuporto Niusas. Kur, po velnių, tai yra?

— Netoli Norfolko, Virdžinijoje, — atsakė Bernis.

— Lėktuvas ten nusileidžia dvi minutės po aštuonių. Ar spėčiau nuvykti?

— Du šimtai mylių. Tarkim, kokios keturios valandos kelio. Spėsi, lieka dar valanda atsargoje.

— Paskolinsi savo automobilį?

— Ne sykį esame traukę vienas kitą iš mirties nagų. Mašina — tik metalo krūva.

Lukas buvo sujaudintas.

— Ačiū.

— Tačiau yra ir antroji problema, — priminė Bernis.

— Kokia?

— Mane sekė.

3 val.

Degalų bakuose įtaisyta pertvara, kad kuras neteliūskuotų. Be pertvarų paleisto *Jupiter 1 B* kuras taip teliūskavo, kad raketa suiro 93-ią skrydžio sekundę.

Entonis sėdėjo už savo geltono kadilako vairo gretimoje gatvelėje prie užkandinės. Jis pastatė automobilį visai prie pat sunkvežimio galo, taip uždengdamas išsiskiriančią kadilako spalvą nuo pašalinių akių, tačiau pats kaip ant delno galėjo stebėti užkandinę ir pro langus plieskiančių šviesų nutviekstą šaligatvį. Regis, ten susirinko policijos patruliai: prie užkandinės stovėjo du policijos automobiliai, raudonas Bilės fordas ir baltas Bernio linkolnas.

Ekis Horvicas budėjo prie Bernio namų; jam buvo nurodyta nesitraukti iš posto, jeigu nepasirodytų pats Lukas, tačiau, Berniui vidury nakties kažkur išvažiavus, Ekis nutarė pasikliauti nuojauta ir veikti savo nuožiūra, tad nusekė motociklu iš paskos. Kai Bernis atvyko į užkandinę, Ekis paskambino į Q būstinę ir pranešė apie tai Entoniui.

Dabar Ekis motociklininko pirštinėmis išėjo pro užkandinės duris, vienoje rankoje nešdamasis kavos puodelį, kitoje — šokoladuką. Jis prisiartino prie savo automobilyje sėdinčio Entonio.

— Ten ir Lukas, — pranešė jis.

— Taip ir žinojau, — piktdžiugiškai tarė Entonis.

— Tačiau jis persirengė. Dabar vilki juodą paltą ir dėvi tamsią skrybėlę.

— Pametė savąją Karltone.

— Su juo Rotsteinas ir moteris.

— Kas ten dar viduje?

— Keturi farai laido riebius sąmojus, vienas nemigos kankinamas pilietis skaito rytinį *Washington Post*, ir šeimininkas.

Entonis palinksėjo galva. Jeigu viduje yra farų, imti Luko tiesiog užkandinėje negalės.

— Palauksim, kol Lukas išeis, ir abu juos seksim. Šįkart tikrai nepaleisim.

— Supratau.

Ekis patraukė prie motociklo, pastatyto už Entonio automobilio, ir įsitaisęs ant jo ėmė gerti kavą.

Entonis tuo metu planavo būsimus veiksmus. Jie užspeis Luką nuošalioje gatvelėje, suraitys ir nusigabens į slaptą CŽV butą Kinų kvartale. Ten Entonis pasiųs kur nors Ekį. Tada nudės Luką.

Galva veikė šaltai ir blaiviai. Karltone ryžtą sumažino sentimentai, tačiau paskui jis visus jausmus nustūmė į šalį — apie draugystę ir išdavystę pagalvos tuomet, kai viskas bus baigta. Jis tikrai žinojo, kad elgiasi teisingai. Susidoros su sąžinės priekaištais įvykdęs pareigą.

Užkandinės durys atsidarė. Pirma išėjo Bilė. Jai už nugaros plieskė ryški šviesa, todėl Entonis nematė jos veido, tačiau pažino smulkią figūrėlę ir būdingą eiseną. Įkandin sekė vyras tamsiu paltu ir skrybėle: Lukas. Jiedu sulipo į raudoną fordą. Paskutinis ėjęs vyriškis su lietpalčiu įšoko į baltą linkolną

Entonis užvedė variklį.

Fordas pajudėjo, paskui jį — ir linkolnas. Entonis kiek luktelėjo ir išvažiavo iš už kampo. Paskui jį motociklu lėkė Ekis.

Bilė pasuko į vakarus, o jai iš paskos — visa palyda. Entonis laikėsi atokiau, tačiau gatvės buvo visiškai tuščios, taigi jie persekiotojus tikrai pastebės. Entonis jautėsi ramus. Nėra prasmės slapstytis, tai jau pabaiga.

Automobiliai pasiekė Keturioliktąją gatvę ir sustojo sankryžoje priešais raudoną šviesą, Entonis — už Bernio linkolno. Kai užsidegė žalia, Bilės fordas šoko ir nurūko, o linkolnas taip ir liko stovėti.

Keikdamasis Entonis įjungė atbulinę pavarą, pavažiavo atgal, dar sykį perjungė pavarą ir užgulė akceleratorių. Didžiulis automobilis šovė į priekį, apsuko stovintį linkolną ir nulėkė paskui bėglius.

Bilė mėtė pėdas sukinėdamasi zigzagais kažkur visai Baltųjų rūmų kaimynystėje, lėkdama per raudoną šviesą, nekreipdama dėmesio į ženklus „Sukti draudžiama" ir skriedama priešpriešiais vienpusio eismo gatvėmis. Entonis, stengdamasis neatsilikti, darė tą patį, tačiau kadilakas judrumu negalėjo prilygti sportiniam fordui, ir ji nutolo.

Ekis pralenkė Entonį ir pakibo Bilei ant uodegos. Tačiau regėdamas tolstantį fordą Entonis perprato, kad ji iš pradžių nusprendė atsikratyti kadilako vinguriuodama staigiais posūkiais, o paskui lėkti tiesiąja ir palikti už savęs motociklą, kuris tikrai netrauks 125 mylių per valandą kaip fordas.

— Mėšlas, — susikeikė jis.

Tačiau laimė jam nusišypsojo. Darydama posūkį, Bilė įčiuožė į balą. Iš nudaužto hidranto liejosi vanduo, ir per visą gatvės plotą telkšojo vandens iki kulkšnių. Ji nesuvaldė mašinos, fordo galas paslydo, automobilį sumėtė ir jis pasisuko skersai gatvę. Ekis kryptelėjo motociklą į šoną, tačiau ir jį sumėtė. Ekis išlėkė iš sėdynės ir tėškėsi į vandenį, tačiau bematant stryktelėjo ant kojų. Entonis nuspaudė stabdžius ir sustojo priešais balą. Fordo galas atsidūrė prie pat kelkraštyje pastatyto automobilio. Entonis savo kadilaku užblokavo fordo priekį. Bilė buvo užspeista į kampą.

Ekis jau stovėjo prie fordo vairuotojo durelių. Entonis prišoko iš keleivio pusės.

— Išlipkit! — užriaumojo jis.

Iš kišenės išsitraukė ginklą. Durelės prasivėrė, ir išlipo toji figūra tamsiu paltu ir skrybėle.

Entonis išsyk atpažino, kad tai ne Lukas, o Bernis.

Jis apsigręžė ir įsmeigė akis ton pusėn, iš kurios jie atvažiavo. Tačiau balto linkolno nesimatė nė žymės.

Entonis persiuto. Jiedu susikeitė paltais, ir Lukas paspruko Bernio ratais.

— Tu sumautas kvaily! — užriko jis ant Bernio. Niežtėjo rankos čia pat jį nudėti. — Nė nenumanai, ką pridirbai!

Bernis buvo erzinamai ramus.

— Tai pasakyk man, Entoni, — kreipėsi jis, — ką tokio aš pridirbau?

Entonis nusigręžė ir įsigrūdo ginklą atgal į kišenę.

— Luktelėk, — tarė Bernis. — Turėtum kai ką paaiškinti. Tai, ką padarei Lukui, neteisėta.

— Nė velnio neprivalau tau nieko aiškinti, — atšovė Entonis.

— Lukas ne šnipas.

— O iš kur tau žinoti?

— Žinau.

— Neįtikinai.

Bernis įsmeigė į jį savo kietą žvilgsnį.

— Ir dar kaip tiki, — atsakė jis. — Kuo puikiausiai žinai, kad jis nėra sovietų šnipas. Tai kokių velnių apsimetinėji?

— Eik velniop, — tėškė Entonis ir nuėjo.

>>><<<

Bilė gyveno Arlingtone, žaliame priemiestyje, toje Potomako upės pusėje, kur yra Virdžinija. Entonis važiavo gatve, kur ji gyveno. Pravažiuodamas pro jos namą, kitoje gatvės pusėje pamatė tamsų ševrolė, priklausantį CŽV. Jis pasuko už kampo ir sustojo.

Bilė po valandos kitos grįš namo. Ji žino, kur išvyko Lukas. Entonis prarado jos pasitikėjimą. Ji neišduos Luko — nebent Entonis ją kaip reikiant paspaustų.

Taip jis ir padarys.

Gal jam visai pasimaišė? Vidinis balsas kuždėjo, kad žaidimas gali būti nevertas laimėjimo. Ar įmanoma pateisinti tai, ką jis sumanė? Bet jau seniai pasirinko savo kelią ir niekam neleis savęs iš jo išstumti, net Lukui.

Jis atidarė savo automobilio bagažinę, išsitraukė nedidelį tamsų lagaminėlį ir mažytį žibintuvėlį. Tada nužingsniavo prie ševrolė. Atidarė dureles, klestelėjo šalia Pito ir pažvelgė į tamsius Bilės namelio langus. Šmėkštelėjo mintis: „Tai bus pats purviniausias mano darbelis".

Jis dirstelėjo į Pitą.

— Pasitiki manimi? — paklausė jo.

Sužalotas Pito veidas iš nuostabos dar labiau išsiklaipė.

— Kokie dar gali būti klausimai? Aišku, kad taip.

Dauguma jaunųjų agentų jautė Entoniui pagarbą kaip karo didvyriui, tačiau Pitas turėjo ypatingų priežasčių būti jam ištikimas. Entonis išsiaiškino apie Pitą kai ką tokio, už ką jis lengvai galėtų būti išmestas, — sykį buvo sulaikytas su prostitute — tačiau niekam apie tai nepranešė. Dabar, norėdamas Pitui priminti, paklausė:

— Net jeigu nusižengsiu įstatymui, ar vis tiek mane palaikysi?

Pitas dvejojo, o kai prabilo, jo balsas virpėjo iš susijaudinimo.

— Aš jums pasakysiu tik vieną dalyką. — Jis žvelgė priešais save pro langą į lempų nutviekstą gatvę. — Jūs man kaip tėvas, daugiau neturiu ko pridurti.

— Dabar padarysiu kai ką, kas tau gali pasirodyti neteisėta. Noriu, kad tikėtum manimi, jog tai neišvengiama.

— Kartoju — pasitikiu.

— Aš einu į vidų, — tarė Entonis. — Pyptelėk, jei kas pasirodytų.

Jis tyliai priėjo prie namo, apėjo garažą ir prisėlino prie galinių durų. Švystelėjo žibintuvėliu pro virtuvės langą. Subolavo pažįstami stalas ir kėdės.

Išdavystė ir klasta — jo duona kasdienė, tačiau taip žemai, dilgtelėjo jam širdyje, dar nebuvo puolęs.

Virtuvės durų spynos užraktas buvo paprastutis, Entonis jį būtų atkrapštęs pieštuku. Įsikando žibintuvėlį dantimis, atsegė lagaminėlį ir išsitraukė kažką panašaus į dantisto mentelę. Įkišo ją į spynos angą ir išstūmė raktą. Jis nė neskimbtelėjęs nukrito ant grindų. Pasuko mentelę ir atrakino spyną.

Patyliukais įsmuko į miegantį namą.

Puikiai žinojo, kur kas yra. Pirma užmetė akį į svetainę, paskui — į Bilės miegamąjį. Nieko. Tada įkišo galvą pas Mamytę Bekę. Ji ramiai sau knarkė. Šalia ant stalo gulėjo klausos aparatas. Galiausiai patraukė į Lario kambarį.

Jis švystelėjo žibintuvėliu į miegantį vaiką, jausdamasis kaip paskutinis niekšas. Prisėdo ant lovos krašto ir įžiebė šviesą.

— Ei, Lari, kelkis, — tarė jis.

Berniuko akys atsimerkė. Kurį laiką jis nieko nesuprasdamas žvelgė į Entonį, o paskui jo veidą nušvietė šypsnys.

— Dėde Entoni! — šūktelėjo jis.

Entonis jam nusišypsojo.

— Laikas keltis, — tarė jis.

— Kelinta valanda?

— Labai anksti.

— Kur mes eisim?

— Tai siurprizas, — atsakė Entonis.

4 val. 30 min.

Kuras įpurškiamas į degimo kamerą apie 100 pėdų per sekundę greičiu. Degimas prasideda susilietus dviem skysčiams. Liepsna akimirksniu sudegina skystį, slėgis pakyla iki kelių šimtų svarų į kvadratinį colį, o temperatūra pašoka iki 5000 laipsnių pagal Farenheitą.

Bernis pasiteiravo Bilės:

— Tu myli Luką, ar ne?

Jiedu sėdėjo automobilyje prie jo namų. Ji nenorėjo užeiti, skubėjo grįžti namo pas Larį ir Mamytę Bekę.

— Myliu? — išsisukinėdama atsiliepė ji. — Argi?

Abejojo, ar dera atvirauti apie tokius dalykus su buvusiu vyru. Galų gale jiedu su Luku draugai, bet ne kokie meilužiai.

— Nieko tokio, — nuramino jis. — Jau seniai supratau, kad tau reikėjo ištekėti už Luko. Nemanau, kad lioveisi jį mylėjusi. Mylėjai ir mane, tačiau ne taip.

Tai buvo tiesa. Jos meilė Berniui buvo tykus, švelnus jausmas. Jos niekad neapimdavo tokie audringi aistros gūsiai kaip su Luku. Ir kai klausdavo savęs, ką jaučia Haroldui, — lengvą susižavėjimą ar viską užvaldantį potraukį, — atsakymas visada būdavo karčiai aiškus. Galvodama apie Haroldą, jausdavo malonumą, tačiau drungnoką. Meilės reikaluose ji nebuvo itin patyrusi, — miegojo tik su Luku ir Berniu, — tačiau moteriška nuojauta jai kuždėjo, kad Haroldas niekada netrauks taip kaip Lukas, nuo kurio svaigdavo galva ir visa užsiliepsnodavo nevaldomu geismu.

— Lukas vedęs, — prabilo ji. — Tikrą gražuolę.

Ji kiek patylėjo, paskui paklausė:

— Sakyk, o Elspetė seksuali?

Bernis susimąstė.

— Sunku pasakyti. Su tinkamu vyru galėtų tokia būti. Man ji atrodo šaltoka, tačiau, išskyrus Luką, apie nieką daugiau nenorėdavo girdėti.

— Koks skirtumas. Lukas juk vienos vagos jautis. Pasiliktų net su ledkalniu — tiesiog iš pareigos jausmo. — Ji patylėjo. — Turiu tau kai ką pasakyti.

— Klok.

— Dėkui, kad neištarei: „O ką aš tau sakiau". Aš tikrai vertinu tavo taktą.

Bernis nusijuokė:

— Tu vis apie tą mūsų didįjį kivirčą.

Ji linktelėjo.

— Tvirtinai, kad mano atradimai bus panaudoti smegenims plauti. Dabar tavo pranašystė išsipildė.

— Tačiau ir aš buvau iš dalies neteisus. Tavo tyrimus būtina tęsti. Turime išnarplioti žmogaus protą. Žinias galima panaudoti piktam, tačiau mokslo pažangos stabdyti nevalia. Klausyk, gal numanai, ką vis dėlto rezga Entonis?

— Peršasi tik viena mintis: gal Lukas Kanaveralo kyšulyje išaiškino šnipą ir nutarė vykti į Vašingtoną pranešti apie tai Pentagonui. Tačiau tas šnipas iš tikrųjų yra dvigubas agentas, dirbantis mums, todėl Entonis kaip įmanydamas stengiasi jį apsaugoti.

Bernis papurtė galvą.

— Neįtikina. Entonis galėjo Lukui paprasčiausiai pasakyti, kad tai dvigubas agentas. Kam reikėjo trinti Luko atmintį?

— Ko gero, tavo teisybė. Juk Entonis vos prieš kelias valandas kėsinosi Luką *nušauti*. Žinau, kad slaptosios tarnybos kėsinasi ir į žmonių psichiką, tačiau sunku patikėti, kad CŽV, siekdama apsaugoti dvigubą agentą, ryžtųsi žmogžudystei.

— Ir dar kaip ryžtųsi, — paprieštaravo Bernis. — Tačiau šįsyk nebuvo būtina. Entonis paprasčiausiai galėjo Lukui šią paslaptį atskleisti.

— Ar turi geresnių minčių?

— Ne.

Bilė gūžtelėjo pečiais.

— Gerai pagalvojus, koks skirtumas. Entonis griebėsi klastos ir apgaudinėjo draugus, ir visai nesvarbu kodėl. Kad ir kokios priežastys būtų, jis jau ne draugas. O juk buvo geras bičiulis.

— Tas sumautas gyvenimas, — atsiduso Bernis. — Jis pakštelėjo jai į skruostą ir išlipo iš automobilio. — Jeigu rytoj sulauksi žinių iš Luko, tučtuojau paskambink.

— Sutarta.

Bernis dingo tarpdury, ir Bilė užvedė variklį.

Pervažiavo Memorialo tiltą, pasuko pro kapus ir, pasisukiojusi priemiesčio gatvelių labirintu, pasiekė savo namą. Kaip įpratusi įvarė automobilį į kiemą atbulomis, nes beveik visada vėluodavo ir gaudavo skubėti. Įėjo į namus, nusivilko ir pasikabino paltą, lipdama į viršų atsisagstė ir per galvą nusivilko suknelę. Permetė ją per kėdės atkaltę, nusispyrė batus ir nuėjo pasižiūrėti, kaip Laris.

Išvydusi jo lovelę tuščią, suklykė.

Puolė į tualetą, paskui — į Mamytės Bekės kambarį.

— Lari! — šaukė ji. — Kur tu?

Skriete nuskriejo į apačią ir perlėkė visus kambarius. Vienais apatiniais išpuolė į lauką ir apžiūrėjo garažą bei kiemą. Vėl grįžo į vidų ir kruopščiai patikrino visas kertes, varstė spintas, apžiūrėjo palovius, visas vieteles, kur galėtų pasislėpti septynmetis.

Jo niekur nebuvo.

Savo miegamojo tarpduryje išdygo Mamytė Bekė, jos veidą iškreipė baimė.

— Kas atsitiko? — paklausė virpančiu balsu.

— Kur Laris? — rėkė Bilė.

— Maniau, kad savo lovoje, — pagaliau supratusi, kas įvyko, suaimanavo ji.

Bilė kurį laiką stovėjo tylėdama, besidaužančia širdimi, stengdamasi nepasiduoti panikai. Susitvardžiusi patraukė į Lario miegamąjį ir nuodugniai jį apžiūrėjo.

Kambaryje nepastebėjo jokių grumtynių ženklų, viskas tvarkingai gulėjo savo vietose. Atidariusi spintą, ant lentynos pamatė tvarkingai sulankstytą jo melsvą pižamą su meškiukais, kuria vilkėjo vakar. Drabužių, kuriuos buvo palikusi apsirengti einant į mokyklą, nesimatė. Kad ir kas atsitiko, išeidamas jis apsirengė. Lyg būtų išėjęs su kokiu nors pažįstamu.

Entonis.

Iš pradžių ji net lengviau atsipūtė. Entonis nenuskriaustų Lario. Tačiau staiga ją apniko abejonės. Ar tikrai taip jau ir nenuskriaustų? Būtų galvą guldžiusi, kad Entonis nieko bloga nepadarytų ir Lukui, o še tau — bando jį nužudyti. Dabar jau sunku pasakyti, ko jis tikrai nepadarytų. Galų gale juk taip anksti pažadintas ir išvestas iš namų be mamos žinios Laris turėjo išsigąsti.

Reikia jį kuo greičiau susigrąžinti.

Ji nulėkė žemyn skambinti Entoniui. Dar nespėjo pribėgti prie telefono, kai jis pats suskambo. Ji čiupo ragelį:

— Klausau?

— Čia Entonis.

— Kaip tu drįsti? — užriko ji. — Kaip gali būti toks negailestingas?

— Man reikia sužinoti, kur Lukas, — šaltai atsakė jis. — Tu neįsivaizduoji, kaip tai svarbu.

— Jis išvyko į...

Ji nutilo. Jeigu išduos jam, ko prašoma, iš savo rankų išleis visas kortas.

— Išvyko kur?

Ji giliai įkvėpė.

— Kur Laris?

— Jis su manimi. Nesijaudink, sveikutėlis.

Ji įsiuto.

— Kaip aš galiu nesijaudinti, pusgalvi!

— Paprasčiausiai pasakyk, ką noriu iš tavęs išgirsti, ir viskas grįš į savo vietas.

Norėjo juo patikėti, tėkšti atsakymą ir laukti, kol jis pristatys Larį į namus, tačiau ji iš paskutiniųjų atsispyrė tokiai pagundai.

— Įdėmiai klausykis. Tik tuomet pasakysiu, kur yra Lukas, kai pamatysiu savo sūnų.

— Nejau nepasitiki?

— Čia pokštas, ar ką?

Jis atsiduso.

— Gerai. Susitinkam prie Džefersono memorialo.

Ji pajuto laimėjusi mažytę pergalę.

— Kada?

— Septintą.

Ji dirstelėjo į laikrodį. Buvo jau po šešių.

— Sutarta.

— Bile...

— Atvyk be palydovų.

— Gerai.

Ji padėjo ragelį.

Šalia jos stovinti Mamytė Bekė atrodė kaip niekad susenusi ir suvargusi.

— Kas skambino? — paklausė ji. — Kas čia dedasi?

Bilė pasistengė atsakyti kuo ramiau:

— Laris su Entoniu. Tikriausiai jis įsmuko vidun ir išsivedė jį, kai tu miegojai. Važiuoju jo pasiimti. Galime daugiau nesijaudinti.

Ji užlipo laiptais ir paskubom apsirengė. Tada pristūmė kėdę prie spintos. Užlipusi ant kėdės, nuo viršaus nusikėlė nedidelį lagaminėlį. Padėjo jį ant lovos ir atvožė.

Išvyniojo į audeklą susuktą 45-o kalibro koltą.

Per karą juos visus apginklavo koltais. Pasiliko savąjį atminimui, tačiau nuolat jį valė ir tepė. Jeigu kada nors į tave šaudė, tai niekad nesijausi ramus, jei po ranka neturėsi ginklo.

Ji paspaudė svirtelę kairiojoje pistoleto pusėje ir atleido būgną. Lagaminėlyje gulėjo ir dėžutė šovinių. Sukišo septynis šovinius į būgną, krestelėjusi atstatė jį į vietą ir suktelėjo.

Apsigręžusi tarpduryje išvydo Mamytę Bekę, nebyliai spoksančią į blizgantį plieną.

Kurį laiką jiedvi tylėdamos žvelgė viena į kitą.

Paskui Bilė tekina išbėgo pro duris ir šoko į automobilį.

6 val. 30 min.

Pirmojoje pakopoje užpilama maždaug 25 000 kg degalų. Visa tai išdegs per dvi minutes ir 35 sekundes.

Bernio linkolnu riedėti buvo vienas malonumas: minkštas ilgas automobilis, traukiantis 100 mylių per valandą, tarsi laivas lengvai plaukė tuščiais miegančios Virdžinijos keliais. Išvažiavęs iš Vašingtono, Lukas pasijuto ištrūkęs iš viso to slogučio, ir jo kelionę priešaušriais gaubė džiugi išsivadavimo nuotaika.

Kai jis pasiekė Niuporto Niusą ir pastatė automobilį mažoje stovėjimo aikštelėje prie oro uosto, dar buvo neišaušę. Nesimatė nė vienos švieselės, išskyrus vienišą lempelę, spingsinčią taksofono būdelėje prie įėjimo į pastatą. Jis išjungė variklį ir įsiklausė į tylą. Dangus buvo giedras, ir priešais plytintis lėktuvų pakilimo takas driekėsi užlietas mėnesienos. Išrikiuoti lėktuvai stovėjo tykūs kaip snaudžianti arklių kaimenė.

Jau visą parą jis nesudėjęs bluosto jautėsi visiškai nusivaręs nuo kojų, tačiau galva tiesiog ūžė nuo minčių. Jis myli Bilę. Dabar, būdamas už trijų šimtų kilometrų nuo jos, gali leisti sau prisipažinti. Na ir ką? Ar jis jau seniai ją myli? O gal tai tik laikinas susižavėjimas, kuris sudus taip pat greitai kaip ir tais 1941-aisiais? O Elspetė? Kodėl jis ją vedė? Teiravosi to Bilės, tačiau ji neatsakė. „Paklausk pačios Elspetės", — tepasiūlė.

Jis užmetė akį į laikrodį. Iki skrydžio dar daugiau nei valanda. Marios laiko. Išlipo iš automobilio ir patraukė prie taksofono būdelės.

Ji atsiliepė išsyk, tarsi jau būtų nemiegojusi. Viešbučio operatorius jai pranešė, kad skambinama jos sąskaita.

— Gerai, gerai, sujunkit, — paragino ji.

Staiga jis pasijuto nepatogiai.

— E, labas rytas, Elspete.

— Pagaliau pradžiuginai! — atsakė ji. — Vos neišsikrausčiau iš proto nerimaudama dėl tavęs. Kas atsitiko?

— Net nežinau, nuo ko pradėti.

— Tau nieko neatsitiko?

— Dabar jaučiuosi gerai. Trumpai tariant, Entonis pasirūpino ištrinti man atmintį elektrošoku ir vaistais.

— Šventas Dieve! Kodėl jis taip padarė?

— Jis tvirtina, kad aš sovietų šnipas.

— Kažkokia nesąmonė.

— Jis taip sakė Bilei.

— Tai tu buvai su Bile?

Elspetės balse pasigirdo šaltukas.

— Ji man labai padėjo, — tarsi teisindamasis pratarė jis.

Jis prisiminė, kaip prašė Elspetę atvykti į Vašingtoną ir jam pagelbėti ir kaip ji atsisakė.

Ūmai Elspetė pakeitė temą.

— Iš kur skambini?

Jis nesiryžo sakyti. Gali būti, kad pasiklausomas ir Elspetės telefonas.

— Nenoriu sakyti, nes mūsų gali klausytis.

— Aišku, suprantu. Ką darysi toliau?

— Turiu išsiaiškinti, ką Entonis norėjo priversti mane pamiršti.

— Kaip ketini tai padaryti?

— Telefonu verčiau nepasakosiu.

Jos balse suskambo susierzinimas.

— Na ką gi, gaila, kad negali man nieko sakyti.

— Tiesą sakant, paskambinau norėdamas tavęs kai ko pasiteirauti.

— Pirmyn, teiraukis.

— Kodėl mes neturime vaikų?

— Neaišku. Praeitais metais lankeisi pas vaisingumo specialistą, tačiau jis nieko nenustatė. Prieš keletą savaičių buvau pas ginekologę Atlantoje. Atliko keletą tyrimų. Laukiam atsakymų.

— Norėčiau sužinoti, kaip mes susituokėme?

— Aš tave suviliojau.

— Kaip?

— Norėdama priversti save pabučiuoti apsimečiau, kad į akį pateko muilo. Sena kaip pasaulis gudrybė, stebiuosi, kad tu taip lengvai užkibai.

Jis niekaip nesuprato, ar ji juokauja, ar šaiposi, ar ir viena, ir kita.

— Papasakok smulkiau, kaip aš pasipiršau.

— Na, mes ilgai nesimatėme, o 1954-ais vėl susitikome Vašingtone, — leidosi pasakoti ji. — Aš dar dirbau CŽV. Tu — Reaktyvinių variklių laboratorijoje Pasadenoje, tačiau atskridai į Pegės vestuves. Mus prie stalo susodino šalia.

Ji nutilo bandydama prisiminti, o jis kantriai laukė. Kai vėl prabilo, jos balsas jau buvo švelnesnis.

— Kalbėjomės ir kalbėjomės — tarsi tų trylikos metų ir nebūtų buvę, o mes vis dar būtume tie studentai, kuriems prieš akis — visas gyvenimas. Aš išėjau anksčiau — vadovavau Šešioliktosios gatvės vaikų orkestrui, ir mes buvom numatę repeticiją. Tu išėjai drauge su manimi.

1954

Orkestre grojo neturtingųjų vaikai, dauguma juodukai. Repeticija vyko bažnyčios salėje, aptriušusiame kvartale. Instrumentai buvo iškaulyti, skolinti ir supirkti iš lombardų. Jie repetavo uvertiūrą iš Mocarto operos *Figaro vedybos*. Kad ir kaip būtų keista, tačiau grojo puikiai.

Tai Eslpetės nuopelnas. Ji buvo kruopšti mokytoja, pastebėdavo menkiausią klaidingą natą ar nusprūdimą nuo ritmo ir nenuilstamai taisydavo savo mokintinius. Aukšta figūra geltona suknele labai energingai dirigavo orkestrui, jos ugniniai plaukai plaikstėsi, ilgos, elegantiškos rankos jausmingais judesiais pieštę piešė muziką.

Repeticija truko dvi valandas, ir Lukas visą tą laiką išsėdėjo tarsi pakerėtas. Aiškiai matė, kad visi berniukai dievina Elspetę, o mergaitės stengiasi būti į ją panašios.

— Tuose vaikuose tiek muzikos kaip bet kuriame turčių vaike, kurio svetainėje stovi *Steinway*, — pasakė ji, kai jiedu važiavo automobiliu. — Tačiau dėl to susilaukiau tik nemalonumų.

— Kodėl, dėl Dievo meilės?

— Mane pravardžiuoja negrų mylėtoja, — paaiškino ji. — Be to, greičiausiai dėl tos pačios priežasties buvau pašalinta iš CŽV.

— Nesuprantu.

— Tasai, kuris laiko juodukus žmonėmis, iškart įtariamas prijaučiantis komunistams. Taigi aukščiau sekretorės tikrai nepakilsiu. Nors vargu ar tai didelė netektis — moterys vis tiek aukščiau majorų nepakyla.

Juodu nuvyko į jos mažą tvarkingą butelį, kuriame stovėjo vos keli modernūs baldai. Lukas sumaišė martinio, o Elspetė ankštoje virtuvėlėje ėmė ruošti spagečius. Lukas įsileido pasakoti apie savo darbus.

— Aš taip džiaugiuosi tavimi, — tarė ji su nuoširdžiu entuziazmu. — Tu visad troškai tirti kosmosą. Netgi Harvarde, kai mes susitikinėdavome, apie tai vis kalbėdavai.

Jis šyptelėjo.

— Tačiau tais laikais daugelis manė, jog tai tik tuščia fantastų svajonė.

— Na, turbūt netgi dabar negalime būti tikri, kad tai pavyks.

— Manau, jau galime, — rimtai atsakė jis. — Didžiąsias problemas per karą išsprendė vokiečių mokslo vyrai. Jie pagamino raketas, kurios, paleistos Olandijoje, pasiekia Londoną.

— Kaip tik buvau ten, puikiai pamenu — vadindavom jas zvimbiančiomis bombomis. — Ji net pasipurtė. — Viena vos manęs neištaškė. Per oro antskrydį traukiau į savo kontorą, nes turėjau instruktuoti agentą, kurį po kelių valandų rengėsi parašiutu nuleisti Belgijoje. Išgirdau už nugaros krintant bombą. Ji dribo kurtinančiu *bum*, po kurio pasigirdo dūžtančio stiklo garsas ir griūvančių namų grumėjimas, sušvilpė skeveldras ir dulkes nešantis vėjas. Žinojau, kad jeigu atsigręšiu, tuomet išsigąsiu, krisiu ant žemės, susiriesiu į kamuoliuką ir užsimerksiu iš siaubo. Taigi žvelgiau tiesiai prieš save ir skuodžiau tolyn.

Susijaudinusiam Lukui tiesiog prieš akis iškilo Elspetė, žingsniuojanti tamsiomis gatvėmis aplink krintant bomboms, ir širdį užliejo džiaugsmas, kad ji liko gyva.

— Drąsuolė, — pratarė jis.

Ji patraukė pečiais.

— Nesijaučiau drąsiai — tiesiog bijojau.

— Apie ką galvojai?

— Turėtum atspėti.

Jis prisiminė, kad neturėdama ką veikti ji mintyse užsiimdavo matematika.

— Apie sveikuosius skaičius? — spėjo jis.

Ji nusijuokė.

— Fibonačio skaičius.

Lukas linktelėjo. Matematikas Fibonatis įsivaizdavo du triušius, kiekvieną mėnesį susilaukiančius dviejų palikuonių, kurie po mėnesio atsiveda savo triušiukų ir klausė, kiek triušių porų būtų po metų. Atsakymas buvo 144, tačiau porų skaičius kas mėnesį žymimas matematine seka: 1, 1, 2, 3, 5, 8, 13, 21, 34, 55, 89, 144. Kitą skaičių galima gauti sudedant ankstesnius du.

— Kai pasiekiau kontorą, buvau pasiekusi keturiasdešimtą Fibonačio skaičių, — tarė Elspetė.

— Gal prisimeni, koks jis buvo?

— Žinoma: šimtas du milijonai trys šimtai trisdešimt keturi tūkstančiai šimtas penki. Vadinasi, mūsų raketos paremtos vokiečių zvimbiančiomis bombomis?

— Taip, tiksliau sakant, V2.

Lukas neturėjo teisės pasakoti apie savo darbus, tačiau juk tai Elspetė, kuri greičiausiai dirba su dar slaptesne medžiaga nei jis.

— Mes kuriame raketą, kuri galėtų pakilti Arizonoje ir sprogti Maskvoje. Ir jeigu mums tai pavyks, galėsim skristi ir į Mėnulį.

— Principas tas pats, tik didesnė?

Dar nė viena pažįstama moteris taip nesidomėjo raketomis.

— Taip. Reikės didesnių variklių, degesnio kuro, tikslesnių valdymo įrenginių ir taip toliau. Tačiau visa tai pasiekiama. Be to, mums dabar dirba tie vokiečiai.

— Regis, girdėjau apie tai.

Jis staigiai pakeitė temą:

— O šiaip kaip gyveni? Ar turi kokią draugę?

— Dabar ne.

Po to, kai prieš devynerius metus išsiskyrė su Bile, draugavo su keliomis merginomis ir su kai kuriomis miegojo, tačiau iš tiesų — nelabai norėjo prisipažinti tai Elspetei — nė viena stipriau netraukė.

Buvo viena, kurią galėjo pamilti, aukšta rudakė ilgais plaukais. Ji buvo tokia pat trykštanti energija ir gyvenimo džiaugsmu kaip ir Bilė. Rašydamas disertaciją, susipažino su ja Harvarde. Vieną vėlyvą vakarą jiedviem vaikštinėjant po Harvardo parką, ji suėmė Luką už rankų ir tarė:

— Aš turiu vyrą.

Paskui pabučiavo jį ir nuėjo. Tąsyk buvo vienintelis kartas, kai jis vos neįsimylėjo.

— O tu? — pasiteiravo jis Elspetės. — Pegė ištekėjusi, Bilė jau skiriasi — tau irgi nereikėtų snausti.

— Na, žinai tas sekretores.

Tai buvo nuolat po laikraščius tampoma klišė. Vašingtone dirbo tokia gausybė jaunų moterų, kad jų buvo penkiskart daugiau nei vyrų. Jas buvo priimta laikyti seksualiai išbadėjusiomis ir karštligiškai medžiojančiomis vyrus. Lukui Elspetė tokia neatrodė, tačiau gal ji tiesiog norėjo išvengti atsakymo, ir jis daugiau nebekamantinėjo.

Paprašė jį prižiūrėti maistą ant viryklės, kol persirengs. Dideliame puode kunkuliavo spagečiai, mažesniame — pomidorų padažas. Jis nusimetė švarką, nusirišo kaklaraištį ir mediniu šaukštu ėmė maišyti pomidorų padažą. Nuo martinio šiek tiek apsvaigo galva, maistas skaniai kuteno šnerves, šalia buvo tikrai artima jam moteris. Jis pasijuto laimingas.

Išgirdo, kaip Elspetė jį pašaukė. Permesta per duris kabojo jos suknelė, o ji stovėjo abrikosų spalvos liemenėle ir kelnaitėmis; dar nebuvo nusimovusi kojinių ir aukštakulnių. Nors nebuvo apsinuoginusi kaip kur nors prie jūros, Lukui pasirodė neatremiamai patraukli. Prie veido laikė prispaudusi delną.

— Į akį pateko muilo, po paraliais, — pasiguodė ji. — Gal padėtum išplauti?

Lukas prileido dubenį šalto vandens.

— Pasilenk, veidą prikišk prie pat dubens, — paliepė jis ir, uždėjęs ranką ant nugaros, prilenkė ją.

Skaisti jos nugaros oda prisilietus buvo šilta ir švelni. Jis delnu pasėmė vandens ir ėmė skalauti jai akis.

— Jau mažiau graužia, — tarė ji.

Jis toliau taip semdamas delnu vandenį plovė ir plovė jos akį, kol peršėjimas praėjo. Tada atlošė ją ir nušluostė veidą rankšluosčiu.

— Tavo akis kiek paraudusi, tačiau, regis, jau švari, — konstatavo jis.

— Tikriausiai atrodau klaikiai.

— Visai ne.

Jis įsmeigė į ją savo žvilgsnį. Jos akis buvo paraudusi, o plaukai vienoje pusėje sušlapę ir sulipę kuokštais, tačiau šiaip ji atrodė iš koto verčianti, visai kaip tada, kai pirmą sykį krito jam į akį, daugiau kaip prieš dešimtį metų.

— Atrodai stulbinamai.

Vis dar stovėjo atlošusi galvą, nors jis ir baigė šluostyti jai veidą. Jos lūpose pražydo šypsena. Lukas nesusilaikė jos nepabučiavęs. Ji taip pat jį pabučiavo — iš pradžių nedrąsiai, o paskui apsivijo kaklą, prispaudė jo lūpas prie savųjų ir giliai įsisiurbė.

Jos liemenėlė įsirėmė jam į krūtinę. Turėjo jaudinti, tačiau vielos buvo tokios kietos, kad net per marškinius braižė jam odą. Po kurio laiko jis sumišęs atsitraukė.

— Kas yra? — paklausė ji.

Jis švelniai palietė jos liemenėlę ir šyptelėjo:

— Duria.

— Vargšelis, — pasišaipė ji.

Lukas uždėjo ranką jai už nugaros ir vienu judesiu nusegė liemenėlę. Toji nukrito ant grindų.

Seniau, prieš daugelį metų, yra glamonėjęs jos krūtis, tačiau niekada nebuvo jų matęs. Jos buvo skaisčios ir apvalios, o švelnūs rožiniai speneliai nuo susijaudinimo paburkę. Ji apsivijo jo kaklą rankomis ir prisitraukė prie savęs. Jos šiltos krūtys švelniai trynėsi jam į krūtinę.

— Štai, — tarė jis. — Jos iš tikrųjų tokios.

Dar po kurio laiko Lukas pakėlė ją ant rankų, įžengė į miegamąjį ir paguldė ant lovos. Elspetė nusispyrė batus. Jis palietė jos kojinių sagteles ir paklausė:

— Galima?

Ji prunkštelėjo.

— O, Lukai, tu toks mandagus!

Jis šyptelėjo. Tai kvaila, tačiau kaip kitaip galima būtų elgtis, nežinojo. Elspetė ištiesė iš pradžių vieną, paskui kitą koją, ir jis atsegė ir numovė kojines. Ji liko vienomis apatinėmis kelnaitėmis.

— Gali neprašyti leidimo, — sušnibždėjo ji. — Tiesiog numauk.

Paskui jiedu lėtai ir aistringai mylėjosi. Ji vis spaudė rankomis jo galvą artyn ir bučiavo veidą, jam linguojant pirmyn ir atgal.

— Taip seniai to troškau, — šnibždėjo jam į ausį, o paskui keletą sykių riktelėjusi iš malonumo liko gulėti netekusi jėgų.

Elspetė netrukus užmigo, o Lukas gulėjo atmerktomis akimis ir mąstė apie savo gyvenimą.

Jis visada troško turėti šeimą. Jo įsivaizduojama laimė — tai dideli triukšmingi namai, pilni vaikų, draugų ir gyvūnų. Jam jau trisdešimt treji, jis dar nevedęs, o metai skrieja vis greičiau ir greičiau. Po karo visą dėmesį skyrė mokslams. Grįžo į aukštąją siekdamas atsigriebti už prarastus metus. Tačiau tikroji priežastis, kodėl liko nevedęs, buvo kita. Tiesa ta, kad jis mylėjo tik dvi moteris — Bilę ir Elspetę. Bilė jį apgavo, o Elspetė čia, šalia. Nužvelgė grakštų jos kūną, nušviestą pro langą besiskverbiančių miesto šviesų. Ar gali būti kas geriau, nei nuo šiol visas naktis leisti taip pat, su moterimi, kuri protinga, drąsi, moka elgtis su vaikais ir — be viso to — kerinčiai graži?

Apyaušriais jis atsikėlė ir išvirė kavos. Atnešė ją ant padėklo į miegamąjį ir rado Elspetę užmiegotomis akimis jau sėdinčią lovoje. Ji džiugiai nusišypsojo.

— Turiu tavęs kai ko paklausti, — tarė jis, prisėdo ant lovos ir paėmė jos ranką. — Ar tekėsi už manęs?

Jos šypsena dingo, o veide pasirodė rūpestis.

— O, Dieve, — sušnibždėjo ji. — Negi tai ne sapnas?

7 val.

Entonis su Pitu, tarp savęs pasisodinę Larį, privažiavo prie Džefersono memorialo. Buvo dar tamsu, ir nesimatė nė gyvos dvasios. Apgręžė automobilį ir pastatė taip, kad jo žibintai nušviestų atvažiuojančius jų link.

Monumentą sudarė dvi ratu išrikiuotos kolonų eilės su kupolu viršuje. Statula stovi ant postamento, prie kurio iš užpakalio veda laiptai.

— Statula yra devyniolikos pėdų aukščio, sveria dešimt tūkstančių svarų, — Entonis tarė Lariui. — Iš bronzos.

— Kur ji?

— Iš čia nesimato, ji tarp kolonų.

— Reikėjo atvažiuoti čia dieną, — suinkštė Laris.

Entonis Larį dažnai kur nors nusiveždavo. Jiedu lankėsi Baltuosiuose rūmuose, zoologijos sode ir Smitsono aeronautikos muziejuje. Priešpiečiams nusipirkdavo karštų sumuštinių su dešrele, pietums sukirsdavo ledų, ir Entonis, prieš veždamas Larį namo, nupirkdavo jam kokį žaisliuką. Visada smagiai leisdavo laiką. Entonis mėgo savo krikštasūnį. Tačiau dabar Laris pajuto kažką negera. Buvo labai anksti, jis norėjo pas mamą ir greičiausiai automobilyje pajuto tvyrančią įtampą.

Entonis atidarė dureles.

— Pasėdėk truputį, kol šnektelėsiu su Pitu, — tarė jis.

Jiedu išlipo. Kvėpuojant šaltame ore, iš burnų vertėsi garas.

Entonis prabilo:

— Aš lieku čia. Tu paimsi vaiką ir aprodysi jam paminklą. Laikykis šios pusės, kad ji atvažiavusi jus matytų.

— Supratau, — sušniaukrojo Pitas.

— Gaila, kad taip išėjo, — mestelėjo Entonis.

Tiesą sakant, jam buvo visiškai nusispjaut. Laris šiek tiek išsigandęs, Bilė virpa iš baimės, tačiau viskas netruks pasimiršti, ir jis neleis jausmams stoti jam skersai kelio.

— Nenukentės nei jis, nei mama, — dar pridūrė Entonis, stengdamasis padrąsinti Pitą. — Ji pasakys, kur Lukas.

— Tada grąžinsime vaiką.

— Ne.

— Negrąžinsim? — Pito išraiškos patamsiuos nesimatė, jo sutrikimą išdavė balsas. — Kodėl?

— Gal vėliau iš jos dar prireiks kokių žinių.

Pitas sutriko, tačiau paklus, pamanė sau Entonis. Bent jau kol kas. Jis atidarė automobilio dureles.

— Eikš, Lari. Dėdė Pitas parodys tau statulą.

Laris išsiropštė. Atsargiai pratarė:

— O pažiūrėjęs norėčiau namo.

Entoniui sugniaužė gerklę. Vaikis turėjo drąsos. Kiek patylėjęs, Entonis nuramino berniuką:

— Pasitarsim su mamyte. Dabar eik.

Laris padavė Pitui ranką, ir jiedu pasuko laiptų link kitoje monumento pusėje. Po minutėlės išniro viršuje tarp kolonų, nušviesti automobilio žibintų.

Entonis dirstelėjo į laikrodį. Po šešiolikos valandų raketa pakils, ir viskas bus baigta — vienaip ar kitaip. Šešiolika valandų — marios laiko, per kurį Lukas dar gali pridaryti aibę rūpesčių. Trūks plyš reikia jį sučiupti.

Bilė jau turėtų būti čia. Staiga jį apniko abejonės. Aišku, ji tikrai pasirodys. Jis neabejojo: ji pernelyg išsigandusi, kad skambintų farams ar iškrėstų kitokį pokštą.

Jis neklydo. Netrukus pasirodė automobilis. Entonis neįžiūrėjo jo spalvos, bet tai buvo fordas. Jis sustojo už dešimties metrų nuo Entonio kadilako ir iš jo, palikusi dirbantį variklį, iššoko nedidelė figūrėlė.

— Labas, Bile, — pasisveikino Entonis.

Ji nukreipė akis nuo jo į monumentą ir išvydo ant paaukštinimo galvas aukštyn užvertusius Larį su Pitu. Kurį laiką ji sustingusi stovėjo ir žvelgė į juodu.

Entonis prisiartino prie jos.

— Nereikia jokių dramatiškų gestų — tiktai išgąsdintum Larį.

— Nesapaliok apie jo gąsdinimą, niekše.

Jos balsas virpėte virpėjo. Bilė vos neverkė.

— Privalėjau taip pasielgti.

— Niekas *neprivalo* taip elgtis.

Bilės atšiaurumas nestebino, tačiau jos žodžiai jį vis tiek paveikė. Jis tarė:

— Ar žinai Tomo Džefersono žodžius, kurie kelių pėdų didumo raidėmis iškalti ant šio monumento? „Prisiekiu Dievu nenuilstamai kovoti su bet kokiu žmogaus proto pavergimu". Aš tą ir darau.

— Man nusispjauti į tavo išvedžiojimus. Sutrypei savo idealus, kad ir kokie jie buvo. Iš tokios niekšybės negali gimti nieko gero.

Ginčytis su ja — tik tuščias laiko švaistymas.

— Kur Lukas? — krioktelėjo jis.

Po ilgos tylos ji pagaliau atsakė:

— Skrenda į Hantsvilį.

Entonis su pasitenkinimu atsiduso. Gavo ko siekė. Tačiau atsakymas jį vis tiek nustebino.

— Kodėl į Hantsvilį?

— Ten kuriamos raketos.

— Žinau. Tačiau ko jam ten šiandien prireikė? Juk viskas vyksta Floridoje.

— Nežinau ko.

Entonis norėjo perskaityti jos veido išraišką, tačiau buvo pernelyg tamsu.

— Man atrodo, kad tu ne viską pasakei.

— Man nerūpi, kas tau atrodo. Pasiimu savo sūnų ir važiuoju.

— Ne, kol kas ne, — nukirto Entonis. — Dar kurį laiką pabus su mumis.

Bilė gailiai suklykė:

— Kodėl? Juk pasakiau, kur Lukas!

— Dar gali prireikti tavo pagalbos.

— Tai nesąžininga!

— Kaip nors išgyvensi.

Jis apsisuko eiti.

Tai buvo jo klaida.

>>><<<

Bilė kažką panašiai ir nujautė.

Kai jis pasisuko eiti prie savo automobilio, Bilė jį atakavo — dešiniu petimi smogė į tarpumentę. Ji nesvėrė nė šešiasdešimties kilogramų, o jis buvo kokiais dvidešimčia sunkesnis, bet jos jėgą padvigubino netikėtumas ir įniršis. Jis kluptelėjo ir parkrito, keliais ir rankomis atsiremdamas į žemę. Iš nuostabos ir skausmo net aiktelėjo.

Bilė iš palto kišenės išsitraukė koltą.

Entonis mėgino keltis, bet ji kirto dar sykį, šįkart į šoną. Jis vėl tėškėsi žemėn ir apsivertė ant nugaros. Kai atgręžė veidą, ji priklaupė prie Entonio galvos ir sugrūdo pistoleto vamzdį jam į gerklę. Pajuto sutreškant lūžtančius dantis.

Jis sustingo.

Moteris atlaužė gaiduką. Pažvelgusi jam į akis, išvydo gyvulišką baimę. Nesitikėjo, kad ji turės ginklą. Per Entonio kaklą nutekėjo siaura kraujo srovelė.

Bilė pakėlė galvą. Laris su vyriškiu, nieko neįtardami apie grumtynes, toliau sau ramiausiai apžiūrinėjo monumentą. Ji vėl nukreipė žvilgsnį į Entonį:

— Dabar ištrauksiu pistoletą tau iš burnos, — vienu atsikvėpimu išbėrė ji. — Bent sujudėk, ir aš tave nudėsiu. Šūktelėsi savo draugeliui ir perduosi jam, ką liepsiu.

Ji ištraukė pistoleto vamzdį iš Entonio burnos ir nusitaikė į kairiąją akį.

— Nagi, — paragino, — pašauk jį.

Entonis dvejojo.

Ji įrėmė vamzdį jam į akiduobę.

— Pitai! — riktelėjo jis.

Pitas atsigręžė. Stojo tyla. Jis nustebęs paklausė:

— Kur tu?

Entonio ir Bilės automobilio žibintai neapšvietė.

Bilė paliepė:

— Tegul pasilieka savo vietoje.

Entonis tylėjo. Bilė stipriau spustelėjo pistoletą jam į akį. Entonis riktelėjo:

— Lik, kur esi!

Pitas, pridėjęs ranką prie kaktos, stebeilijo į tamsą ir niekaip nesuprato, iš kur atsklinda balsas.

— Kas atsitiko? — paklausė jis. — Kur tu?

Bilė šūktelėjo:

— Lari, čia mama. Lipk į fordą!

Pitas sugriebė Larį už rankos.

— Tas vyras mane laiko! — sušuko Laris.

— Nebijok! — riktelėjo Bilė. — Dėdė Entonis tam vyrui lieps tave paleisti.

Ji dar labiau užgulė į Entonio akį įremtą vamzdį.

— Gerai! — prašvokštė Entonis.

Ji šiek tiek sumažino spaudimą. Jis riktelėjo:

— Paleisk vaiką!

Pitas suabejojo:

— Kaipgi?

— Daryk, ką sakau, dėl Dievo meilės, ji į mane nusitaikiusi!

— Gerai!

Pitas paleido Lario rankas.

Laris nulėkė prie laiptų ir po kelių sekundžių išniro apačioje. Skuto prie Bilės.

— Ne čia, — šūktelėjo ji kaip įmanydama ramiau. — Šok į automobilį, vikriau.

Laris prilėkė prie fordo, nėrė vidun ir užtrenkė dureles.

Bilė iš visų jėgų smogė Entoniui iš pradžių į vieną, paskui į kitą žandą. Jis sustūgo iš skausmo, tačiau nespėjo nė pajudėti, o ji vėl sugrūdo vamzdį jam į burną. Entonis gulėjo nejudėdamas ir gargaliavo.

Ji prakošė:

— Gal daugiau nebenorėsi grobti vaikų.

Paskui atsistojo ir atitraukė pistoletą.

— Gulėk ramiai, — paliepė.

Nusitaikiusi į jį, atatupsta atsitraukė prie automobilio. Dirstelėjo į monumentą. Pitas stovėjo ten pat.

Ji įšoko į fordą.

Laris paklausė:

— Turėjai pistoletą?

Bilė įsikišo koltą švarko užantin.

— Tau nieko neatsitiko? — paklausė.

Jis pradėjo verkti.

Bilė įjungė pavarą ir nuvažiavo.

8 val.

Mažesniosios raketos, nešančios antrąją, trečiąją ir ketvirtąją pakopas, užpildytos kitu kuru, vadinamu T17-E2, polisulfidu, oksidatoriumi naudojant amonio perchloratą. Kiekvienos iš jų keliamoji galia yra maždaug 1600 svarų.

Bernis šiltu pienu užpylė Lario javainius, o Bilė plakė kiaušinienę. Maitindami sūnų, jiedu tokiu būdu tarsi stengėsi jį nuraminti, nors Bilė jautė, kad ir tėvams reikėtų kaip nors nusiraminti.

— Nudėsiu tą šunsnukį Entonį, — tyliai, kad negirdėtų Laris, murmėjo Bernis. — Prisiekiu Dievu, nudėsiu kaip šunį.

Bilės įtūžis jau buvo atlėgęs. Aptalžiusi Entonį pistoletu, ji lyg ir atsiskaitė. Dabar tiesiog jautė nerimą ir baimę — iš dalies dėl Lario, kuriam teko patirti tokį sukrėtimą, iš dalies dėl Luko.

— Bijau, kad Entonis nenužudytų Luko, — pasidalijo savo būgštavimais ji.

Bernis įmetė sviesto gabalą į įkaitintą keptuvę ir pamirkė duonos riekę į Bilės suplaktus kiaušinius.

— Jo taip lengvai nenužudysi.

— Tačiau jis mano pasprukęs — nežino, kad Entonis išgavo, kur jis.

Berniui skrudinant kiaušiniuose mirkytus sumuštinius, Bilė siuvo pirmyn atgal po virtuvę kandžiodama lūpas.

— Entonis greičiausiai dabar jau pakeliui į Hantsvilį. Lukas skrenda lėtuoju reisu. Entonis gali pasinaudoti karinėmis oro linijomis ir atvykti pirmas. Reikia žūtbūt perspėti Luką.

— Palikti pranešimą oro uoste?

— Nelabai patikima. Manau, teks vykti pačiai. Dar vienas reisas devintą, ar ne? Kur tas lėktuvų tvarkaraštis?

— Ant stalo.

Bilė čiupo jį ir ėmė sklaidyti. 271-asis reisas lygiai devintą. Kitaip nei Luko lėktuvas, šis leidžiasi tik dukart ir pasiekia Hantsvilį be keturių minučių vidurdienį. Lukas atvyksta tik pusę trečios. Galėtų palaukti jo oro uoste.

— Įmanomas variantas, — pratarė Bilė.

— Tuomet taip ir padaryk.

Bilė kurį laiką žvelgė į Larį ir, draskoma prieštaringų jausmų, dvejojo.

Bernis atspėjo, kas dedasi jos širdyje.

— Jis bus saugus.

— Žinau, tačiau daugiau nenoriu jo palikti.

— Aš juo pasirūpinsiu.

— Gal tegu neina į mokyklą?

— Taip, manau, taip ir padarysim, bent jau šiandien.

— Suvalgiau javainius, — pasakė Laris.

— O dabar kirsk prancūziškus sumuštinius, — tarė Bernis ir įskraidino vieną riekelę jam į lėkštę.

— Gal nori sirupo?

— Aha.

— Aha, o toliau?

— Aha, prašau.

Bernis užpylė jam sirupo.

— Šiandien į mokyklą verčiau neik, — pasakė Bilė, prisėdusi priešais Larį.

— Tačiau tada praleisiu plaukimą! — paprieštaravo jis.

— Gal tėtis tave nusives į baseiną.

— Bet aš juk sveikas!

— Žinau, branguti, tačiau po tokios nakties esi pervargęs ir tau būtinai reikia pailsėti.

Lario spyriojimasis Bilę tiktai nuramino. Regis, jis jau atsigauna nuo patirto šoko. Vis dėlto leisdama į mokyklą nesijaustų rami, bent jau kol nesibaigė visa ši sumaištis.

Bet patikėti jį Berniui gali ramia širdimi. Jis juk patyręs žvalgas ir bet kuriuo atveju sugebės apginti Larį. Ji apsisprendė. Vyks į Hantsvilį.

— Gerai praleisk dieną su tėčiu, o rytoj galėsi eiti į mokyklą, gerai?

— Gerai.

— Mamytei dabar reikia keliauti.

Ji nenorėjo vaiko gąsdinti ir atsisveikino tarsi išeidama parduotuvėn.

— Iki, — tarė ji.

Tarpdury spėjo išgirsti, kaip Bernis pasakė:

— Lažinuosi, kad kitos riekelės tai tikrai nepajėgsi suvalgyti.

— Laisvai! — atšovė Laris.

Bilė uždarė duris.

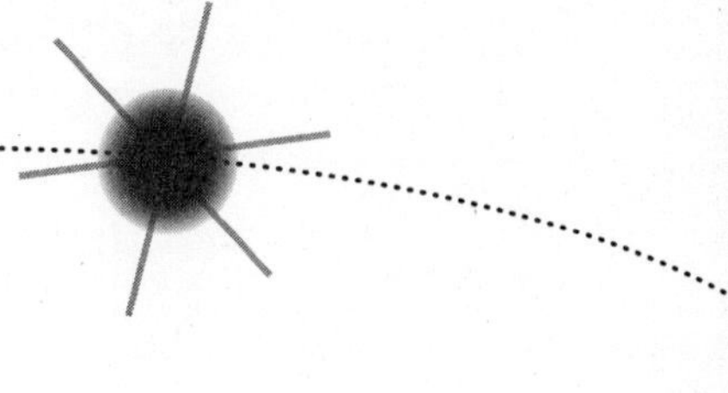

PENKTA DALIS

10 val. 45 min.

Raketa pakils vertikaliai, paskui bus pakreipta 40 laipsnių kampu. Pirmoji pakopa manevruojama orasparniais ir slankiojančiomis mentėmis variklio išmetamajame vamzdyje.

Vos prisisegęs saugos diržą, Lukas užsnūdo ir net nepajuto, kaip lėktuvas pakilo iš Niuporto Niuso. Jis kietai miegojo viso skrydžio metu ir pabusdavo tik nuo šasi bumbtelėjimo, kai lėktuvas leisdavosi į kokį nors oro uostą. Kiekvieną sykį pažadintas jis nekantriai dirstelėdavo į laikrodį, pasitikrindamas, kiek dar valandų ir minučių liko skristi...

Lėktuvui nutūpus, įlipdavo vienas kitas keleivis, keletas išlipdavo, ir orlaivis vėl pakildavo. Stoviniavo prie kiekvieno kampo kaip maršrutinis autobusas.

Vinston Saleme lėktuvas pildėsi kuro, ir visi keleiviai trumpam išlipo. Lukas paskambino į Redstouno Arsenalą, ir ragelį pakėlė jo sekretorė Merigolda Klark.

— Daktare Lukasai! — nudžiugo ji. — Kaip jūs?

— Viskas gerai, bet turiu vos keletą minučių. Ar raketos paleidimas vis dar numatytas šį vakarą?

— Taip, pusę vienuoliktos.

— Aš jau pakeliui į Hantsvilį — lėktuvas nusileis pusę trečios. Mėginsiu išsiaiškinti, ko buvau užsukęs ten pirmadienį.

— Atmintis dar nesugrįžo?

— Ne. Taigi nežinau, dėl ko išskridau.

— Kaip jau sakiau, man nieko nepaaiškinote.

— O ką aš dariau?

— Na, leiskit prisiminti. Pasitikau jus oro uoste ir tarnybine mašina atvežiau čia, į bazę. Jūs patraukėte į skaičiavimo centrą, o paskui nužingsniavote į kitą galą.

— O kas ten kitame gale?

— Testavimo įrenginiai. Greičiausiai traukėte į inžinerijos skyrių, — kartais ten darbuojatės, — tačiau tiksliai nežinau, nes kartu nėjau.

— O paskui?

— Paprašėte mane nuvežti jus į namus.

Jos balse pasigirdo nuoskaudos gaidelė.

— Aš laukiau automobilyje, o jūs minutėlei užsukote vidun. Tada vykome į oro uostą.

— Daugiau nieko nepamenate?

— Išklojau viską.

Lukas nusivylęs atsiduso. Buvo tikras, kad Merigolda prisimins ką nors vertingesnio.

Mėgindamas bent už ko nors užsikabinti, ėmė klausinėti šalutinių dalykų.

— O kaip aš atrodžiau?

— Gerai, tačiau jūsų mintys skrajojo kažkur kitur. Atrodėte susirūpinęs. Supratau, kad dėl kažko nerimaujate. Mokslininkams tai įprasta. Per daug nesigilinau.

— Vilkėjau kaip paprastai?

— Tvido švarku.

— Rankose ką nors laikiau?

— Tik nedidelį lagaminėlį. A, ir aplanką.

Lukui net kvapą užėmė.

— Aplanką? — perklausė jis ir nurijo seilę.

Įsiterpė palydovė:

— Paskubėkit, daktare Lukasai.

Jis uždengė ragelį delnu ir paprašė:

— Dar minutėlę, labai prašau.

Tada vėl kreipėsi į Merigoldą:

— Koks nors ypatingas aplankas?

— Įprastas karinis aplankas, kartoninis, geltonas, pakankamai didelis, kad tilptų dokumentai.

— Gal numanai, kas jame galėjo būti?

— Panašu, kad dokumentai.

Lukas stengėsi suvaldyti padažnėjusį kvėpavimą.

— Kiek dokumentų? Vienas, dešimt, šimtas?

— Manau, koks 15–20.

— Gal atsitiktinai matei, kas juose buvo?

— Ne, sere, nebuvau jų ištraukusi.

— Ir su tuo aplanku nuvykau į oro uostą?

Kitame laido gale stojo tyla.

Palydovė vėl sugrįžo.

— Daktare Lukasai, jeigu tučtuojau nelipsite į lėktuvą, išskrisime be jūsų.

— Jau einu, einu.

Jis vėl bandė kartoti tą patį klausimą:

— Ar su tuo aplanku...

— Girdėjau, — pertraukė ji. — Mėginu prisiminti.

Jis iš nekantrumo kramtė sau lūpas.

— Neskubėk.

— Ar turėjote užsukdamas į namus, negaliu pasakyti.

— O oro uoste?

— Žinot, regis, ne. Mintyse prisimenu jus einant į vidų, vienoje rankoje lagaminėlis, kitoje... nieko.

— Esi tikra?

— Taip, dabar taip. Tikriausiai tą aplanką kažkur palikote — bazėje arba namie.

Luko galvoje mintis vijo mintį. Jautė, kad į Hantsvilį užsuko dėl to aplanko. Jame turėjo būti toji paslaptis, kurią jis sužinojo ir kurią Entonis siekė žūtbūt išlaikyti. Galimas daiktas, ten buvo dokumentų kopijos, ir jis atsargos dėlei jas paslėpė. Dėl to ir paprašė Merigoldos neprasitarti apie jo kelionę. Atrodo, perdėtas atsargumas, tačiau juk jis perėjo karą.

Vadinasi, jeigu surastų tą aplanką, paslaptis išaiškėtų.

Palydovė dingo, ir jis išvydo ją skubant į lėktuvą.

— Manau, tas aplankas gali būti labai svarbus, — tarė jis Merigoldai. — Gal pasižvalgytum pas save, gal jis pas tave?

— Viešpatie, daktare Lukasai, juk čia kariuomenė! Negi nežinot, kad pas mus tūkstančių tūkstančiai geltonų aplankų. Iš kur man žinoti, kurį jūs nešėtės?

— Tiesiog pasižvalgyk aplinkui — gal prisiminsi, kur jis galėtų būti. Atskridęs į Hantsvilį, vyksiu tiesiai namo ir ieškosiu ten. Jeigu nerasiu, atvažiuosiu į bazę.

Lukas pakabino ragelį ir nuskuodė į lėktuvą.

11 val.

Skrydžio planas sudaromas iš anksto. Skrydžio metu į kompiuterį siunčiami duomenys leidžia nenukrypti nuo kurso.

Karinėmis oro linijomis į Hantsvilį skrido vieni generolai. Redstouno Arsenale ne tik gaminamos raketos. Jame įsikūręs ir raketinių oro pajėgų štabas. Entonis, domėjęsis šiais dalykais, žinojo, kad šioje bazėje kuriama ir bandoma daugybė ginklų — nuo beisbolo lazdos dydžio Raudonosios Akies, skirtos pėstininkams numušinėti priešo lėktuvus, iki milžiniškos žemė–žemė raketos Patikimojo Džono. Taigi bazėje žėrėte žėrėjo gausybė antpečių žvaigždučių.

Entonis sėdėjo su tamsiais akiniais, slėpdamas dvi mėlynes paakiuose, kurias jam įstatė Bilė. Jo lūpa jau nustojo kraujavusi, o išlaužtas dantis matėsi tik kalbant. Nors ir aplamdytas, jautė pagyvėjimą: Lukas jau beveik jo rankose.

Gal nieko nelaukiant pasinaudoti pirma pasitaikiusia proga ir jį nugalabyti? Tai buvo labai masinantis sprendimas. Tačiau jį neramino, kokie bus Luko žingsniai Hantsvilyje. Reikia apsispręsti. Tačiau jau ištisas dvi paras nebuvo sudėjęs bluosto ir, vos tik sėdęs į lėktuvą, akimirksniu užmigo. Sapnavo, kad jam dvidešimt vieneri, ir Harvardo parke šviežiai sulapojusius medžius, ir visą prieš akis besidriekiantį gyvenimą, kupiną nuostabiausių galimybių. Pabudo, kai Pitas jam ėmė purtyti petį, nes lėktuvo durys jau buvo praviros ir pro jas traukė šiltas Alabamos vėjelis.

Hantsvilyje buvo ir civilinis oro uostas, tačiau jie nusileido kitur. Karinių oro linijų lėktuvas nutūpė pačioje Redstouno Arsenalo bazėje. Oro uosto terminalas buvo paprastas medinis barakas, o skrydžių valdymo centras — metalinis bokštelis.

Entonis, pėdindamas per išdžiūvusią žolę, papurtė galvą vaikydamas miegus. Jis nešėsi nedidelį lagaminėlį, kuriame buvo ginklas, netikri pasai ir 5000 dolerių grynaisiais — savotiška pirmosios pagalbos vaistinėlė, kuri visada būdavo po ranka keliaujant.

Adrenalinas jį tiesiog atgaivino. Netrukus nudės žmogų, pirmą sykį po karo. Net užimdavo kvapą apie tai pagalvojus. Kur tai geriausia padaryti? Galima Luko patykoti Hantsvilio oro uoste, pasekti įkandin ir kur nors pakeliui suvaryti kulką. Tačiau gali ir neišdegti. Pastebėjęs, kad yra sekamas, Lukas pasipustys padus. Jį ne taip paprasta sumedžioti. Gali ir vėl pasprukti, jeigu Entonis visko iki smulkmenų neapgalvos iš anksto.

Geriausia būtų išsiaiškinti, kur jis vyks, tuomet įsitaisyti ten ir surengti pasalą.

— Keliauju į bazę kai ko pasitikslinti, — tarė jis Pitui. — Tu važiuok į oro uostą ir stebėk. Jeigu pasirodys Lukas ar šiaip atsitiks kas nors netikėta, ieškok manęs ten, bazėje.

Prie trapo stovėjo jaunas leitenantas ir laikė lentelę „Misteris Kerolis". Entonis paspaudė jam ranką.

— Pulkininko Hikamo sveikinimai, sere, — lyg automatas išpyškino leitenantas. — Kaip buvote prašęs, atsiuntėme jums automobilį.

Jis mostelėjo į mėlyną fordą.

— Puiku, — padėkojo Entonis.

Prieš išvykdamas jis paskambino į bazę, apsimetė, kad yra siunčiamas CŽV direktoriaus Aleno Daleso, ir paprašė kariuomenę talkininkauti šioje gyvybiškai svarbioje misijoje, kurios detalės slaptos. Regis, jam pavyko — šis leitenantas degte dega noru kuo nors pasitarnauti.

— Pulkininkas Hikamas džiaugsis, jeigu pasitaikius progai užsuksite pas jį į štabą.

Leitenantas ištiesė Entoniui žemėlapį. Vos užmetęs akį Entonis išvydo, kad bazė tiesiog milžiniška. Ji driekėsi keliasdešimt kilometrų į pietus iki pat Tenesio upės.

— Štabas pažymėtas žemėlapyje, — tęsė jaunasis karininkas. — Mes gavome pranešimą, kuriame jūsų prašoma paskambinti misteriui Karlui Hobartui į Vašingtoną.

— Dėkoju, leitenante. Kur Klodo Lukaso kabinetas?

— Skaičiavimo centre. — Jis išsitraukė pieštuką ir pažymėjo vietą žemėlapyje. — Tačiau visi tenykščiai šią savaitę yra Kanaveralo kyšulyje.

— Ar daktaras Lukasas turi sekretorę?

— Taip — misis Merigolda Klark.

Galimas daiktas, ji ką nors žinos apie Luko ketinimus.

— Gerai. Leitenante, tai mano kolega Pitas Makselis. Jam reikia nukakti į civilinį oro uostą ir pasitikti vieną žmogų.

— Su malonumu jį ten nuvešiu, sere.

— Esu jums labai dėkingas. Jeigu jam prireiktų susisiekti su manimi bazėje, kaip geriausia būtų skambinti?

Leitenantas žvilgtelėjo į Pitą.

— Sere, visada galite palikti žinutę pulkininko Hikamo sekretoriate, o aš pasistengsiu perduoti ją misteriui Keroliui.

— Tinka, — tarė Entonis. — Pirmyn.

Jis įlipo į fordą, išstudijavo žemėlapį ir nuvažiavo. Ši bazė buvo tokia kaip ir visos karinės bazės. Tiesūs kaip styga keliai driekėsi per mišką, kai kur pakeičiamą plynių, nuskustų it naujoko galva. Pastatai — gelsvų plytų barakai plokščiais stogais. Kelią aiškiai nurodė tvarkingai sustatytos rodyklės, ir jis nesunkiai rado skaičiavimo centrą, T formos dviaukštį pastatą. Entonis stebėjosi, kam jiems reikia tiek erdvės, bet paskui sumojo, kad greičiausiai čia įrengtas galingas kompiuteris.

Jis įėjo į vidų. Kraštiniame kabinete stovėjo trys stalai su rašomosiomis mašinėlėmis. Du buvo tušti. Prie trečio pūpsojo pusamžė juodaodė ramunėmis išmarginta medvilnine suknele ir puošniais akinių rėmeliais.

— Laba diena, — pasisveikino jis.

Ji pakėlė galvą. Entonis nusiėmė tamsius akinius. Kai išvydo išgražintą jo veidą, moters akys išsiplėtė iš nuostabos.

— Sveiki. Kuo galėčiau padėti?

Nutaisęs rimtą veido išraišką, Entonis tarė:

— Ponia, ieškau žmonos, kuri manęs nemuštų.

Merigolda prapliupo kvatotis.

Entonis atsitraukė kėdę ir įsitaisė priešais ją.

— Aš iš pulkininko Hikamo štabo, — prisistatė jis. — Ieškau Merigoldos Klark. Kur ji?

— Tai aš.

— O ne, ne. Misis Klark yra subrendusi moteris, o jūs juk visai dar jauniklė.

— Liaukitės taukšti niekus, — atsiliepė ji, bet veide švietė šypsena.

— Daktaras Lukasas vyksta čia, ir spėju, kad tai jau žinote.

— Jis man šįryt skambino.

— Kada turėtų pasirodyti?

— Lėktuvas nusileidžia pusę trečios.

Tai pravers.

— Vadinasi, atvyks čia apie trečią?

— Nebūtinai.

Aha.

— Kodėl?

Ji pasakė tai, ko jam ir reikėjo:

— Daktaras Lukasas sakėsi pirma užsuksiąs namo, ir tik paskui vyks čia.

Geriau ir būti negalėjo. Entonis vos įstengė patikėti savo sėkme. Iš oro uosto Lukas keliaus tiesiai pas save. Entonis gali ten nukakti, palaukti ir jį nudėti, vos tasai įkels koją per slenkstį. Nebus jokių liudininkų. Su duslintuvu net šūvio niekas neišgirs. Entonis paliks kūną ten ir ramiai sau dings. Elspetė Floridoje, taigi lavoną aptiks tik po kelių dienų.

— Dėkoju, — tarė jis Merigoldai. — Malonu buvo su jumis susipažinti.

Jis skubiai pasišalino, kad ji nesuskubtų pasiteirauti, kas jis toks.

Sugrįžo į automobilį ir pasuko į štabą, ilgą triaukštį monolitą, kuris priminė kalėjimą. Susirado pulkininko Hikamo kabinetą. Pulkininko nebuvo, tačiau seržantas palydėjo jį prie telefono.

Jis paskambino į Q būstinę, bet ne savo viršininkui Karlui Hobartui, o Džordžui Kupermanui.

— Kas naujo, Džordžai? — pasiteiravo jis.

— Ar šiąnakt į ką nors šaudei? — sudžeržgė niauresnis nei įprastai Kupermano balsas.

Entonis nutaisė nutrūktgalviškai kietą kalbėseną, kurią Kupermanas mėgo.

— O, velnias, kas tau pasakė?

— Kažkoks pulkininkas iš Pentagono paskambino Tomui Eliui į valdybą, o Elis perdavė Hobartui, kurį iš laimės kone ištiko orgazmas.

— Įrodymų nėra, susirinkau tūteles.

— Tas pulkininkas sienoje aptiko devynių milimetrų skylę ir numano, kaip ji galėjo atsirasti. Ką nors užvertei?

— Deja, ne.

— Tu dabar Hantsvilyje, taip?

— Aha.

— Tučtuojau varyk atgal.

— Gerai, kad aš su tavimi nešnekėjau.

— Paklausyk, Entoni, aš tave visada kaip įmanydamas dengiu, nes tu gerai dirbi. Tačiau šįkart ilgiau tavęs ginti negaliu. Taigi veiki savo atsakomybe, bičiuli.

— Taip aš ir mėgstu veikti.

— Sėkmės.

Entonis padėjo ragelį ir kurį laiką sėdėjo spoksodamas į telefoną. Nėra ko gaišti. Jo laiko atsargos sparčiai senka. Ilgiau negali neklausyti įsakymų. Reikia viską kuo skubiausiai rišti.

Jis paskambino į Kanaveralo kyšulį ir paprašė pakviesti Elspetę.

— Ar tau skambino Lukas? — pasiteiravo jis.

— Kalbėjomės pusę septynių ryto.

Jos balsas virpėjo.

— Iš kur skambino?

— Nieko nesakė — nei kur yra, nei kur vyksta, nei ką ketina daryti, nes baiminosi, kad mano telefonas gali būti pasiklausomas. Tačiau tvirtino, kad amneziją jam sukėlei tu.

— Jis atvyksta į Hantsvilį. Aš dabar Redstouno bazėje. Keliauju į jūsų namus ir ten jo palauksiu. Kaip man ten švariai patekti?

Ji atsakė į klausimą klausimu:

— Tu tikrai nori jį apsaugoti?

— Žinoma.

— Jam nieko nenutiks?

— Iš kailio dėl to neriuosi.

Ji kiek patylėjo ir tarė:

— Galiniame kieme, po gėlių vazonu, rasi raktą.

— Dėkui.

— Pasirūpink Luku, gerai?

— Juk sakiau, kad stengiuosi kaip įmanydamas!

— Nešūkauk, — mestelėjo ji ryžtingai.

— Pasirūpinsiu juo, — užtikrino jis ir padėjo ragelį.

Jau stojosi eiti, kai telefonas suskambo. Kurį laiką svarstė, ar verta atsiliepti. Tai gali būti Hobartas. Tačiau jis juk nežino, kad Entonis pulkininko Hikamo kabinete. „Vienas Pitas tai žino", — pamanė jis.

Ir pakėlė ragelį.

Skambino Pitas.

— Čia daktarė Džozefson!

— Mėšlas.

Entonis buvo tikras, kad ji daugiau nesipainios po kojų.

— Atskrido lėktuvu?

— Aha, veikiausiai greitesnis reisas nei Luko. Sėdi terminale, atrodo lyg kažko lauktų.

— Jo, — nutarė Entonis. — Velniai ją rautų. Atvyko įspėti, jog mes čia. Iškrapštyk ją iš ten.

— Kaip?

— Man nerūpi — iškrapštyk ir viskas!

Vidurdienis

Explorer orbita eis 34-ąja paralele palei ekvatorių. Ji kirs Atlantą į pietryčius per pietinę Afriką, o toliau suks į šiaurės rytus skersai Indijos vandenyną, Indoneziją ir Ramųjį vandenyną.

Hantsvilio oro uostas buvo nedidukas, tačiau jame šurmuliavo daugybė keleivių. Vienintelėje laukimo salėje stovėjo šokoladukų pardavimo aparatas, dar keletas įvairiausių automatų ir telefono kabinų. Vos atvykusi Bilė išsiaiškino, kad Luko lėktuvas vėluos visą valandą ir nusileis penkiolika po trijų. Teks laukti tris valandas.

Ji nusipirko šokoladuką ir vaisvandenių. Savo lagaminėlį su koltu pasidėjo ant žemės ir, atsirėmusi į sieną, ėmė mąstyti. Kaip geriausia būtų viską sutvarkyti? Vos išvydusi Luką įspės, kad jo tykoma. Aišku, Lukas imsis atsargumo priemonių, tačiau juk jis negali pradėti slapstytis. Žūtbūt turi išsiaiškinti, ko jis čia lankėsi pirmadienį, ir dėl to privalės aplankyti ne vieną vietą. Teks rizikuoti. Ar ji galėtų kaip nors padėti jam apsisaugoti?

Jai taip sukant galvą, priėjo palydovė.

— Jūs daktarė Džozefson? — paklausė.

— Taip.

— Jums telefonograma.

Ir ištiesė Bilei voką.

Bilė suraukė kaktą. Kas galėtų žinoti, kad ji čia?

— Dėkoju, — sumurmėjo ir atplėšė voką.

— Nėra už ką. Jeigu reikėtų kokios pagalbos, prašom kreiptis, visada maloniai padėsime.

Bilė pakėlė galvą ir šyptelėjo. Buvo pamiršusi, kokie tie pietiečiai mandagūs.

— Būtinai, — tarė ji. — Jūs labai maloni.

Palydovė pasišalino, ir Bilė permetė akimis žinutę „Susisiekite su daktaru Lukasu Hantsvilio telefonu JE 6-4231".

Ji sutriko. Negi Lukas jau čia? Iš kur jis galėtų žinoti, kad atvyko ir ji?

Yra vienintelis būdas tai išsiaiškinti. Ji švystelėjo vaisvandenių butelaitį į šiukšliadėžę ir nuėjo prie taksofono.

Vos tik surinko numerį, ragelyje pasigirdo vyriškas balsas.

— Variklių bandymo laboratorija.

Gal Lukas iš tikrųjų jau Redstouno Arsenale? Kaip jam tai pavyko?

Ji paprašė:

— Malonėkite pakviesti daktarą Klodą Lukasą.

— Minutėlę.

Po kurio laiko tas pats balsas tarė:

— Daktaras Lukasas trumpam išėjęs. Ką jam perduoti?

— Čia daktarė Bala Džozefson, gavau žinutę paskambinti jam šiuo numeriu.

Vyriškas balsas akimirksniu pasikeitė.

— O, daktare Džozefson, kaip gerai, kad paskambinote! Daktaras Lukasas labai norėjo su jumis susisiekti.

— Nesuprantu, kaip jis galėjo mane aplenkti? Maniau, kad dar neatskrido.

— Kontržvalgyba pasitiko jį Norfolke ir atgabeno specialiu lėktuvu. Jis atvyko jau daugiau kaip prieš valandą.

Ji mintyse apsidžiaugė, kad jam niekas negresia, tačiau vis dar negalėjo tuo patikėti.

— Ką jis ten daro?

— Maniau, jūs žinote.

— Na, gal ir taip. Kaip jam sekasi?

— Puikiai, tačiau smulkiau negaliu pasakoti, ypač telefonu. Gal galėtumėte pas mus atvykti?

— Koks adresas?

— Laboratorija yra valanda kelio nuo miesto Šatanogos plente. Galėčiau pasiųsti automobilį, tačiau būtų greičiau paimti taksi ar išsinuomoti mašiną.

Bilė iš krepšio išsitraukė užrašų knygutę.

— Dar sykį adresą. — Prisiminė esanti pietietė ir pridūrė: — Prašyčiau.

13 val.

Pirmosios pakopos variklis turi būti akimirksniu išjungtas ir atkabintas, nes susilpnėjus traukai raketa nukryptų nuo kurso. Vos ėmus mažėti slėgiui variklyje, jis išjungiamas, ir po penkių sekundžių pirmoji ir antroji pakopos atsiskiria detonavus nedideliems užtaisams ir atsilaisvinus tarp pakopų įtaisytoms spyruoklėms. Spyruoklių stūmis padidina antrosios pakopos greitį iki 2,6 pėdos per sekundę ir užtikrina sklandų pakopų atsiskyrimą.

Entonis žinojo, kaip nukakti į Luko namus. Prieš kelerius metus buvo atvykęs čia pasisvečiuoti, kai Lukas su Elspete išsikėlė iš Pasadenos. Po penkiolikos minučių jau buvo vietoje. Jų namas stovėjo Ekou Hilo gatvėje, senų didelių namų kvartale, šiek tiek toliau nuo miesto centro. Entonis pastatė automobilį gretimoje gatvelėje, kad jis Lukui neišduotų neprašytų svečių.

Paskui sugrįžo prie namo. Atrodo, turėjo jaustis visiškai ramus ir užtikrintas. Jo rankose visi švietalai: netikėtumas, laikas pasirengti ir ginklas. Tačiau jį kamavo bloga nuojauta. Jau dusyk atrodė, kad Lukas jo rankose, o jis vis išslysdavo.

Vis dar neaišku, kodėl jis nutarė vykti į Hantsvilį, užuot sukęs į Kanaveralo kyšulį. Vadinasi, Entonis kažko nežino, ir nemalonios staigmenos gali užgriūti bet kurią akimirką.

Jų namas buvo statytas XIX a. pabaigoje, kolonijinio stiliaus, su kolonomis puošta veranda. Kaip kariuomenės mokslininkui jis per didelis, tačiau Lukas net nebandė apsimesti, kad gyvena tik iš atlyginimo. Entonis atidarė žemus vartelius ir įžengė į kiemą. Nesunkiai įsilaužtų vidun, tačiau to neprireiks. Apėjo namą iš kitos pusės. Šalia virtuvės durų stovėjo gėlių vazonas, o po juo gulėjo masyvus raktas.

Po akimirkos Entonis jau stovėjo viduje.

Namas iš išorės dvelkė jaukia senove, tačiau viduje buvo įrengtas šiuolaikiškai. Virtuvėje stovėjo visa naujausia buitinė technika. Name dar buvo milžiniškas šviesiai dažytas prieškambaris, svetainė su dideliu televizoriumi ir patefonu, valgomasis, apstatytas madingais baldais. Entoniui labiau patiko klasikinis stilius, tačiau negalėjo nepripažinti, kad namai įrengti labai stilingai.

Stovėdamas svetainėje ir apžiūrinėdamas rožinę sofą, prisiminė tą savaitgalį, kai čia svečiavosi. Nepraėjus nė valandai jam jau buvo kaip ant delno aišku, kad jų santuoka skeldėja. Elspetė flirtavo su visais iš eilės, buvo visa įsitempusi, o Lukas iš paskutiniųjų stengėsi pasirodyti esąs linksmas ir svetingas, nors tai jam buvo visiškai nebūdinga.

Šeštadienio vakare jie surengė pobūvį ir pasikvietė visą būrį jaunų Redstouno Arasenalo darbuotojų. Svetainė buvo sausakimša prastai apsitaisiusių mokslininkų, kurie be paliovos kalbėjo apie raketas, jaunesnieji karininkai svarstė savo paaukštinimo galimybes, o moteriškės plakė liežuviais bazės gandelius. Ant patefono sukosi nesibaigiančios, be galo tąsios džiazo melodijos, ir muzika tą vakarą skambėjo kažkaip graudžiai. Lukas su Elspete nusitašė — negirdėtas daiktas! — ir Elspetė laidė vis geidulingesnius žvilgsnius, o Lukas darėsi vis tylesnis ir tylesnis. Entoniui buvo skaudu stebėti tokius nelaimingus tuodu artimus jam žmones, ir tas savaitgalis paliko slogų įspūdį.

Ir štai ilga į kamuolį susivijusių jų visų likimų drama artėja prie neišvengiamos kulminacijos.

Entonis nutarė apieškoti namą. Net nežinojo, ko ieško. Tačiau gali užtikti ką nors tokio, kas leis suvokti, ko Lukas čia vyksta, ir numatyti galimus netikėtumus. Užsimovė virtuvėje rastas gumines pirštines. Čia vėliau sukinėsis žmogžudystę tiriantys detektyvai, todėl verčiau nepalikti pirštų atspaudų.

Pradėjo nuo darbo kabineto, nedidelio kambarėlio, apversto mokslo knygomis. Jis klestelėjo prie Luko rašomojo stalo, stovinčio priešais langą į galinį kiemą, ir ėmė atidarinėti stalčius.

Per dvi valandas išnaršė visą namą nuo rūsio iki palėpės. Ničnieko.

Išrausė visų Luko drabužių kišenes grūste prigrūstoje spintoje. Pervertė visas knygas, ieškodamas jose paslėptų dokumentų. Iškilnojo alaus skardines milžiniškame dvejų durų šaldytuve. Patraukė į garažą ir apšniukštinėjo naujutėlaitį juodą kraislerį — kaip rašo laikraščiai, greičiausią sedaną pasaulyje — nuo priekinių žibintų iki smailų galinių sparnų.

Šniukštinėdamas po namus, sužinojo kai kurių šeimos paslaptėlių. Elspetė dažėsi plaukus, gėrė migdomuosius ir vartojo vaistus nuo vidurių užkietėjimo. Lukas trinko galvą šampūnu nuo pleiskanų ir prenumeravo *Playboy*.

Ant stalelio prieškambaryje gulėjo pluoštas laiškų, greičiausiai paliktų ten tarnaitės. Entonis peržvelgė juos, tačiau neaptiko nieko ypatingo: skrajutės iš parduotuvių, *Newsweek*, atvirukas iš Havajų nuo Ronio ir Monikos, dalykiniai pranešimai iš įvairių kontorų.

Jo paieškos bergždžios. Taip ir neaišku, kokį šunį čia turi pakasęs Lukas.

Jis patraukė į svetainę. Susirado vietą, iš kurios galės matyti pro žaliuzes kiemą ir kartu pro atdaras duris — prieškambarį. Entonis įsitaisė ant rožinės sofos.

Išžvejojo iš kišenės pistoletą, patikrino, ar pilna apkaba ir prisuko duslintuvą.

Mintyse peržvelgė būsimus įvykius. Išvys, kaip privažiuoja Lukas, greičiausiai taksi. Paskui pereis kiemą, išsitrauks raktą ir atsirakins savo namų duris. Jis įžengs į prieškambarį, uždarys duris ir patrauks į virtuvę. Eidamas pro svetainę, užmes akį pro praviras duris ir išvys ant sofos Entonį. Jis nustėręs sustos ir prasižios ką nors sakyti. Veikiausiai ką nors panašaus į „Entoni? Kokį velnią?.." Tačiau jis nespės ištarti nė žodžio. Jo akys nukryps tiesiai į nutaikytą ginklą Entonio rankoje, ir jam dar spės galvoje praskrieti mintis, kas tuoj tuoj atsitiks.

Tada Entonis jį nušaus.

15 val.

Suspausto oro tūtos įrangos skyriuje leis išlaikyti pirmagaliui kryptį atvirame kosmose.

Bilė pasiklydo.

Tai suprato jau prieš pusvalandį. Išsinuomotu fordu išvykusi iš oro uosto porą minučių prieš vidurdienį, ji pasiekė Hantsvilio centrą, o paskui pasuko 59-uoju greitkeliu į Šatanogos pusę. Ji stebėjosi, kad Variklių bandymo laboratorija taip toli nuo bazės, ir spėjo, jog dėl saugumo — darant bandymus, gali įvykti sprogimas. Tačiau pernelyg sau dėl to galvos nesuko.

Pagal nurodymus ji turėjo nuvažiuoti lygiai 35 mylios nuo Hantsvilio užmiesčio keliu. Hantsvilio centre, Pagrindinėje gatvėje, ji nustatė savo kilometražo matuoklį ant 0, o dabar jis jau rodė 35 mylias, o reikiamo posūkio į dešinę nesimatė.

Šiek tiek sunerimusi ji dar kiek pavažiavo ir pasuko į artimiausią kelią už keleto kilometrų.

Jai labai tiksliai nurodė maršrutą, bet konkrečiame kelyje, kuriuo dabar važiavo, nesimatė nieko panašaus, ir Bilės susirūpinimas vis augo. Vis dėlto ji tęsė kelionę, pasirinkdama panašiausią variantą. Greičiausiai, pamanė Bilė, su ja kalbėjęs vyras pats iš tikrųjų nežinojo taip gerai kelio. Gaila, kad nepavyko susisiekti su pačiu Luku.

Kraštovaizdis pamažu darėsi visai laukinis — aplūžę ūkeliai, duobėti keliai ir išklypusios tvoros. Vis sunkiau sekėsi surasti kokį ženklą, primenantį nurodymus, kol galų gale ji tik bejėgiškai skėstelėjo rankomis ir pripažino, kad atsidūrė nežinia kur. Siuto ant savęs ir to kvailio, kuris nusakė jai kelią.

Apsisuko ir pamėgino grįžti atgal, tačiau netrukus vėl riedėjo kažkokiais nematytais keliais. Atrodė, tik suka kažkokį didžiulį ratą. Sustojo prie dirvono, kurį arė juodukas, dėvintis kombinezoną ir užsimaukšlinęs šiaudinę skrybėlę.

— Ieškau Redstouno Arsenalo Variklių bandymo laboratorijos, — kreipėsi ji.

Tasai išpūtė akis iš nuostabos.

— Karinės bazės? Gausite važiuoti į Hantsvilį ir pavažiuoti dar šiek tiek už jo į kitą pusę.

— Tačiau šioje pusėje yra kažkoks jų padalinys.

— Negirdėjau apie tokį.

Kažkokia velniava. Reikia paskambinti į laboratoriją ir pasitikslinti.

— Gal galėčiau iš jūsų paskambinti?

— Aš neturiu telefono.

Dar norėjo pasiteirauti, kur yra artimiausias taksofonas, tačiau pastebėjo baimingą vyro žvilgsnį. Ji sumetė, kad kelia jam nerimą: vienas vidury laukų su kažkokias nesąmones tauškiančia baltąja. Ji padėkojo ir nurūko.

Už keleto kilometrų privažiavo nedidukę krautuvėlę, kurioje buvo taksofonas. Sustojo prie jos. Krepšyje dar laiko žinutę nuo Luko su telefono numeriu. Įmetė dešimt centų ir surinko numerį.

Kažkas iš karto atsiliepė.

— Klausau, — pratarė jaunas balsas.

— Gal galėtumėte pakviesti daktarą Klodą Lukasą?

— Brangute, supainiojote numerį.

„Velnias, negi net numerio tinkamai nesugebu surinkti?", — pamanė.

— Hantsvilis JE 6-4231?

Atsakymas pasigirdo ne iškart.

— Aha, taip parašyta ant aparato.

Bilė dar sykį dirstelėjo į skaičius žinutėje. Ji neapsiriko.

— Skambinu į Variklių laboratoriją.

— Na, paskambinot į taksofoną Hantsvilio oro uoste.

— *Taksofoną?*

— Taip, ponia.

Bilei staiga toptelėjo, kad ją apvyniojo apie pirštą. O vyrukas kalbėjo toliau:

— Kaip tik norėjau skambinti mamai, kad atvyktų manęs pasiimti, ir pakėlęs ragelį išgirstu jus prašant pakviesti kažkokį Klodą.

— Mėšlas! — susikeikė Bilė.

Ji nutrenkė ragelį siusdama, kad buvo tokia patikli.

Luko niekas nepasitiko Norfolke ir neatskraidino jokiu kariniu lėktuvu, ir jo nė kvapo nėra Variklių bandymo laboratorijoje. Visa istorija sukurpta tiktai jai nuvilioti — ir jiems pavyko. Bilė dirstelėjo į laikrodį. Lukas jau turėtų būti nusileidęs. Entonis jo sau ramiausiai tyko, o iš jos dabar nėra jokios naudos.

Jai suspaudė širdį — gal Luko jau nebėra tarp gyvųjų.

Jeigu vis dar tebegyvas, galimas daiktas, kaip nors įmanoma jį perspėti. Per vėlu palikti žinutę oro uoste, tačiau turėtų būti kas nors, kam galima būtų paskambinti. Ji ėmė sukti galvą, bandydama prisiminti. Lukas turi sekretorę bazėje, jos vardas panašus į gėlės pavadinimą...

Merigolda.

Ji susisiekė su Redstouno Arsenalu ir paprašė pakviesti daktaro Lukaso sekretorę. Ragelyje pasigirdo moters balsas su vos juntamu pietietišku akcentu.

— Skaičiavimo centras, kuo galiu padėti?

— Jūs — Merigolda?

— Taip.

— Aš daktarė Džozefson, daktaro Lukaso draugė.

— Klausau jūsų. — Jos balse suskambo įtarumo gaidelės.

Reikia pelnyti moters pasitikėjimą.

— Regis, esu jums skambinusi ir anksčiau. Mano vardas Bilė.

— A, tikrai, pamenu. Kaip sekasi?

— Nerimauju dėl Lukaso. Reikia kuo skubiausiai perduoti jam vieną žinią. Gal jis kur nors netoliese?

— Ne, ponia. Nuvyko pas save į namus.

— Ko?

— Ieškos aplanko.

— Aplanko? — Bilė išsyk sumetė, kad tai svarbu. — Greičiausiai to, kurį ten paliko pirmadienį?

— To negaliu pasakyti, — atsakė Merigolda.

Aišku, Lukas liepė Merigoldai apie tą pirmadienį niekam neprasitarti. Tačiau dabar tai nebesvarbu.

— Jeigu pamatysite Luką arba jis paskambins, gal galėtumėte perduoti žinutę nuo manęs?

— Žinoma.

— Pasakykit, kad Entonis čia.

— Ir viskas?

— Jis supras. Merigolda... Nežinau, kaip jums paaiškinti, nes pamanysite, kad man galvoj negerai, tačiau privalau tai pasakyti. Lukasui gresia didelis pavojus.

— Nuo to Entonio?

— Taip. Tikite manimi?

— Esu mačiusi ne tokių dalykų. Ar tai susiję su dingusia atmintimi?

— Taip. Jeigu perduosite jam tą žinią, išgelbėsit gyvybę. Aš rimtai.

— Pasistengsiu, daktare.

— Dėkui.

Bilė pakabino ragelį.

Kam Lukas dar galėjo skambinti?

„Elspetei", — toptelėjo jai.

Bilė paskambino operatoriui ir paprašė sujungti su Kanaveralo kyšuliu.

15 val. 45 min.

Nukritus išdegusiai pirmajai pakopai, raketa ims skrieti beore erdve, o kontrolės sistema pakreips ją horizontaliai žemės paviršiui.

Kanaveralo kyšulyje visų nuotaika buvo prasta. Pentagonas paskelbė didesnį saugumą. Atvykę ryte į darbą ir nekantraudami imtis paskutinių patikrinimų prieš paleidžiant raketą, visi buvo priversti laukti eilėje prie įvažiavimo. Kai kas jau tris valandas stovėjo Floridos saulėje. Degalai bakuose jau beveik baigėsi, radiatoriuose užvirė vanduo, oro kondicionieriai užstrigo, perkaitę varikliai springo. Kiekvieną automobilį išnaršydavo — pakeldavo kapotą, iš bagažinės ištraukdavo atsarginius ratus. Kilo erzelis atidarinėjant visus krepšius, atvyniojant susuktus priešpiečių ryšulėlius ir visų moterų rankinių turinį pilant ant stalo ir pulkininko Haido vyrams rausiantis po lūpdažius, meilės laiškelius ir tamponus.

Tačiau tai buvo ne viskas. Kai pasiekė savo laboratorijas, kabinetus ir dirbtuves, visus vėl trukdė vyrų būreliai, besirausiantys po stalčius ir bylų saugyklas, landžiojo prie oscilografų ir vakuumo talpų.

— Mes čia bandome paleisti sumautą raketą, — visi tik kartojo ir kartojo, tačiau apsaugininkai tik sukąsdavo dantis ir toliau darė savo. Nepaisant trukdymų, paleidimas buvo numatytas 22.30.

Elspetė džiaugėsi visuotine sumaištimi. Niekas nepastebės, jog ji pernelyg išsiblaškiusi, kad galėtų imtis darbo. Ji privėlė klaidų tvarkaraščiuose ir vėlavo juos išdalyti, tačiau Viliui Fredriksonui dabar ne tai buvo galvoje. Nebežinojo, kur Lukas, ir abejojo, ar galima visiškai pasitikėti Entoniu.

Kai ant Elspetės stalo kelios minutės prieš keturias sučirškė telefonas, jai pasirodė, kad sustos širdis.

Ji raute išrovė ragelį:

— Klausau?

— Čia Bilė.

— Bilė? — Elspetė nustebo. — Iš kur skambini?

— Iš Hantsvilio, mėginu susisiekti su Luku.

— Ką jis ten daro?

— Ieško aplanko, kurį paliko pirmadienį.

Elspetė net išsižiojo iš nuostabos.

— Pirmadienį jis buvo Hantsvilyje? Nežinojau.

— Niekas nežinojo, išskyrus Merigoldą. Elspete, gal tu numanai, kas dedasi?

Ji gaižiai nusijuokė:

— Maniau, kad žinau... Bet dabar jau nebe.

— Regis, Lukui gresia pavojus.

— Kodėl taip manai?

— Vakar Vašingtone Entonis mėgino jį nušauti.

Elspetei net šiurpuliai perbėgo per nugarą.

— Dieve mano.

— Ilgai tektų pasakoti. Jeigu Lukas tau paskambins, gal perduosi, kad Entonis Hantsvilyje?

Elspetė neįstengė atsitokėti.

— E... Be abejo, žinoma, perduosiu.

— Tai išgelbėtų jam gyvybę.

— Supratau. Bile... Yra dar kai kas.

— Na?

— Pasirūpink Luku, gerai?

Stojo tyla.

— Ką tuo nori pasakyti? — nesuprato Bilė. — Skamba taip, lyg gulėtum mirties patale.

Elspetė neatsiliepė. Ji po akimirkos padėjo ragelį.

Jai gerklėje pakilo šiltas kamuolys. Iš paskutiniųjų stengėsi nepravirkti. „Verkdama niekam nepadėsi", — sudraudė save mintyse. Galiausiai suėmė save į rankas.

Paskambino į savo namus Hantsvilyje.

16 val.

Explorer elipsinė orbita ištįs per 1800 ir 187 mylias nuo Žemės. Palydovas orbita skries 18 000 mylių per valandą greičiu.

Entonis išgirdo privažiuojančio automobilio ūžesį. Jis dirstelėjo pro langą ir išvydo prie šaligatvio sustojusį taksi. Entonis nuleido pistoleto saugiklį. Burna išdžiūvo.

Suskambo telefonas.

Šis stovėjo ant trikampio stalelio prie sofos. Entonis išsigandęs į jį įsispitrijo. Antras čirkštelėjimas. Entonis sustingo, nesumesdamas, kaip elgtis. Vėl žvilgtelėjo pro langą ir išvydo iš taksi išlipantį Luką. Šis skambutis gali būti atsitiktinis, arba kas nors supainiojo numerį. Tačiau tai gali būti ir gyvybiškai svarbi žinia.

Jis apmirė. Vienu metu kalbėtis telefonu ir šaudyti negalės.

Telefonas subirbė dar sykį. Karštligiškai čiupo ragelį:

— Klausau.

— Čia Elspetė.

— Kas? Kas?

Jos balsas buvo žemas ir įsitempęs.

— Jis atvyko aplanko, kurį paslėpė pirmadienį.

Entonis akimirksniu viską suprato. Lukas pasidarė dvi brėžinių, kuriuos Entonis aptiko sekmadienį, kopijas. Vieną šūsnį atsivežė į Vašingtoną, ketindamas nugabenti juos į Pentagoną, tačiau Entonis jam užkirto kelią, ir dabar tos kopijos pas Entonį. Deja, jis nenumatė, kad gali būti ir antra šūsnis, kažkur dėl viso pikto paslėpta. Jis pamiršo, kad Lukas — pogrindžio veteranas, be galo atsargus.

— Kas dar tai žino?

— Jo sekretorė, Merigolda. Ir Bilė Džozefson — ji man pranešė. Gali būti ir dar kas nors.

Lukas mokėjo vairuotojui. Entoniui reikėjo skubiai apsispręsti.

— Žūtbūt reikia gauti tą aplanką, — tarė jis Elspetei.

— Aš irgi taip manau.

— Jo čia nėra, apieškojau visą namą.

— Tada turėtų būti bazėje.

— Paseksiu jį, kol ištrauks tą aplanką.

Lukas priėjo prie laukujų durų.

— Lekiu, — mestelėjo Entonis ir nutėškė ragelį.

Bėgdamas per prieškambarį į virtuvę, girdėjo, kaip spynoje trekšteli Luko raktas. Entonis išnėrė pro galines duris ir tylutėliai jas uždarė. Iš išorės spynoje kyšojo paliktas raktas. Tyliai jį pasuko, pasilenkė ir švystelėjo po vazonu.

Parpuolė ant pilvo ir nušliaužė palei verandą kuo labiau prisiplojęs prie žemės. Taip pasiekė namo kampą. Nuo čia iki gatvės nėra jokios priedangos. Teks rizikuoti.

Parankiausia prašokti į gatvę dabar, kai Lukas stato lagaminą ant grindų ir nusivilkęs kabina savo apsiaustą. Dabar neturėtų dairytis pro langus.

Sukandęs dantis, Entonis šoko į priekį.

Jis tekinas pasiekė vartus, atsispirdamas pagundai dirstelėti per petį, bet kurią akimirką laukdamas pasigirstant Luko šūksnio: „Ei! Stok! Stok arba šausiu".

Nieko nepasigirdo.

Jis išlėkė į gatvę ir pasišalino.

16 val. 30 min.

Palydove įtaisyti du mažučiai radijo siųstuvai, kuriuos maitina ne didesnės nei įprastos „Merkurio" baterijos. Kiekvienas imtuvas turi keturis telemetrijos kanalus.

Svetainėje ant televizoriaus, šalia bambuko šviestuvo, įrėminta kabojo spalvota nuotrauka. Joje matėsi kerinčiai žavi raudonplaukė dramblio kaulo spalvos vestuvine suknele. Šalia išeiginiu kostiumu ir geltona liemene puikavosi Lukas.

Jis įsižiūrėjo į Elspetę nuotraukoje. Ji galėjo tapti kokia kino žvaigžde. Aukšta, grakšti, akį prikaustančios figūros. Laimingas vyras, pamanė jis, vedęs tokią moterį.

Namas jam ne itin patiko. Veranda, apie kurios kolonas vijosi glicinija, kai pirmąkart išvydo, džiugino akį. Tačiau viduje kyšojo tik statūs kampai, blizgantys paviršiai ir rėkė ryškios spalvos. Visur nepakeliamai tvarkinga. Staiga Lukui toptelėjo, kad jam patiktų gyventi namuose, kur ant lentynų bet kaip sugrūstos gulėtų knygos, prieškambaryje po kojomis painiotųsi snūduriuojantis šuo, ant pianino šviestų apskritos dėmės nuo kavos puodelių, o priešais garažą gulėtų numestas triratukas, kliudantis įvaryti automobilį.

Bet name vaikų nebuvo. Kaip ir šunų. Visur akį rėžianti sustingusi tvarka. Tarsi iš moteriško žurnalo viršelio ar muilo operos. Kilo įspūdis, kad tarp šių dekoracijų pasirodantys žmonės yra aktoriai.

Jis ėmė ieškoti. Gelsvą kariuomenės aplanką neturėtų būti keblu surasti, nebent būtų išėmęs popierius, o aplanką išmetęs. Prisėdo prie stalo kabinete — *savo* kabinete — ir peržvelgė stalčius. Neaptiko nieko ypatingo.

Užlipo laiptais į viršų.

Keletą sekundžių stovėjo ir žvelgė į dvigulę lovą mėlynomis pagalvėmis, uždengtą geltona antklode. Sunku patikėti, kad miega su ta nuostabia būtybe iš vestuvinės fotografijos.

Pravėrė spintos duris ir maloniai nustebo, išvydęs gausybę įvairiausių spalvų kostiumų, megztinių, švarkų, marškinių ir ant lentynėlės išrikiuotų blizgančių batų virtinę. Vaikšto vogtu kostiumu jau daugiau kaip parą, todėl knietėjo sugaišti papildomas penkias minutes — nusiprausti ir persirengti savais drabužiais. Tačiau jis atsispyrė pagundai. Nėra kada.

Jis nuodugniai apieškojo visą namą. Vos kur užmetęs akį, sužinodavo naujų dalykų apie save ir savo žmoną. Jiedu mėgo klausytis Gleno Milerio ir Frenko Sinatros, skaityti Hemingvėjų ir Skotą Ficdžeraldą, gerti *Dewar's* viskį ir valytis dantis *Colgate*. Elspetė išleisdavo krūvas pinigų prašmatniems apatiniams, pamatė jis, išnaršęs jos spintą. Pats greičiausiai be galo mėgo ledus, nes šaldytuvas buvo jų grūste prigrūstas, o Elspetės korsažas buvo toks siauras, kad ji, ko gero, apskritai beveik nieko nevalgė.

Galų gale jis nuleido rankas.

Virtuvės stalčiuke aptiko raktus nuo garaže stovinčio kraislerio. Nuvažiuos į bazę ir apieškos ten.

Prieš išvykdamas, prieškambaryje pervertė pašto šūsnį. Vien sąskaitos ir panašūs dalykai. Karštligiškai mėgindamas už ko nors užsikabinti, ėmė atplėšinėti laiškus ir juos skaityti.

Vienas buvo nuo daktarės iš Atlantos.

Brangioji misis Lukas,

Po eilinės Jūsų apžiūros atliktų kraujo bandinių rezultatai normalūs.

Tačiau...

Lukas liovėsi skaitęs. Pajuto, kad jam nemalonu skaityti svetimus laiškus. Kita vertus, juk ji — jo žmona, ir tas žodelis „tačiau" skamba grėsmingai.

Jis vėl įniko į laišką.

Tačiau Jūsų svoris mažesnis už normą, kamuojatės nuo nemigos ir, prieš mums susitinkant, akivaizdžiai verkėte, nors tvirtinote, kad viskas kuo puikiausia. Tai depresijos simptomai.

Lukas suraukė kaktą. Skamba rimtai. Dėl ko jai ta depresija? Tada jis turbūt nekoks vyras?

Depresiją gali sukelti organizmo pokyčiai, neišspręsti psichiniai keblumai, pavyzdžiui, šeimos nesutarimai arba vaikystės trauma, tarkim, ankstyva vieno iš tėvų netektis. Gydymas galimas antidepresantais ir/arba psichoterapija.

Toliau dar blogiau. Gal Elspetė turi psichikos sutrikimų?

Jūsų atveju neabejoju, kad tai susiję su 1954 m. atlikta valomąja intervencija.

Kas ta *valomoji intervencija*? Lukas patraukė į kabinetą, įsijungė stalinę lempą, iš lentynos išsitraukė *Namų gydytojo enciklopediją* ir ėmė sklaidyti. Atsakymas jį pribloškė. Tai visuotinai taikomas moterų, nenorinčių susilaukti vaikų, sterilizacijos metodas.

Jis net atsisėdo ir padėjo enciklopediją ant stalo. Kai skaitė operacijos aprašymą, jam dingtelėjo, kad būtent tai moterys turėdavo galvoje, kai kalbėdavo apie išvalymą.

Prisiminė savo rytinį pokalbį su Elspete. Jis klausinėjo, kodėl jie negali turėti vaikų. Ji atsakė: „Neaišku. Praeitais metais lankeisi pas vaisingumo specialistą, tačiau jis nieko nenustatė. Prieš keletą savaičių lankiausi pas ginekologę Atlantoje. Atliko keletą tyrimų. Laukiam atsakymų".

Vadinasi, visa tai buvo melas. Ji kuo puikiausiai žinojo, kodėl jie negali turėti vaikų — ji sterilizuota.

Ji iš tikrųjų lankėsi pas daktarą Atlantoje, tačiau ne dėl vaisingumo tyrimų — tai tiesiog paprasčiausia apžiūra.

Lukui net širdį sugėlė. Kokia siaubinga apgavystė! Kodėl ji melavo? Jis ėmė skaityti toliau.

Ši procedūra gali sukelti depresiją bet kuriuo amžiaus tarpsniu, tačiau Jūsų atveju, atlikta šešios savaitės iki vestuvių...

Lukas stovėjo it gavęs kuolu per galvą. Čia kažkokia klaiki paslaptis. Elspetė rezgė klastą dar prieš pat vestuves.

Kaip ji tai užglaistė? Aišku, jis neprisimena, tačiau maždaug aišku. Galėjo jam pasakyti, kad tai nedidelė operacija. Arba miglotai užsiminti ką nors apie „moteriškus reikalus".

Jis perskaitė pastraipą iki galo.

Ši procedūra gali sukelti depresiją bet kuriuo amžiaus tarpsniu, tačiau Jūsų atveju, atlikta šešios savaitės iki vestuvių, žadėjo beveik neišvengiamų padarinių, todėl turėjote reguliariai lankytis pas gydytoją.

Luko įniršis atlėgo dingtelėjus, kaip kankintis turėjo pati Elspetė. Jis dar sykį perskaitė eilutes: „Tačiau Jūsų svoris mažesnis už normą, kamuojatės nuo nemigos ir, prieš mums susitinkant, akivaizdžiai verkėte, nors tvirtinate, kad viskas kuo puikiausia". Ji kankinasi savo asmeniniame pragarėlyje.

Nors jos ir pagailo, tačiau jų vedybos vis tiek tėra didelis melas. Lukui šmėkštelėjo mintis, kad šiuose namuose, kuriuos jis ką tik apžiūrėjo, jaučiasi kaip svečiuose. Jautėsi jaukiai tik nedideliame savo darbo kabinete, pajuto pažįstamą erdvę pravėręs savo spintą, tačiau visas kitas šeimyninio lizdo vaizdelis buvo svetimas. Jam mažiausiai rūpėjo virtuvės įranga ir ultrašiuolaikiški baldai. Jam labiau prie širdies būtų seni kilimai ir iš kartos į kartą perduodami baldai. Bet visų labiausia jis troško vaikų, o kaip tik juos ji tyčia iš jo slapčiomis ir pavogė. Ir pūtė miglą į akis visus tuos ketverius metus.

Jis neįstengė atgauti žado. Sėdėjo prie savo stalo ir spoksojo pro langą, kaip dienai lėtai krypstant vakarop tįsta medžių šešėliai. Kaip nusirito jo gyvenimas? Jis mintyse perkratė visa tai, ką per pastarąsias trisdešimt šešias valandas sulesiojo apie save iš Elspetės, Bilės, Entonio ir Bernio. Ar ritosi žemyn palengva, nepastebimai, kaip vaikas, nejučia tolstantis nuo namų? O gal buvo koks lūžis, lemtingas sprendimas, kai pasirinko ne tą kryptį? Gal jis silpnavalis, nuklydęs į šalikelę dėl to, kad pats nežino ko nori? Gal tai kokia nelemta jo būdo yda?

„Visiškai nepažįstu žmonių", — pamanė jis. Toliau bičiuliavosi su Entoniu, o šis užsimojo jį nugalabyti, tačiau nutraukė ryšius su Berniu, patikimu bičiuliu. Kivirčijosi su Bile ir vedė Elspetę, bet Bilė viską metusi skuba į pagalbą, o Elspetė audžia klastas.

Didelis naktinis drugys, bambtelėjęs į langą, tarsi pažadino Luką iš snaudulio. Jis dirstelėjo į laikrodį ir nustėro išvydęs, kad jau po septynių.

Jeigu nori prisikasti iki savo paslapties, turi pradėti nuo dingusio aplanko. Jo čia nėra, vadinasi, turėtų būti Redstouno Arsenale. Jis užgesins šviesas, užrakins namą ir juoduoju kraisleriu lėks į bazę.

Laiko liko nedaug. Paleisti raketą numatyta 22.30. Liko trys valandos išsiaiškinti, ar kas nors tikrai kėsinasi pakišti tam koją. Tačiau ir toliau sėdėjo savo kėdėje ir nieko neregінčiomis akimis žvelgė pro langą į temstantį sodą.

19 val. 30 min.

Vienas radijo siųstuvas yra galingas, tačiau veiks neilgai — dvi savaites. Silpnesnis savo signalą siųs du mėnesius.

Kai Bilė privažiavo Luko namus, languose nesimatė nė šviesełės. Ką tai galėtų reikšti? Yra trys galimybės: pirma, namas tuščias; antra, patamsyje tūno Entonis ir tyko nudėti Luką; trečia, Lukas negyvas tyso ant grindų kraujo klane. Netikrumas tiesiog varė iš proto.

Ji klaikiai susimovė. Prieš keletą valandų galėjo perspėti Luką ir jį išgelbėti, tačiau leidosi lengvai apvyniojama apie pirštą. Kol parsirado į Hantsvilį ir susirado Luko namus, sugaišo marias laiko. Nebuvo tikra, ar bent viena jos palikta įspėjanti žinia jį pasiekė. Niršo ant savęs bijodama, kad dėl jos žioplumo galėjo žūti Lukas.

Pasuko už artimiausio kampo ir sustojo. Porą sykių giliai įkvėpė, stengdamasi nusiraminti. Reikia išsiaiškinti, ar viduje kas yra. O jeigu ten tyko Entonis? Gal įsmukti patylomis ir užklupti jį netikėtai? Tačiau tai per daug pavojinga. Verčiau nebaidyti vyro su ginklu rankoje. Galima paprasčiausiai prieiti prie durų ir paskambinti. Ar jis ją šaltakraujiškai nudėtų — vien už tai, kad pasipainiojo ne laiku ir ne vietoje? Visai galimas daiktas. O jai nevalia stačia galva mestis į pavojų — juk turi sūnų.

Šalia jos gulėjo lagaminėlis. Atvožė jį ir išsitraukė koltą. Tamsus šaltas plienas nemaloniai nutvoskė delną šalčiu. Vyrai, su kuriais veikė per karą, mėgdavo laikyti ginklus. Vyrui teikia malonumo uždėti pirštą ant gaiduko, pasukti revolverio būgną, atremti šautuvo buožę į petį. Ji nieko panašaus nejausdavo. Jai ginklai — tik žiaurūs ir negailestingi įrankiai, sukurti išdraskyti ir ištaškyti gyvų, kvėpuojančių žmonių kūnus. Nuo jų net oda eidavo pagaugais.

Su pistoletu sterblėje ji apsuko automobilį ir pririedėjo prie Luko namo.

Sustojo, atlapojo dureles, pasičiupo ginklą ir iššoko lauk. Jeigu kas glaudėsi viduje, nebūtų spėjęs susigaudyti, kol ji peršoko neaukštą tvorelę, perlėkė kiemą ir prisiglaudė prie sienos.

Viduje tylu — nė krebžt.

Ji apibėgo namą iš užpakalio, pasilenkusi praslinko pro duris ir pro langą dirstelėjo vidun. Gatvės žibinto šviesoje matėsi, kad tai paprastai suveriamas langas, užšautas skląsčiu. Kambaryje nesimatė nė gyvos dvasios. Pistoleto rankena iškūlė stiklą ir įsitempusi laukė šūvio tiesiai į save. Nieko. Įkišo ranką vidun, atšovė skląstį ir pravėrė langą. Įsliuogė vidun ir, gniauždama pistoletą dešinėje rankoje, prisiplojo prie sienos. Patamsyje matėsi kėdžių, stalo ir knygų lentynų kontūrai. Ji nedideliame kabinete. Nuojauta kuždėjo, kad name ji viena. Tačiau bijojo tamsoje užkliūti už negyvo kūno.

Ant pirštų galiukų nutykino per kabinetą ir užčiuopė praviras duris. Apsipratusios su tamsa akys jau matė, kad prieškambaris tuščias. Atsargiai išslinko iš kabineto, atstačiusi pistoletą priešais save. Aklino prieblandoje, drebėdama iš baimės bet kurią akimirką ant grindų išvysti Luko kūną. Tačiau visur buvo tuščia.

Apėjusi visą namą, sustojo didžiajame miegamajame, ir įsistebeilijo į dvigulę lovą, kurioje Lukas miegodavo su Elspete. Svarstė, ką daryti toliau. Vos neapsiverkė iš džiaugsmo neradusi negyvo Luko. Tačiau kur jis? Gal persigalvojo ir nutarė čia nevykti? O gal kūnas kur išgabentas? Entoniui galėjo ir nepavykti suvaryti jam kulkos. Arba Luką pasiekė kuris nors jos paliktas įspėjimas.

Vienintelis žmogus, galintis ką nors žinoti, yra Merigolda.

Bilė nužingsniavo į Luko kabinetą ir uždegė šviesą. Ant stalo gulėjo medicinos enciklopedija, atversta ties straipsneliu apie moterų sterilizavimą. Bilė nustebusi suraukė kaktą, tačiau neturėjo kada apie tai galvoti. Ji paskambino į informaciją ir pasiteiravo Merigoldos Klark telefono numerio. Jai nurodė namų telefoną.

Atsiliepė vyras.

— Ji choro repeticijoje, — paaiškino jis. Bilė spėjo, kad tai Merigoldos vyras. — Misis Lukas išvykusi į Floridą, taigi Merigolda vadovauja chorui, kol ji grįš.

Bilė prisiminė, kad Elspetė vadovavo Redklifo chorui, o vėliau — juodukų orkestrui Vašingtone. Greičiausiai panašia veikla užsiima ir Hantsvilyje, o Merigolda — jos dešinioji ranka.

— Man žūtbūt reikia susisiekti su Merigolda, — tarė Bilė. — Gal nieko tokio, jeigu minutėlę atitrauksiu nuo repeticijos?

— Na, tikrai nieko tokio. Jie renkasi Kalvario bažnyčioje Milio gatvėje.

— Labai jums dėkoju.

Bilė nuėjo prie savo automobilio. Žemėlapyje susiieškojo Milio gatvę ir pasuko ten link. Bažnyčia iš tolo švietė skurdžiame rajone. Vos atidariusi automobilio dureles, išgirdo giedantį chorą. Kai įžengė į bažnyčią, į ją siūbtelėjo muzika. Giedotojai stovėjo kitame bažnyčios gale. Iš viso koks trisdešimt vyrų ir moterų, tačiau jie plėšė tarsi būtų visas šimtas. Liejosi himnas „Čia visiems gera — o! Šlovė, aleliuja!" Jie plojo delnais, lingavo ir giedojo. Šalia taktą beldė pianistas, o nugara į Bilę stovinti stambi moteris energingais mostais dirigavo.

Vietoje klauptų tvarkingai išrikiuotos stovėjo medinės sulankstomosios kėdės. Ji atsisėdo prie durų — vienintelė baltoji visoje bažnyčioje. Nors buvo apimta rūpesčio, tačiau muzika suvirpino giliausias jos sielos stygas. Ji užaugo Teksase, ir šios melodijos priminė tikrą Pietų dvasią.

Nekantravo paklausinėti Merigoldos, bet verčiau jau parodyti pagarbą ir sulaukti giesmės pabaigos.

Nugriaudėjo baigiamoji aukšta nata, ir dirigentė ėmė dairytis.

— Nesuprantu, kodėl išsiblaškėte, — mestelėjo ji choristams. — Šiek tiek atsipūskit.

Bilė prisiartino prie šoninės navos.

— Dovanokite už sutrukdymą, — kreipėsi ji. — Jūs Merigolda Klark?

— Taip, — nepatikliai atsiliepė ji.

Tai buvo pusamžė moteriškė, pasipuošusi egzotiškais ornamentais išraitytais akiniais.

— Jūsų nepažįstu.

— Jums prieš tai skambinau, aš — Bilė Džozefson.

— O, sveika, daktare Džozefson.

Jiedvi paėjėjo šiek tiek atokiau. Bilė pasiteiravo:

— Gal jums skambino Lukas?

— Paskutinį sykį ryte. Laukiau jo popiet pasirodant bazėje, tačiau neatvyko. Ar jam nieko nenutiko?

— Nežinau. Buvau jo namuose, tačiau ten neradau nė gyvos dvasios. Baiminuosi, kad gali būti jau negyvas.

Merigolda, negalėdama patikėti savo ausimis, tik papurtė galvą:

— Dirbu čia jau dvidešimtį metų, tačiau nieko panašaus neteko patirti.

— Jeigu ir gyvas, jam tebegresia rimtas pavojus, — pasakė Bilė ir pažvelgė Merigoldai tiesiai į akis. — Patikėkite.

Merigolda ilgai tylėjo ir galop pratarė:

— Tikiu jumis, ponia.

— Tuomet turite man padėti, — paprašė Bilė.

21 val. 30 min.

Galingesniojo siųstuvo signalą gali pagauti bet kuris radijo mėgėjas, o silpnesnysis girdimas tik specialiose radijo stotyse.

Entonis sėdėjo patamsyje forde prie Redstouno Arsenalo ir nekantraudamas stebėjo skaičiavimo centro įėjimą. Automobilis stovėjo aikštelėje už kokio šimto metrų nuo pastato.

Lukas centre dabar ieško to aplanko. Entonis žinojo, kad čia jo neras, kaip ir name, nes pats jau buvo viską išnaršęs. Lieka tik laukti, kol Lukas patrauks dar kur nors, ir pamėginti jį pasekti.

Laikas dabar dirba Entonio naudai. Kiekviena papildomai sugaišta minutė daro Luką jau ne tokį pavojingą. Raketą paleis jau po valandos. Ar gali Lukas per tą valandą viską sužlugdyti? Per pastarąsias dvi paras jis įrodė, kad jo nuvertinti nevalia.

Jam taip svarstant, centro durys prasivėrė, ir pro jas išėjusi figūra prisiartino prie kraislerio. Kaip Entonis ir tikėjosi, Lukas išėjo tuščiomis rankomis. Jis įsėdo į automobilį ir nuvažiavo.

Entoniui ėmė daužytis širdis. Jis užvedė variklį, išjungė šviesas ir pajudėjo iš paskos.

Kelias nosies tiesumu vedė į pietus. Už kokios mylios Lukas pristabdė prie ilgo vienaaukščio pastato ir įsuko į stovėjimo aikštelę. Entonis pralėkė pro šalį ir nurūko tolyn į tamsą. Už kokių 500 metrų, kai jau Lukas negalėjo jo matyti, apsisuko. Kai sugrįžo atgal, Luko automobilis stovėjo, tačiau Luko jame nebebuvo.

Entonis įsuko į aikštelę ir užgesino variklį.

>>><<<

Lukas buvo įsitikinęs, kad aplanką aptiks skaičiavimo centre, savo kabinete. Todėl ten taip ilgai ir užgaišo. Pervertė visus aplankus kabinete, o paskui ir sekretoriate. Tačiau nieko nerado.

Lieka dar viena galimybė. Merigolda minėjo, kad pirmadienį buvo užsukęs į inžinerijos skyrių. Vadinasi, turėjo kažkokį tikslą. Galų gale tai paskutinė jo viltis. Jeigu aplanko ir ten neras, neišmano, kur daugiau jis galėtų būti. Be to, visiškai neliks laiko paieškoms. Netrukus raketa bus paleista arba kas nors įkiš pagalį į ratus.

Inžinerijos skyrius smarkiai skyrėsi nuo skaičiavimo centro. Skaičiavimo centre buvo švaru kaip operacinėje — nuo pakenkimų saugomi milžiniški kompiuteriai, skaičiuojantys raketų keliamąją galią, greitį ir trajektoriją. Palyginti su jų centru, skyrius buvo apšnerkšta skylė, trenkianti alyva ir guma.

Jis nuskubėjo koridoriumi. Sienos iki juostos buvo išdažytos tamsiai, o aukščiau — šviesiai žaliai. Beveik visose lentelėse ant durų buvo žodis daktaras, vadinasi, čia turėtų būti mokslininkų kabinetai, tačiau, dideliam jo nusivylimui, niekur nesimatė užrašo „Daktaras Klodas Lukasas". Veikiausiai jis neturi antro kabineto, bet galbūt čia kur nors stovi jo stalas.

Koridoriaus gale priėjo didelę neužrakintą patalpą, kurioje stovėjo koks pustuzinis metalinių stalų. Patalpos gale durys vedė į laboratoriją su darbastaliais granito paviršiais ir žaliais metaliniais stalčiais, o už jų matėsi plačios dvigubos durys, greičiausiai vedančios į kuro pildymo aikštelę.

Palei sieną Lukui iš kairės driekėsi spintelių su pavardėmis ant durelių eilė. Viena buvo jo. Gal įgrūdo aplanką čia?

Jis išsitraukė ryšulį raktų ir susiieškojo panašų į tinkamą. Spyna trakštelėjo, ir durelės prasivėrė. Viduje ant lentynos gulėjo skrybėlė. Po ja ant pakabos kabojo keli kombinezonai. Dar žemiau stovėjo jo dydžio juodų guminių botų pora.

O už jų kyšojo gelsvas karinis aplankas. Jo ir ieškojo.

Jame gulėjo šūsnis dokumentų. Vos užmetęs į juos akį, išvydo raketos brėžinius.

Smarkiai plakančia širdimi jis skubiai sugrįžo prie geležinių stalų ir paskleidė visus brėžinius. Paskubomis juos peržvelgęs įsitikino, kad tai *Jupiter C* susinaikinimo mechanizmo schema.

Jam net šiurpas perbėgo per nugarą.

Kiekvienoje raketoje įtaisytas susinaikinimo įrenginys tam atvejui, jeigu ji nukryptų nuo kurso ir lėktų į žmones. Tuomet raketa susprogtų ore. Pagrindinėje *Jupiter C* pakopoje visu ilgiu driekėsi ištiesta Bikfordo virvelė. Jos gale įtaisytas uždegimo įtaisėlis, iš kurio kyšo du laidai. Iš brėžinių matėsi, kad laideliais paleidus srovę, įtaisėlis uždegs virvelę, o ši susprogdins raketos degalų talpą.

Susinaikinimas valdomas koduotu radijo signalu. Brėžiniuose atsispindėjo du įtaisai: vienas — siųstuvo ant žemės, kitas — palydovo imtuvo. Pirmasis paverčia signalą sudėtiniu kodu, antrasis jį priima ir, jeigu kodas teisingas, paleidžia per laidelius srovę. Atskiroje diagramoje, apmestoje ranka, buvo pavaizduota elektroninė įtaisėlių schema, todėl bet kas, gavęs tokią schemą, gali nesunkiai pasiųsti susinaikinimo signalą.

Lukui toptelėjo, kad planas tiesiog genialiai paprastas. Norintiems pakenkti nereikia nei sprogmenų, nei laikrodinių mechanizmų, jie gali pasinaudoti tuo, kas jau įtaisyta pačioje raketoje. Nereikia net prie jos artintis. Gavus kodą, nebūtina net vargintis prasmukti į Kanaveralo kyšulį. Radijo signalą galima pasiųsti iš toli.

Paskutinis lapas šūsnyje buvo laiško, adresuoto Teo Pakmanui į „Avangardo" motelį, kopija. Ar Lukas užkirto kelią tam, kad originalas nebūtų išsiųstas? Ką gali žinoti. Paprastai kontržvalgyboje šnipų tinklas neardomas ir pasitelkiamas dezinformacijai. Tačiau jeigu Lukas perėmė originalą, siuntėjas galėjo išsiųsti brėžinių kopijas. Kad ir kaip ten būtų, Teo Pakmanas dabar kur nors Floridos paplūdimyje užsiglaudęs tūno su radijo siųstuvu ir yra pasirengęs susprogdinti raketą, kai tik ji atsiplėš nuo žemės.

Tačiau dabar Lukas gali tam sutrukdyti. Jis dirstelėjo į elektroninį laikrodį ant sienos. 22.15. Dar galima susisiekti su Kanaveralo kyšuliu ir įtikinti atšaukti startą. Jis čiupo telefono ragelį.

— Padėk jį atgal, Lukai, — kažkas tarė.

Lukas, laikydamas ragelį rankoje, lėtai pasisuko. Tarpduryje kupranugario vilnos paltu, su dviem mėlynėm po akimis, ištinusiomis lūpomis, nutaikęs pistoletą su duslintuvu į Luką, stovėjo Entonis.

Lukas lėtai padėjo ragelį.

— Sekei paskui automobilį, — pratarė jis.

— Žinojau, kad neturėsi kada dairytis atgal.

Lukas įsmeigė žvilgsnį į vyrą, dėl kurio taip apsiriko. Ar buvo koks ženklas ar bruožas, iš kurio galėjai numanyti, įspėti, kad prieš tave — išdavikas? Entonio veidas nebuvo dailus, tačiau simpatiškas, rodė valią, tačiau ne veidmainystę.

— Nuo kada dirbi Maskvai? — pasiteiravo Lukas. — Nuo karo?

— Seniau. Nuo Harvardo. — Entonio veidas keistai išsiviepė. — Kad pasaulis būtų gražesnis.

Lukas žinojo, kad seniau ne vienas galvotas žmogus prijautė sovietams. Tačiau taip pat žinojo, kad jų karštą tikėjimą užgesino stalinizmo realijos.

— Tu vis dar jais tiki? — negalėdamas tuo patikėti, paklausė Lukas.

— Daugmaž. Tai vis dar pati didžiausia viltis, kad ir kaip ten būtų.

Gal ir taip. Kas galėtų pasakyti? Ne tai svarbiausia. Sunkiausia patikėti, kad Entonis pamynė jų draugystę.

— Mes bičiuliai jau ne vieną dešimtmetį, — tarė jis. — Tačiau vakar į mane *šaudei*.

— Taip.

— Ramiausiai nužudytum seną draugą? Tik dėl to, kad kažkiek jais tiki?

— Taip, kaip ir tu. Per karą abu rizikavom savo ir kitų gyvybėmis, nes tai buvo teisinga.

— Nepamenu, kad būtume vienas kitam melavę, o ką jau kalbėti apie šaudymą.

— Būtume ir taip darę. Neprisireikė.

— Aš taip nemanau.

— Paklausyk. Jeigu dabar tavęs nenudėčiau, juk bandytum mane sulaikyti, ar ne?

Lukas, nors ir sustingęs priešais pistoleto vamzdį, piktai iškošė:

— Taip, velniai rautų.

— Nors žinai, kad jeigu mane sučiuptų, iščirškintų elektros kėdėje.

— Tikriausiai... Taip.

— Vadinasi, taip pat nori nužudyti savo bičiulį.

Lukas sėdėjo priblokštas. Negi jiedu su Entoniu iš tiesų niekuo nesiskiria?

— Aš tave perduočiau teisingumui. Tai ne tas pat, kas žudyti.

— Koks skirtumas, vis tiek galų gale būčiau nužudytas.

Lukas lėtai palinksėjo galva.

— Na, taip.

Entonis nedrebančia ranka pakėlė ginklą ir nusitaikė Lukui į krūtinę.

Lukas krito už metalinio stalo.

Kostelėjo duslus šūvis, ir kulka dzingtelėjo į stalo paviršių. Tai buvo palaikiai baldeliai, pagaminti iš plono metalo, tačiau šūvį atlaikė.

Lukas pasirito po stalu. Spėjo, kad Entonis dabar pasileido prie jo. Lukas pasikėlė ir įrėmė nugarą į stalo viršų. Sugriebęs dvi stalo kojas, pašoko. Stalas pakilo nuo grindų ir pasviro. Lukas aklai bloškė jį, tikėdamasis pataikyti į Entonį. Stalas trenkėsi į grindis ir sulūžo.

Tačiau Entonio nesimatė.

Lukas užkliuvo už apvirtusio stalo kojos ir suklupo. Parpuolė ant grindų keturpėsčias ir galva trenkėsi į metalinę koją. Parvirto ant šono ir galų gale apsvaigęs atsisėdo. Pakėlęs galvą priešais save tarpduryje išvydo stovintį išsižergusį, abiem rankom nutaikiusį į jį pistoletą Entonį. Jis atspėjo nerangų Luko manevrą ir užėjo jam už nugaros. Lukas dabar priešais jį kaip ant lėkštutės. Jam galas.

Staiga nuskambėjo balsas:

— Entoni! Stok!

Tai buvo Bilė.

Entonis, taikydamas į Luką, sustingo. Lukas lėtai apsigręžė

ir pažvelgė per petį. Bilė stovėjo prie durų, jos raudonas megztinis švietė žalios sienos fone. Lūpos kietai sučiauptos. Buvo nutaikiusi į Entonį automatinį pistoletą. Už jos šmėžavo pusamžė juodaodė — priblokšta ir išsigandusi.

— Mesk ginklą! — riktelėjo Bilė.

Lukui šmėkštelėjo mintis, kad Entonis vis tiek jį nušaus. Jeigu jis tikrai karštas komunistas, turėtų nedvejodamas paaukoti savo gyvybę kilniam tikslui. Tačiau Bilė vis tiek aptiktų brėžinius ir iš jų viskas paaiškėtų.

Entonis lėtai nuleido rankas, bet ginklą tebelaikė.

— Mesk, arba šausiu.

Entonio veide vėl pasirodė toji kreiva šypsenėlė.

— Ne, nešausi, — mestelėjo jis. — Taip šaltai tikrai nešausi.

Vis dar nuleidęs ginklą žemyn, atatupstas ėmė trauktis durų į laboratoriją link. Lukui toptelėjo, kad ten yra išėjimas į lauką.

— Stok! — suriko Bilė.

— Juk nemanai, kad raketa vertesnė už žmogaus gyvybę, net jei tas žmogus — išdavikas, — vis dar traukdamasis atatupstas, tarė Entonis.

Dabar jau buvo visai prie pat durų.

— Nebandyk laimės! — riktelėjo ji.

Lukas žvelgė į ją svarstydamas, ar vis dėlto ji iššaus.

Entonis apsigręžė ir nėrė pro duris.

Bilė nešovė.

Entonis persirito per laboratorijos darbastalius, puolė pro dvigubas duris ir dingo tamsoje.

Lukas pašoko ant kojų. Bilė, išskėtusi rankas, žengė prie jo. Lukas dirstelėjo į laikrodį. Jis rodė 10.29. Liko minutė įspėti Kanaveralo kyšulį.

Jis nusigręžė nuo Bilės ir čiupo telefono ragelį.

22 val. 29 min.

Instrumentai, įtaisyti palydove, sukurti taip, kad atlaikytų kylant susidarantį 100 atmosferų slėgį.

Kai pagaliau skrydžių valdymo centre kažkas pakėlė telefono ragelį, Lukas išbėrė:

— Čia daktaras Lukasas, pakvieskit skrydžių valdymo centro direktorių.

— Dabar jis...

— Žinau, žinau! Skubiai pakvieskit jį!

Stojo tyla. Lukas girdėjo, kaip kažkas skaičiuoja: „dvidešimt, devyniolika, aštuoniolika..."

Ragelyje pasigirdo įsitempęs nekantraujantis balsas:

— Čia Vilis... Kas, po velnių, nutiko?

— Kažkas turi susinaikinimo kodą.

— Mėšlas! Kas?

— Esu įsitikinęs, kad tai priešo šnipas. Jie ruošiasi susprogdinti raketą. Atidėkite startą.

Balsas toliau skaičiavo „vienuolika, dešimt...".

— Iš kur žinai? — paklausė Vilis.

— Radau kodavimo įtaisų schemas ir kažkokiam Teo Pakmanui adresuotą laišką.

— Tai dar ne įrodymas. Negaliu atšaukti skrydžio dėl kažkokių miglotų priežasčių.

Lukas atsiduso, netekęs vilties ką nors pakeisti.

— Dieve, ką dar galiu pasakyti? Pasakiau, ką žinau. Spręsti jums.

— Penki, keturi...

— Mėšlas.

Vilis šūktelėjo:

— Sustabdyti skaičiavimą!

Lukas klestelėjo į kėdę. Jam pavyko. Pakėlė galvą ir nužvelgė susirūpinusius Bilės ir Merigoldos veidus.

— Jie atšaukė skrydį, — pranešė jis.

Bilė pakėlė megztinį ir įsikišo ginklą už diržo.

— Na, — netikėtai pritrūkusi žodžių, prabilo Merigolda. — Na, nežinau.

Kitame laido gale girdėjosi piktai gaudžiantys balsai ir klausimų kruša. Ragelyje pasigirdo naujas balsas:

— Lukai? Čia pulkininkas Haidas. Kokia čia velniava?

— Išsiaiškinau, kas privertė mane pirmadienį viską mesti ir išvykti į Vašingtoną. Ar pažįstate tokį Teo Pakmaną?

— E, aha, regis, nepriklausomas žurnalistas, rašo raketų temomis keletui Europos laikraščių.

— Aptikau jam adresuotą laišką su *Explorer* susinaikinimo sistemos brėžiniais, tarp kurių buvo ir kodavimo įtaisų schemos.

— Viešpatie! Turintis tuos brėžinius gali ramiausiai susprogdinti raketą ore!

— Todėl ir įkalbėjau Vilį nukelti skrydį.

— Dėkui Dievui, kad tau pavyko.

— Klausykit, nedelsiant reikia surasti tą Pakmaną. Laiškas adresuotas į „Avangardo" motelį, gal jis ten.

— Supratau.

— Pakmanas veikia išvien su CŽV žmogumi, dvigubu agentu Entoniu Keroliu. Jis mane ir sulaikė Vašingtone, kad nenuvykčiau ir nepraneščiau Pentagonui.

— Jis man juk skambino! — Haidas negalėjo patikėti savo ausimis.

— Tuo visiškai neabejoju.

— Susisieksiu su CŽV ir jiems pranešiu.

— Puiku.

Lukas padėjo ragelį. Padarė viską, ką galėjo.

Bilė pasiteiravo:

— O ką darysime dabar?

— Ko gero, vyksim į Kanaveralo kyšulį. Startas įvyks rytoj tuo pačiu metu. Norėčiau tai pamatyti savo akimis.

— Aš taip pat.

Lukas nusišypsojo.

— Nusipelnei to. Tu išgelbėjai šią raketą. — Jis atsistojo ir ją apkabino.

— Tave, kvailuti. Velniai nematė tos raketos, gelbėjau tave.

Ji pabučiavo Luką.

Merigolda kostelėjo.

— Nespėsit į paskutinį reisą iš Hantsvilio, — paragino ji.

Lukas su Bile nenoromis atsiplėšė vienas nuo kito.

— Kitas karinių oro linijų reisas iš bazės — pusę šešių ryto, — toliau kalbėjo Merigolda. — Arba galite nudardėti traukiniu. Pietų ekspresas vyksta iš Cincinačio į Džeksonvilį ir sustoja Šatanogoje pirmą nakties. Tokia puikia mašina kaip jūsų per porą valandų spėsit į Šatanogą.

— Norėčiau keliauti traukiniu, — tarė Bilė.

Lukas pritariamai linktelėjo.

— Gerai.

Jis žvilgtelėjo į apverstą stalą.

— Kažkam reikėtų paaiškinti kontržvalgybai, iš kur jame tos skylės.

Merigolda pažadėjo:

— Papasakosiu jiems iš pat ryto. Juk nenorite čia kiurksoti ir atsakinėti į klausimus.

Jie išėjo į lauką. Luko ir Bilės automobiliai stovėjo aikštelėje. Entonio ratų nesimatė. Bilė apkabino Merigoldą.

— Labai jums dėkoju, — tarė ji. — Jūs nuostabi moteris.

Merigolda trumpam susijaudino, tačiau staigiai vėl virto dalykiška moterimi:

— Gal man nuvaryti jūsų mašiną į nuomos punktą?

— Būčiau be galo dėkinga.

— Keliaukit sau nesukdami dėl nieko galvos, aš viskuo pasirūpinsiu.

Bilė su Luku sulipo į jo kraislerį ir nuvažiavo.

Kai išvažiavo į greitkelį, Bilė prabilo:

— Liko dar vienas neaiškus dalykas.

— Žinau, apie ką tu, — atsiliepė Lukas. — Kas pasiuntė brėžinius Teo Pakmanui?

— Turėtų būti žmogus iš Kanaveralo kyšulio, iš pačios paleidimo komandos.

— Ne kitaip.

— Ar numanai, kas tai galėtų būti?

Lukas net pasipurtė.

— Taip.

— Kodėl nepasakei Haidui?

— Nes neturiu nei įrodymų, nei pagrindo įtarti. Tiesiog intuicija. Bet esu tuo visiškai tikras.

— Kas?

— Elspetė, — sunkiai ištarė Lukas.

23 val.

Telemetrinis kodavimo aparatas naudoja histerizės kilpos principu veikiančias medžiagas, idant atskleistų įvesties parametrus, siunčiamus iš palydovo prietaisų.

Elspetė negalėjo tuo patikėti. Likus vos kelioms sekundėms iki variklių paleidimo, startas atšauktas. Ji buvo taip arti tikslo. Triumfas jau buvo ranka pasiekiamas ir staiga išsprūdo.

Ji stovėjo ne skrydžių valdymo centre, — pagalbinio personalo ten neleido, — buvo įsitaisiusi ant plokščio administracijos pastato stogo ir kartu su nedideliu sekretorių ir klerkų būreliu pro žiūronus stebėjo apšviestą starto aikštelę. Floridos naktis buvo šilta, nuo jūros dvelkė drėgme. Jų būgštavimai augo, nes bėgant sekundėms raketa toliau stovėjo ant žemės, kol galų gale pasigirdo bendras atodūsis, kai iš bunkerių pasipylė kombinezonais vilkintys technikai ir pradėjo išjunginėti visas paleidimo sistemas. Galutinis patvirtinimas, kad skrydis atšauktas, buvo raketos link bėgiais pajudėjęs slankiojantis prilaikomasis metalinis bokštelis.

Elspetė iš pykčio kone graužė nagus. Kas, po velnių, nutiko?

Netarusi nė žodžio, paliko žiūrovus ant stogo ir ryžtingu žingsniu patraukė į R angarą. Įėjusi į savo kabinetą, išgirdo jame čirškiantį telefoną. Čiupo ragelį:

— Klausau.

— Kas atsitiko?

Tai buvo Entonis.

— Skrydis atidėtas. Nežinau kodėl, gal tu ką nors žinai?

— Lukas aptiko dokumentus. Greičiausiai paskambino ir įspėjo.

— Negi negalėjai jam sutrukdyti?

— Na, jis jau buvo mano rankose, kai su šaudykle rankoje išdygo Bilė.

Elspetei net silpna pasidarė, kai prieš akis švystelėjo vaizdas: Entonis stovi nusitaikęs į Luką. Dar labiau nuliūdino, kad įsikišo Bilė.

— Ar Lukas nesužeistas?

— Ne, aš taip pat. Bet neužmiršk, kad tuose popieriuose yra ir Teo pavardė.

— Velnias.

— Ko gero, jie jau vyksta jo susemti. Privalai juos aplenkti.

— Leisk pagalvoti... Jis pakrantėje... Būsiu ten po dešimties minučių... Jo automobilis „Hudson Hornet"...

— Tai varyk!

— Aha.

Ji numetė ragelį ir puolė pro duris.

Tekina perbėgo stovėjimo aikštelę ir įšoko į savo automobilį. Jos balta korvetė buvo nuleidžiamu stogu, tačiau jis buvo pakeltas, o langai aklinai uždaryti nuo uodų, kurie suko kyšulyje debesimis. Dideliu greičiu prilėkė prie vartų, ir jai mostelėjo važiuoti — tikrino tik įvažiuojančius. Ji pasuko į pietus.

Į paplūdimį nebuvo asfaltuoto kelio. Nuo plento keli siauri šunkeliai vingiavo tarp kopų pakrantės link. Galvojo pasukti pirmuoju ir, išsimušusi prie jūros, toliau lėkti pakrante. Taip tikrai neprašoktų pro Teo ratus. Ji įsmeigusi akis tyrinėjo pakelės brūzgynus, stengdamasi nepravažiuoti posūkio į šunkelį. Nors ir labai skubėjo, teko pristabdyti. Staiga priekyje sumirgėjo atvažiuojančio automobilio žibintai.

Už jo žibėjo antras, toliau — dar vienas. Elspetė nuspaudė stabdžius ir įjungė kairį posūkį. Nuo pakrantės lėkė ištisa automobilių virtinė. Žiūrovai suprato, kad startas atšauktas — be jokios abejonės, pro žiūronus jie irgi pamatė, kaip prie raketos vėl prislinko bokštelis — todėl traukė namo.

Ji laukė, kol galės pasukti į kairę. Nesitvėrė apmaudu, nes

šunkelis buvo per siauras prasilenkti dviem automobiliams. Už jos nekantriai pyptelėjo negalintis pravažiuoti plentu automobilis. Ji iš pykčio net sugriežė dantimis, supratusi, kad šiuo keliu paplūdimio nepasieks. Išjungė posūkį ir nuspaudė akceleratorių.

Netrukus pasiekė kitą šunkelį, vedantį prie pajūrio, tačiau ir čia laukė tas pat: nesibaigianti šviesų eilė lėkė keliuku, per siauru dviem automobiliams.

— Mėšlas, — garsiai nusikeikė ji.

Nors automobilyje dūzgė kondicionierius, ją išpylė prakaitas. Taip nepavyks prisikasti iki pajūrio. Reikia skubiai ką nors sugalvoti. Gal jo automobilio palaukti šalikelėje? Bet gali ir pražiopsoti. Kur Teo galėtų pasukti? Verčiau jau grįš į motelį ir lauks jo ten.

Ji visu greičiu lėkė tamsiu plentu. Mintyse spėliojo, ar pulkininkas Haidas su savo vyrais jau bus spėjęs ją aplenkti. Gal jie prieš tai dar informavo policiją ir FTB? Žinoma, jiems reikia orderio suimti Teo, tačiau jėgos struktūros sugeba apeiti tokius trukdžius. Bet kuriuo atveju šiek tiek užtruks, kol visi susirinks. Paskubėjus yra vilties juos aplenkti.

„Avangardo" motelis stovėjo siaurame pastatų rėžyje palei kelią tarp degalinės ir krautuvėlės. Prie motelio buvo įrengta milžiniška automobilių stovėjimo aikštelė. Kontržvalgybos dar nesimatė — ji suspėjo. Tačiau Teo automobilio taip pat nebuvo. Stabtelėjo prie motelio administracijos, kad matytų visus įeinančius bei išeinančius, ir užgesino variklį.

Ilgai laukti neteko. Po kelių minučių prie motelio pričiuožė gelsvas „Hudson Hornet". Teo sustojo pačiame aikštelės pakraštyje, prie pat kelio, ir išlipo. Tai buvo nedidukas pliktelėjęs vyriškis šviesiomis kelnėmis ir marškinėliais.

Elspetė iššoko iš savo automobilio.

Jau ketino jį šūktelėti, kai išniro du policijos automobiliai.

Elspetė sustingo.

Tai buvo apygardos šerifas. Automobiliai prilėkė dideliu greičiu, tačiau be įjungtų sirenų ar švyturėlių. Iš paskos čiūžtelėjo du jokiais ženklais nepažymėti ekipažai. Jie sustojo prie išvažiavimų, užkirsdami kelią bet kam išvykti.

Teo jų nepastebėjo. Jis patraukė per aikštelę motelio ir Elspetės link.

Jai toptelėjo išeitis, tačiau tam reikės šaltų nervų. „Nesijaudink", — ramino ji save. Giliai įkvėpė ir nužingsniavo prie jo.

Kai prisiartino, Teo išsyk pažino Elspetę ir garsiai pasiteiravo:

— Kas, po velnių, nutiko? Atšaukė skrydį?

Elspetė prislopintu balsu atsakė:

— Duok man savo automobilio raktelius.

Ji ištiesė ranką.

— Kam?

— Pažiūrėk sau už nugaros.

Jis dirstelėjo per petį ir išvydo policijos automobilius.

— Šūdas, ko jiems čia prireikė? — išsigandęs sumurmėjo jis.

— Tavęs. Nepanikuok. Duokš raktelius.

Jis mestelėjo juos į ištiestą jos delną.

— Eik toliau, — paliepė ji. — Mano bagažinė neužrakinta. Lįsk į ją.

— Į bagažinę?

— *Taip!*

Elspetė praėjo pro jį.

Ji atpažino pulkininką Haidą ir dar vieną matytą Kanaveralo kyšulyje veidą. Kartu su jais buvo keturi vietiniai farai ir du gerai apsitaisę vyrai, ko gero, FTB agentai. Nė vienas iš jų nežiūrėjo jos pusėn. Jie apstojo Haidą. Elspetė išgirdo jį sakant:

— Du patikrins automobilių numerius, kiti — į vidų.

Ji priėjo Teo automobilį ir atidarė bagažinę. Ten odiniame krepšyje gulėjo radijo siųstuvas — galingas ir sunkus. Abejojo, ar jį pakels. Ji šiaip ne taip kilstelėjo krepšį iki bagažinės krašto ir perrito per jį. Krepšys dunktelėjo ant žemės. Ji staigiai užtrenkė bagažinę.

Apsižvalgė. Haidas vis dar skirstė užduotis savo vyrams. Kitame aikštelės gale išvydo, kaip jos bagažinės dangtis lėtai užsiveria. Teo jau viduje. Pusė kelio nueita.

Sukandusi dantis, ji sugriebė krepšio rankeną ir jį pakėlė. Atrodė, kad jame švinas. Sunkiai žengė kelis žingsnius, kol pajėgė jį išlaikyti. Kai nuo svorio nutirpo pirštai, išleido krepšį iš rankos.

Tuomet perėmė jį kita ranka. Nužingsniavo dar kelis metrus, kol įtampa vėl privertė sustoti.

Už jos pulkininkas Haidas su palyda skersai aikštę traukė motelio link. Ji meldė Dievą, kad Haidas nedirstelėtų jai į veidą. Patamsyje gal ir nepažintų. Aišku, ji galėtų sukurpti kokią istoriją, tačiau jei paprašys parodyti, kas yra krepšyje?

Ji vėl perėmė krepšį kita ranka. Šįsyk jau nepajėgė atplėšti siųstuvo nuo žemės. Ėmė jį vilkti per asfaltą ir vylėsi, kad garsas nepatrauks farų dėmesio.

Pagaliau pasiekė savo automobilį. Kai atidarė bagažinę, maloniai šypsodamasis prisiartino vienas faras.

— Gal padėti, ponia? — mandagiai pasiteiravo.

Iš bagažinės į ją žvelgė išbalęs ir išsigandęs Teo veidas.

— Susitvarkysiu, — puse lūpų atsakė ji.

Abejomis rankomis pakėlė krepšį ir įstūmė jį vidun. Teo tyliai suinkštė, kai tasai kampu rėžėsi į jį. Elspetė staigiu judesiu užtrenkė bagažinę ir atsirėmė į ją. Rodėsi, kad tuoj nukris rankos.

Ji žvilgtelėjo į farą. Ar nepastebėjo Teo? Faras nustebęs suraitė grimasą. Elspetė tarė:

— Tėtušis mane vis įspėdavo neprisigrūsti tiek, kad negalėčiau pakelti.

— Galiūnė, — šiek tiek įsižeidęs atsiliepė faras.

— Vis tiek dėkui.

Pro šalį motelio link ėjo kitas policininkas. Elspetė stengėsi nepasimaišyti po akimis Haidui. Faras stabtelėjo.

— Tikrini? — užklausė jis.

— Aha.

— Nieko?

— Tvarkelė.

Jis pasilenkė prie lango, apžiūrėjo priekines bei galines sėdynes ir atsitiesė.

— Važiuokite laimingai.

Jis nuėjo.

Elspetė įlipo vidun ir užvedė variklį. Pakeliui dar buvo du farai, kurie tikrino numerius. Ji sustojo prie vieno iš jų.

— Išleisite mane ar teks čia nakvoti? — nutaisiusi meilią šypsenėlę, sumurkė ji.

Jis patikrino jos numerį.

— Automobilyje daugiau nieko nėra?

— Ne.

Jis pro langą dirstelėjo į galinę sėdynę. Elspetė net sulaikė kvėpavimą.

— Gerai, — galų gale tarė. — Važiuokit. — Ir įsėdęs į savo automobilį, patraukė šį nuo įvažiavimo.

Ji pralindo pro padarytą tarpelį į kelią ir numynė akceleratorių.

Staiga atlėgus įtampai, visa tarsi subliūško. Rankos tirtėjo, ir teko pristabdyti.

— Švenčiausias Dieve, — sušnibždėjo ji. — Tik per plauką.

Vidurnaktis

Keturios antenos, kyšančios iš palydovo cilindro, siųs radijo signalus visam pasauliui. *Explorer* transliuos 108 MHz dažniu.

Entoniui žūtbūt reikia išsigauti iš Alabamos. Visko, dėl ko jis pastaruosius dvidešimtį metų triūsė, atomazga įvyks Kanaveralo kyšulyje per artimiausias dvidešimt keturias valandas, ir jis taip pat privalo ten būti.

Hantsvilio oro uostas dar veikė — iš tolo tvieskė šviesos ant pakilimo tako. Vadinasi, šiąnakt dar bus mažiausiai vienas reisas. Jis pastatė savo fordą prie terminalo už limuzino ir kelių taksi. Aplink nesimatė nė gyvos dvasios. Nė neužrakinęs automobilio, pasileido į oro uostą.

Viduje tvyrojo ramybė, tačiau žmonių dar buvo. Mergina, įsitaisiusi už reisų tvarkaraščio lentos, kažką skrebeno savo knygelėje, dvi kombinezonais vilkinčios juodaodės plovė grindis. Netoliese stoviniavo ir trys vyrai: vienas šoferis, o kiti du taksi vairuotojai. Pitas sėdėjo ant suolo.

Reikia atsikratyti Pito jo paties labui. Redstouno Arsenalo inžinerijos skyriuje vykusios scenos liudininkėmis tapo Bilė ir Merigolda, ir kuri nors tikrai apie tai praneš kontržvalgybai, kreipsis į CŽV su skundu. Džordžas Kupermanas jau sakė daugiau nebegalėsiąs Entonio pridengti. Teks liautis apsimetinėjus, neva vykdo slaptą CŽV užduotį. Žaidimas baigtas, ir Pitą reikia išbrukti kur toliau, kad jis nenukentėtų.

Regis, Pitui turėjo iki gyvo kaulo įkyrėti taip kiurksoti oro uoste dvylika valandų, tačiau jis, vos išvydęs Entonį, susijaudinęs ir įsitempęs pašoko ant kojų.

— Pagaliau! — šūktelėjo.

— Koks reisas dar yra šiąnakt? — burbtelėjo Entonis.

— Jokio. Vienas turi atvykti iš Vašingtono, bet iki septynių ryto iš čia niekas neskrenda.

— Velniava. Man reikia nukakti į Floridą.

— Pusę šeštos yra karinių oro linijų skrydis iš Redstouno į Patriko oro bazę šalia Kanaveralo kyšulio.

— Teks skristi juo.

Pitas atrodė kažko sutrikęs. Jis baugščiai prabilo:

— Jūs neturėtumėte vykti į Floridą.

Tai štai dėl ko jis sėdi kaip ant adatų.

Entonis šaltai pasiteiravo:

— Kodėl gi?

— Kalbėjausi su Vašingtonu. Pačiu Karlu Hobartu. Turime grįžti „be jokių kalbų", jo žodžiais tariant.

Entonis viduje tiesiog užvirė, tačiau dėjosi esąs paprasčiausiai nusivylęs:

— Tie šūdarankiai, — iškošė jis. — Kaip galima vadovauti gatvės kautynėms iš štabo!

Pitas už to neužkibo.

— Misteris Hobartas perdavė, kad čia nevykdoma jokia CŽV operacija. Nuo šiol reikalo imasi kontržvalgyba.

— Negalim to leisti. Ką tie kontržvalgybos skystablauzdžiai sugeba?

— Žinau, bet nemanau, kad galime spręsti patys, sere.

Entonis iš paskutiniųjų stengėsi suvaldyti išsiderinusį kvėpavimą. Anksčiau ar vėliau reikėjo to laukti. CŽV dar nežino, kad jis dvigubas agentas, tačiau jau suuodė, kad veikia savo nuožiūra, ir nori, jog jis tyliai ramiai iš čia dingtų.

Tačiau juk ne veltui Entonis metų metus augino ir puoselėjo šio vyrioko ištikimybę. Jame dar turėtų būti užsilikęs koks lašelis pasitikėjimo.

— Darysime taip, — tarė jis Pitui. — Tu grįžti į Vašingtoną. Praneši jiems, kad atsisakau paklusti įsakymui. Tu čia niekuo dėtas — už viską atsakau aš.

Jis jau pasisuko eiti, neabejodamas, kad Pitas neprieštaraus.

— Aišku, — atsakė Pitas. — Aš žinojau, kad taip atsakysite. Juk negaliu jūsų surišti ir atgabenti.

— Būtent, — mestelėjo Entonis, slėpdamas palengvėjimą, kad Pitas nė nebando ginčytis.

— Tačiau tai dar ne viskas, — pratarė Pitas.

Entonis atsigręžė į jį, neįstengdamas savo veide nuslėpti susierzinimo.

— Kas dar?

Pitas išraudo, ir gandragnybis ant jo skruosto pasidarė net violetinis.

— Man liepta paimti jūsų ginklą.

Entonis pajuto, kad jam taip paprastai nepavyks išsisukti iš šios padėties. Jis nė už ką neatiduos savo ginklo. Todėl nutaisė šypsenėlę ir kreipėsi į kolegą:

— Tai perduosi jiems, kad atsisakiau.

— Apgailestauju, sere, negaliu apsakyti, kaip man nepatogu. Tačiau misteris Hobartas griežtai įsakė. Jeigu neatiduosite, turėsiu pranešti policijai.

Entonį persmelkė mintis, kad Pitą neišvengiamai teks pašalinti.

Akimirką jį užplūdo gailesis. Kaip žemai jis puolė! Buvo sunku patikėti, kad prieš du dešimtmečius duota priesaika paaukoti gyvenimą kilniam tikslui štai šitaip baigsis. Tačiau ūmai jis vėl susitvardė ir tapo šaltas kaip ledas. Per karą ne sykį teko priimti sunkius sprendimus. Šis karas kitoks, tačiau tikslai juk tie patys. Jeigu jau įsitraukei, eik iki galo ir nesidairyk į šalis.

— Na, tokiu atveju viskas baigta, — nuoširdžiai atsidusęs pasakė jis. — Man atrodo, kad šis jų sprendimas kvailas, bet padariau viską, ką galėjau.

Pitas nesistengė slėpti nuo savo pečių nukritusios naštos.

— Dėkoju jums, — pralemeno jis. — Labai džiaugiuosi, kad viskas taip išsisprendė.

— Nesijaudink, nekaltinu tavęs. Žinau, kad turi paklusti tiesioginiam Hobarto įsakymui.

Pito veidas staiga vėl surimtėjo.

— Tai perduosite man dabar ginklą?

— Žinoma.

Pistoletas gulėjo Entonio palto kišenėje, bet jis pasakė:

— Mašinos bagažinėje.

Ketino nusivilioti Pitą su savimi iki automobilio, bet apsimetė ketinąs elgtis priešingai.

— Palauk čia, aš atnešiu.

Kaip ir tikėjosi, Pitas būgštavo, kad jis nepaspruktų.

— Eisiu kartu, — skubiai tarstelėjo jis.

Entonis dėjosi dvejojąs, bet paskui linktelėjo:

— Koks skirtumas.

Jis žengė pro duris, įpėdžiui sekė Pitas. Automobilis stovėjo prie šaligatvio, už dešimties metrų nuo įėjimo. Aplink nesimatė nė gyvos dvasios.

Entonis nuspaudė bagažinės užraktą ir pakėlė jos dangtį.

— Štai, — tarė jis.

Pitas pasilenkė ir įkišo galvą vidun.

Entonis iš palto kišenės išsitraukė pistoletą su jau užsuktu duslintuvu. Akimirksnį sudvejojo — iš kažkur kilo nenumaldoma pagunda įsikišti jo vamzdį sau burnon ir vienu gaiduko spustelėjimu užbaigti visą šį košmarą.

Tai buvo lemtinga jo klaida.

— Nematau jokio ginklo, — tarė Pitas ir atsigręžė.

Jis sureagavo žaibiškai. Nespėjo Entonis pakelti pistoleto su gremėzdišku duslintuvu, kai Pitas šastelėjo į šoną ir smogė kumščiu. Triuškinamas bučinys į Entonio smilkinį. Entonis susvyravo ir kluptelėjo. Pitas kita ranka kirto jam į pasmakrę, Entonis žengtelėjo atatupstas ir parkrito, tačiau atsidūręs ant žemės spėjo pakelti pistoletą. Pitas sumetė, kas atsitiks po akimirkos. Jo veide šmėstelėjo baimės šešėlis, ir nelaimėlis ištiesė priešais save rankas, tarsi jos galėtų užstoti nuo kulkų, o Entonis trissyk nuspaudė gaiduką.

Visi trys šūviai pataikė Pitui į krūtinę, ir ant šviesaus jo kostiumo pasklido kraujo dėmės. Jis sukniubo ant žemės.

Entonis atsistojo ir paslėpė pistoletą. Apsidairė aplinkui. Nieko. Pasilenkė prie Pito.

Pitas atsimerkė ir pažvelgė į jį.

Jis dar buvo gyvas.

Tampomas pykinimo, Entonis pakėlė kruviną kūną ir įvertė į pravirą bagažinę. Pitas kėpsojo surakintas skausmo ir žvelgė į jį siaubo kupinomis akimis. Šūviai į krūtinę ne visada mirtini. Skubiai nugabentas į ligoninę gal išgyventų. Entonis nukreipė vamzdį į Pito galvą. Šis dar mėgino kažką pasakyti, bet iš burnos tik pliūptelėjo kraujas. Entonis nuspaudė gaiduką.

Pitas suzmego, jo akys užsimerkė.

Entonis užtrenkė bagažinę ir sukniubo ant jos. Jau antrą sykį tą dieną pavaišinta smūgiais jo galva sukosi, tačiau dar šiurpiau gėlė mintis, ką jis padarė.

Kažkas paklausė:

— Ar nieko neatsitiko, bičiuli?

Entonis atsitiesė, įsikišo ginklą į palto kišenę ir atsigręžė. Šalia stovėjo taksi, o iš jo išlipęs vairuotojas susirūpinęs žvelgė į jį. Žilstelėjęs juodukas.

Ar jis ką nors pastebėjo? Entonis nebuvo tikras, ar pajėgtų nužudyti dar vieną žmogų.

Taksistas tarė:

— Matyti, kažką labai sunkaus kėlėte į bagažinę.

— Kilimą, — sunkiai alsuodamas atsakė Entonis.

Vyras nužvelgė jį su nuoširdžiu provincijos gyventojo smalsumu.

— Kažkas užstatė mėlynę? Dvi?

— Nedidelis nesusipratimas.

— Užeik vidun, išgersi kavos, užkąsi.

— Ne, dėkui, viskas gerai.

Vairuotojas lėtai nupėdino į terminalą.

Entonis įkrito į automobilį ir nuriedėjo.

1 val. 30 min.

Pirmoji radijo siųstuvų paskirtis — siųsti signalus Žemėje išdėstytoms stotims, kad būtų galima patikrinti, ar palydovas savo orbitoje.

Traukinys lėtai pajudėjo iš Šatanogos. Ankštoj kupė Lukas nusivilko švarką, jį pakabino, paskui prisėdo ant apatinio gulto ir atsirišo batus. Bilė užmetusi koją ant kojos sėdėjo ant gulto ir jį stebėjo. Švystelėjo ir nutolo stotelės šviesos — traukinys padidino greitį ir ėmė skrosti nakties tamsą Floridos link.

Lukas nusirišo kaklaraištį.

— Jei tai striptizas, tai nelabai vykęs, — tarė Bilė

Lukas karčiai šyptelėjo. Jis neskubėjo — abejojo, kaip derėtų elgtis. Jiems teko įsikraustyti į vieną kupė, nes daugiau vietų nebuvo. Troško suspausti Bilę savo glėbyje. Viskas, ką sužinojo apie savo gyvenimą, tik liudijo, kad Bilė yra jo moteris. Tačiau vis dėlto svyravo.

— Na? — paklausė ji. — Apie ką galvoji?

— Labai jau viskas greitai.

— Septyniolika metų tau nieko nereiškia?

— Man tai tik kelios dienos, o kas buvo anksčiau — neprisimenu.

— Tačiau atrodo, kad mes jau drauge šimtas metų.

— Tačiau aš vedęs Elspetę.

Bilė ramiai linktelėjo.

— Bet ji tave tiek metų apgaudinėjo.

— Tai turėčiau šokti iš jos glėbio į tavąjį?

Bilės veide švystelėjo nusivylimas.

— Daryk, kaip išmanai.

— Nemėgstu kam nors ieškoti pateisinimų, — mėgino paaiškinti jis.

Ji tylėjo, todėl Lukas pridūrė:

— Tau kitaip atrodo, ar ne?

— Taip, man atrodo kitaip, velniai rautų, — pratrūko ji. — Geidžiu tavęs čia ir dabar. Prisiminiau, kaip tai buvo anksčiau ir noriu vėl tai patirti, tuojau pat.

Ji pažvelgė pro langą. Traukinys švilpė pro nediduką miestelį: dešimt sekundžių žaižaruojančių švieselių, ir vėl aklina tamsa.

— Tačiau pažįstu tave, — tęsė ji. — Tu niekada negali būti čia ir dabar, net kai buvome visai jaunuoliai. Tu pirma viską apmąstai, kol neįsitikini, kad elgiesi teisingai.

— Argi tai blogai?

Ji šyptelėjo.

— Ne. Džiaugiuosi, kad tu toks. Dėl to ir esi patikimas kaip uola. Jeigu būtum kitoks, greičiausiai aš...

Ji nutilo vidury sakinio.

— Sakyk iki galo.

Bilė pažvelgė jam tiesiai į akis.

— Nebūčiau tavęs taip stipriai ir ilgai mylėjusi. — Ji sumišo ir staigiai pakeitė temą. — Tačiau bet kuriuo atveju tau reikia nusiprausti.

Tai buvo tiesa. Dėvėjo tuos pačius drabužius, kuriuos nudžiovė prieš pusantros paros.

— Kai tik jau ketindavau persirengti, vis atsirasdavo skubesnių reikalų, — tarė jis. — Lagamine turiu naujus.

— O kas man. Ropškis į viršų, man nepatogu nusiauti batus.

Jis paklusniai pasilypėjo kopėtėlėmis ir įsitaisė ant viršutinio gulto. Atsigulė ant šono, pasirėmė ant alkūnės ir priglaudė galvą prie delno.

— Kai prarandi atmintį, atrodo, pradedi gyvenimą iš naujo, — prabilo jis. — Lyg būtum iš naujo gimęs. Apie visą savo ankstesnį gyvenimą sužinai tarsi iš šalies.

Bilė nusispyrė batus ir atsistojo basa.

— Man taip nepatiktų, — atsiliepė ji.

Staigiu judesiu išsinėrė iš kelnių ir liko stovėti su megztiniu ir baltomis kelnaitėmis. Sugavusi jo žvilgsnį, nusijuokė ir tarė:

— Nieko, gali nenusisukti.

Pakišo rankas sau po megztiniu už nugaros ir nusisegė liemenėlę. Tada įtraukė kairiąją ranką po megztiniu, pakišusi dešiniąją, nusimovė petnešėlę, vėl įkišo kairiąją į rankovę ir tarsi fokusininkė ištraukė liemenėlę iš dešiniosios rankovės.

— Pakartot, — tarė jis.

Ji mąsliai į jį pažvelgė.

— Tai ką, einam mylėtis?

— Greičiausiai.

— Gerai.

Ji pasilypėjo ant apatinio gulto krašto ir prisilenkė prie jo bučiniui. Jis palinko priekin, ir judviejų lūpos susilietė. Bilė užsimerkė. Jos liežuvėlis nardė jam tarp lūpų, paskui ji atsitraukė ir dingo.

Jis pasivertė ant nugaros. Mąstė, kad ji guli visai čia pat, ištiesusi savo dailias nuogas kojas, o po megztiniu sūpuojasi ir linguoja apvalios jos krūtys. Jis akimirksniu užmigo.

Sapnavo klaikiai erotišką sapną. Tarsi jis yra Botomas iš Šekspyro „Vasarvidžio nakties sapno" asilo ausimis, ir visą jo gauruotą veidą bučiniais apipila Titanijos fėjos, plikutėlės ilgakojės stačiakrūtės merginos. Pati Titanija, fėjų karalienė, sagsto jo kelnes, traukinio bėgiams mušant erotišką ritmą...

Jis lėtai išniro iš sapno, nenorėdamas palikti tos stebuklų šalies ir grįžti į geležinkelių ir raketų pasaulį. Jo marškiniai buvo atsagstyti, kelnės numautos. Šalia, bučiuodama jį, gulėjo Bilė.

— Jau pabudai? — sušnibždėjo jam į ausį — normalią ausį, ne asilišką. Ji sukrizeno. — Nenoriu tuščiai glamonėti parpiančio vyruko.

Jo delnas nuslydo jos kūnu. Bilė dar vilkėjo megztinį, bet jau buvo be kelnaičių.

— Jau pabudau, — geiduliu pritvinkusiu balsu sušnibždėjo jis.

Bilė pasikėlė ant rankų ir apžergė jį, palenkusi galvą po neaukštomis kupė lubomis, ir, žvelgdama tiesiai į akis, prigludo visu kūnu.

Lukas, įslydęs į ją, net sudejavo iš malonumo. Traukinys siūbavo į šonus, o bėgiai dundeno meilės ritmą.

Jis sukišo rankas po megztiniu ir ėmė glamonėti jos švelnias ir šiltas krūtis. Ji sušnibždėjo jam į ausį:

— Pasiilgo tavęs.

Jautėsi, lyg būtų dar nepabudęs iš sapno, kai siūbuojant traukiniui Bilė bučiavo jam veidą, o už lango šmėžavo Amerikos plynės. Jis stipriai ją apkabino, kad įsitikintų, jog tai ne sapnas. Norėjo, kad visa tai tęstųsi ištisą amžinybę, ir laikas ištirpo, atsidavus susiliejančių kūnų bangavimui.

Paskui ji tarė:

— Nejudėk. Stipriai mane laikyk.

Jis nejudėjo. Bilė įsikniaubė jam į kaklą, karštu kvėpavimu šildydama odą. Gulėjo nejudėdamas, o ją tarsi kas nepaliaujamai purtė iš vidaus, kol galų gale ji giliai atsiduso ir nurimo jo glėby.

Jiedu dar kiek taip pagulėjo, bet miego Lukui nesinorėjo. Bilei greičiausiai taip pat, nes ji prabilo:

— Turiu idėją. Nusiprauskim.

Jis nusijuokė.

— Tikrai nepakenktų.

Bilė nušliuožė nuo jo ir nulipo žemyn, jis — iš paskos. Kupė kampe stovėjo nedidelis dubuo su kaušeliu. Ji pripylė dubenį šilto vandens.

— Nuprausiu tave, o paskui tu — mane, — pasakė ji.

Pamirkė rankšluostį, įmuilino ir ėmė trinti Luką.

Tai jaudino iki virpulio. Jis užsimerkė. Ji išmuilino jam pilvą, paskui pasilenkė nuprausti kelių.

— Kai ką praleidai, — tarstelėjo jis.

— Nesijaudink. Geriausia palikau pabaigai.

Vėliau jis nuprausė ją, ir dabar visas kūnas tiesiog degė aistra. Jiedu vėl susiglaudė, šįkart ant apatinio gulto.

— Na, — tarė ji. — Ar prisimeni, kas yra oralinis seksas?

— Ne, — atsiliepė jis. — Bet, regis, galiu numanyti.

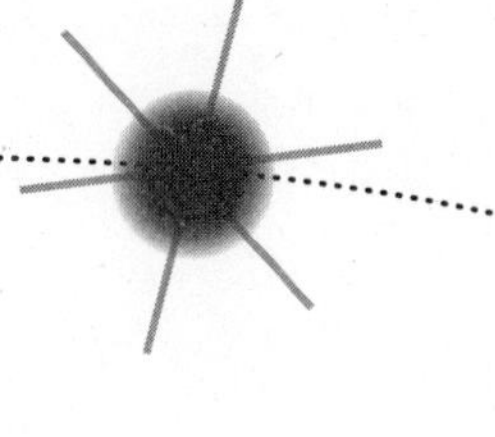

ŠEŠTA DALIS

8 val. 30 min.

Kad būtų galima tiksliau sekti palydovą, Reaktyvinių variklių laboratorija Pasadenoje sukūrė naują radijo sistemą *Microlock*. Ja aprūpintos radijo stotys sugauna 1/1000 W stiprumo signalą, pasiųstą už 20 000 mylių.

Entonis skrido į Floridą nedideliu lėktuvėliu, kuris visą kelią nuo Alabamos iki Džordžijos kratėsi ore kaip per duobėtą grindinį. Sykiu skrido generolas ir du pulkininkai, kurie, jei tik būtų numanę Entonio kelionės tikslą, būtų nudėję jį vietoje.

Jis nusileido Patriko oro pajėgų bazėje, per keletą mylių į pietus nuo Kanaveralo kyšulio. Laukiamąjį atstojo keli ankšti kambarėliai, pristatyti prie angaro. Jau vaizdavosi, kaip tvarkingais kostiumais ir išblizgintais batais jo laukia FTB vyrai, pasirengę jį suimti, tačiau išvydo tik Elspetę. Ant jos skaisčios odos jau vienur kitur ryškėjo raukšlelės, o aukšta figūra mažumėlę gunktelėjo. Ji išsivedė jį į lauką, kur saulės atokaitoje stovėjo jos korvetė.

Vos jiedu susėdo vidun, jis pasiteiravo:

— Kaip Teo?

— Sukrėstas, bet nieko, atsigaus.

— Ar policija turi jo išvaizdos apibūdinimą?

— Taip — pulkininkas Haidas jį visiems išsiuntinėjo.

— Kur jis slepiasi?

— Mano kambaryje motelyje. Palauks ten, kol sutems.

Ji išvažiavo į greitkelį ir pasuko šiaurės pusėn.

— O kaip tu? Ar CŽV paskelbs tavo paiešką per policiją?

— Nemanau.

— Vadinasi, gali pakankamai laisvai judėti. Tai gerai, nes tau reikia automobilio.

— Valdyba savo rūpesčius linkusi spręsti pati. Dabar jie mano, kad veikiau savo nuožiūra, ir jiems terūpi, kuo greičiau mane iš čia ištraukti, kad neturėtų nereikalingų rūpesčių. Išgirdę Luko parodymus supras, kad pas juos ilgus metus dirbo dvigubas agentas, tačiau dėl to tiktai dar labiau stengsis viską užglaistyti. Nesu tikras, tačiau spėju, kad ypatingai manęs neieškos.

— Aš irgi nesu pernelyg įtariama. Taigi visi trys galime veikti toliau. Galbūt visą šitą reikalą dar įmanoma išgelbėti.

— Lukas tavęs neįtaria?

— Neturi pagrindo.

— Kur jis dabar?

— Dunda traukiniu, pasak Merigoldos. — Jos balse pasigirdo karčios gaidelės. — Su Bile.

— Kada jis čia pasirodys?

— Tiksliai nežinau. Greituoju atvyks į Džeksonvilį, bet ten turės persėsti į lėtąjį vietinį traukinį. Greičiausiai popiet.

Kurį laiką jiedu važiavo tylėdami. Entonis stengėsi nusiraminti. Po paros viskas baigsis. Arba jie atliks istorinį žygį, kuriam paaukojo savo gyvenimą, arba jiems nepasiseks, ir kosminės lenktynės tęsis.

Elspetė dirstelėjo į jį.

— Ką darysi paskui?

— Išvyksiu iš šalies.

Jis patapšnojo nedidelį lagaminėlį sau ant kelių.

— Turiu pasiruošęs viską, ko gali prireikti — pasus, pinigų, keletą maskuojamųjų dalykėlių.

— O toliau kur?

— Į Maskvą.

Kai skrido į čia, jo mintys visą laiką sukosi tik apie tai.

— Greičiausiai vadovausiu KGB Vašingtono skyriui.

Entonis buvo KGB majoras. Elspetė bendradarbiavo anksčiau — ji ir užverbavo Entonį dar Harvarde — ir jau buvo pulkininkė.

— Paskirs kokiu vyresniuoju analitiku, — tęsė jis. — Pagaliau juk apie CŽV ten niekas daugiau už mane neišmano.

— Kaip tu prisitaikysi prie tenykščio gyvenimo?

— Turi galvoje, prie to darbininkų rojaus? — Jis kreivai šyptelėjo. — Juk skaitei Džordžą Orvelą. Visi gyvuliai lygūs, bet vieni lygesni už kitus. Spėju, daug kas priklausys nuo to, kaip seksis šiąnakt. Jeigu mūsų reikalas išdegs, tapsime didvyriais. Jeigu ne...

— Nesibaimini dėl ateities?

— Žinoma, o kaipgi? Visų pirma būsiu vienišas — be draugų, tėvų, be to, nemoku rusiškai. Tačiau galbūt vesiu ir auginsiu nedidelę pionierių kuopelę.

Pašmaikštavimais jis tik dangstė smelkiantį nerimą.

— Jau seniai esu nutaręs aukoti asmeninę laimę aukštesnių tikslų vardan.

— Aš irgi taip manau, tačiau vis tiek mane gąsdintų mintis apie persikėlimą į Maskvą.

— Tau nereikės to daryti.

— Ne. Jie pageidauja, kad bet kuria kaina likčiau čia.

Ji aiškiai neseniai buvo susitikusi su savo viršininku. Entonio nenustebino sprendimas nejudinti Elspetės. Paskutinius ketverius metus rusai žino kiekvieną smulkmeną apie JAV kosmoso programą. Į jų rankas pateko visi svarbesni raportai, bandymų rezultatai, raketų brėžiniai, ir visa tai — tik Elspetės dėka. Tarsi visas Redstounas plušėtų sovietų labui. Dėl Elspetės sovietai ir aplenkė amerikiečius kosmose. Ji, be jokios abejonės, didžiausia pokario šnipė.

Entonis žinojo, kad dėl savo darbo ji paaukojo beveik viską, ką tik įmanoma paaukoti. Ištekėjo už Luko, kad galėtų gauti žinių apie kosmoso programą, tačiau jos meilė buvo tikra, ir Elspetei širdis plyšo jį apgaudinėjant. Tačiau atlygis buvo sovietų triumfas kosmoso lenktynėse, kuris šįvakar gali būti galutinai įtvirtintas. Dėl to verta pasistengti.

Jo paties nuopelnai nebuvo tokie įspūdingi kaip Elspetės. Jis įsiskverbė į aukštus CŽV valdžios sluoksnius. Tunelis, kurį išrausė ten, Berlyne, iš tiesų buvo dezinformacijai skirtas kanalas. KGB per jį privertė CŽV išleisti milijonus sekti žmonėms, kurie visiškai nebuvo šnipai, skverbtis į organizacijas, kuriose komunistų nebūdavo nė kvapo, diskreditavo trečiojo pasaulio politikus, iš tikrųjų prijaučiančius amerikiečiams. Jeigu savo bute Maskvoje pasijus vienišas, prisimins, ką yra nuveikęs, ir širdyje iš sykio pasidarys geriau.

Tarp palmių abipus plento priešaky išvydo milžinišką raketos maketą ir užrašą „Žvaigždėtasis" motelis. Elspetė sulėtino greitį ir įsuko į stovėjimo aikštelę. Motelio pastatas buvo žemas, su atramomis kampuose, kurios darė jį panašų į kažkokį fantastinį statinį. Elspetė pastatė automobilį kiek galima toliau nuo kelio. Dviejų aukštų motelis dunksojo už pievelės, kurioje straksėjo keletas paukščiukų. Už pievelės švietė paplūdimys.

Nepaisant raminamų Elspetės kalbų, Entonis nenorėjo, kad jį kas pamatytų, todėl užsismaukė ant akių skrybėlę ir greitu žingsniu patraukė į vidų.

Dauguma motelio gyventojų buvo kaip nors susiję su kosmine programa. Lempos priminė raketas, ant sienų mirgėjo išpaišytos stilizuotos planetos ir žvaigždynai. Teo stovėjo prie lango ir žvelgė į vandenyną. Elspetė supažindino vyrus ir užsakė kavos bei spurgų. Teo kreipėsi į Entonį:

— Gal Lukas minėjo, kaip iki manęs prisikasė?

Entonis patvirtinamai linktelėjo.

— Jis darė kopijas R angare. Šalia aparato ten yra įrašų knyga. Darydamas kopijas, turi užrašyti datą, laiką ir kopijų kiekį, pasirašyti. Lukas atkreipė dėmesį į įrašą, kad dvylika kopijų padarė VfB, t. y. Verneris fon Braunas.

— Visada pasirašau fon Braunu, nes viršininko niekas nedrįs klausinėti, kam jam tos kopijos, — paaiškino Elspetė.

Entonis tęsė:

— Tačiau Lukas žinojo kai ką, ko nenumanė Elspetė — kad tądien fon Braunas buvo išvykęs į Vašingtoną. Jis įtarė kažką negero. Pašniukštinėjęs pašto skyrelyje, aptiko tau adresuotą laišką. Tačiau nežinojo, kieno tai galėtų būti darbas. Nutarė, kad ten negalima niekuo pasitikėti ir išskrido į Vašingtoną. Laimė, Elspetė su manimi susisiekė, ir aš užkiratu jam kelią, kol niekam nepranešė.

— Tačiau dabar viskas vėl prasideda iš naujo. Lukas atkapstė tai, ką mes jam ištrynėm, — tarė Elspetė.

— Kaip manai, ko dabar imsis kariškiai? — paklausė Entonis.

— Galėtų paleisti raketą su atjungtu susinaikinimo įtaisu. Tačiau jei toks dalykas iškiltų viešumon, susilauktų visuotinio pasmerkimo, kuris aptemdytų triumfą. Spėju, kad pakeis susinaikinimo signalo kodą.

— Kaip?

— Nežinau.

Į duris kažkas pasibeldė. Entonis įsitempė kaip styga, tačiau Elspetė jį nuramino:

— Užsakiau kavos.

Teo pasislėpė vonioje. Entonis nusigręžė nugara į duris. Kad nesukeltų įtarimo, pradarė spintą ir apsimetė apžiūrinėjantis drabužius. Joje kabojo Luko kostiumas ir rietuvė mėlynų marškinių. Užuot įleidusi patarnautoją vidun, Elspetė pasitiko jį tarpduryje, pasirašė sąskaitą, davė arbatpinigių, paėmė iš jo padėklą ir uždarė duris.

Iš vonios išlindo Teo, Entonis vėl atsisėdo.

— Ką dabar darysime? Jei pakeis kodą, negalėsime susprogdinti raketos, — tarė Entonis.

Elspetė pastatė padėklą su kava ant stalo.

— Turiu sužinoti jų planą ir rasti būdą, kaip jį apeiti.

Ji pakėlė rankinę ir užsimetė ant pečių švarkelį.

— Nusipirk automobilį. Vos tik sutems, varyk į pajūrį. Sustok kaip įmanoma arčiau Kanaveralo kyšulio tvoros. Susitiksime ten. Ir skanaus.

Ji dingo tarpdury.

Kiek patylėjęs, Teo prabilo:

— Reikia pripažinti, kad jos nervai plieniniai.

Entonis pritariamai linktelėjo.

— O kaip kitaip.

16 val.

Radijo stotys, priimančios palydovo signalus žemėje, išdėstytos iš šiaurės į pietus maždaug 65 laipsniai ilgumos nuo Grinvičo meridiano.

Laikmatis, skaičiuojantis laiką iki starto, rodė X minus 390 minučių.

Šis laikmatis skaičiavo įprastą laiką, tačiau Elspetė žinojo, kad šis skaičiuojamas laikas gali išsitęsti. Atsiradus kokiai nenumatytai kliūčiai, kuri priverčia sugaišti papildomą laiką, laikmatis stabdomas. Išsprendus keblumus, jis vėl paleidžiamas ir skaičiuoja tokį patį laiką, ties kuriuo buvo sustabdytas, nors iš tikrųjų papildomai sugaišta dešimt ar penkiolika minučių. Artėjant variklių paleidimui, tas tarpas tarp tikrojo laiko ir laikmačio dažnai gerokai padidėdavo.

Tądien laikmatis paleistas pusę dvyliktos, nustačius X minus 660 minučių. Elspetė nepaliaudama suko ratus po bazę, tikslindama tvarkaraštį, budriai sekdama kiekvieną mažiausią pasikeitimą. Vis dar nepavyko išsiaiškinti, kaip ketinama apsisaugoti nuo sabotažo, ir ji ne juokais sunerimo, kad gali nepasisekti.

Pasklido žinia, kad Teo Pakmanas — šnipas. „Avangardo" administratorius visiems papasakojo, kaip pulkininkas Haidas su keturiais farais ir dviem FTB vyrais užgriuvo motelį ir pareikalavo rakto nuo jo kambario. Mokslininkų bendruomenė mitriai susiejo šią žinią su atidėtu raketos startu. Niekas Kanaveralo kyšulyje netikėjo oficialiu paaiškinimu, kad tai padaryta gavus naujausius meteorologinius duomenis apie stiprėjantį uraganinį vėją. Ryte visi tik ir šnekėjo apie sabotažą. Tačiau niekas nieko tiksliau negalėjo pasakyti, o jei ir galėjo, tai tylėjo. Dienai persiritus į antrąją pusę, Elspetės nerimas vis augo. Ji nesiryžo klausti tiesiai, nes baiminosi sukelti įtarimą. Vis dėlto ilgiau laukti nebebuvo galima ir reikėjo veikti rizikuojant. Jeigu tučtuojau neišgaus saugumo plano, nespės sužlugdyti skrydžio.

Lukas vis dar nepasirodė. Viena vertus, labai jo ilgėjosi, antra vertus, net šiurpuliai ėjo per nugarą galvojant apie artėjantį susitikimą. Geisdavo jo tomis naktimis, kai būdavo kur nors išvykęs. Tačiau kai jis gulėdavo šalia, ją nuolat kamuodavo mintis, kad jos darbas sugriaus Luko svajones. Jos dviveidystė nuodyte nuodijo jųdviejų santuoką. Tačiau visada ilgėdavosi Luko, trokšdavo matyti jo veidą, klausytis malonaus žemo balso, liestis ir gėrėtis jo šypsena.

Mokslininkai skrydžių valdymo centre per pertraukėlę užkandžiavo sumuštiniais ir gėrė kavą neatsitraukdami nuo savo monitorių. Jei pasirodydavo kokia nors moteris, paprastai pasipildavo juokeliai, tačiau tądien jie sėdėjo tylūs ir susikaupę. Visi būgštavo, kad kas nesugestų, nepradėtų įspėjamai blykčioti kokia lemputė, neperdegtų elektronika, nesulūžtų kokia detalė ar nesutriktų ištisa sistema. Jei rasdavosi koks nors trukdis, visi išsyk persimainydavo: griebdavosi bendrai šalinti kliūtis, sutartinai ieškodavo išeičių, supuolę krūvon tardavosi, kaip reikėtų vieną ar kitą gedimą pataisyti. Knebinėjimasis prie kokio nors techninio galvosūkio šiems vyrams teikė nenusakomą malonumą.

Ji įsitaisė šalia savo viršininko Vilio Fredriksono, kuris taršė sumuštinį su vištiena, o jam ant kaklo kadaravo ausinės.

— Tikriausiai jau žinote, kad visi tik ir kalba apie bandymą sabotuoti skrydį, — lyg tarp kitko užvedė kalbą ji.

Jam nespėjus atsakyti, kažkoks technikas iš kito patalpos galo šūktelėjo „Vili!" ir užsidėjo ausines.

Vilis padėjo į šalį sumuštinį, taip pat užsikėlė ausines ir tarė:

— Fredriksonas. — Kokią minutę kažko klausėsi. — Gerai, — galų gale atsiliepė. — Kuo greičiau, tuo geriau. — Tada pakėlė galvą ir paliepė: — Sustabdykite laikmatį.

Elspetę tarsi elektra nupurtė. Gal pagaliau sužinos tai, ko ji ir laukė? Pakėlė užrašų knygelę ir sukluso.

Vilis nusiėmė ausines.

— Dešimt minučių sugaišime, — pranešė jis.

Iš susierzinusio balso galėjai numanyti, jog atsirado dar vienas įprastas trukdis. Jis vėl suleido dantis į sumuštinį.

Bandydama išpešti ką nors daugiau, Elspetė pasiteiravo:

— Ar pranešti priežastį?

— Teks pakeisti kondensatorius, regis, čirškia.

Elspetė pamanė, kad jis veikiausiai neslapukauja. Kondensatoriai — gyvybiškai svarbūs siųstuvui, ir čirškimas — nuolatinės nedidelės elektros iškrovos — yra įspėjantis ženklas, kad įtaisas gali sugesti. Tačiau viršininko žodžiai jos iki galo neįtikino.

Ji brūkštelėjo sau pastabą ir atsistojusi linksmai pamojavo atsisveikindama. Lauke šešėliai jau buvo ilgesni. Baltas *Explorer* liemuo atrodė tarsi kokia į dangų nukreipta rodyklė. Elspetė įsivaizdavo, kaip ji kankinamai lėtai atsiplėšia nuo žemės ir, atsistūmusi jai iš uodegos šniokščiančiu ugnies srautu, pakyla į žvaigždėtą dangų. Ir tą už saulę ryškesnį blyksnį — raketos sprogimą, į šalis pažirusį metalo duženų debesį, raudonos ugnies kamuolį danguje ir garsą, kuris išreikštų viso pasaulio vargšų ir nuskriaustųjų džiaugsmo šūksnį.

Ji sparčiu žingsniu perkirto smėlėtą pievelę, pasiekė paleidimo bokštą, užėjo už jo ir įžengė į metalinį statinį bokšto papėdėje, kuriame buvo kabinetai su techninė įranga. Bokšto prižiūrėtojas Haris Leinas kalbėjo telefonu ir kažką žymėjosi storu pieštuku. Kai jis padėjo ragelį, Elspetė paklausė:

— Dar dešimt minučių?

— Gal ir daugiau.

Jis nė nepažvelgė jos pusėn, bet ir nenuostabu: visada elgėsi šiurkščiai ir nelabai mėgo, kai apie bokštelį sukiojosi moterys.

Žymėdamasi sau į užrašų knygutę, ji pasiteiravo:

— Priežastis?

— Keisim sugedusią detalę, — sumurmėjo jis.

— Gal malonėtumėte pasakyti, *kokią* detalę?

— Ne.

Ji niršo. Neaišku, ar jis taip elgiasi slaptumo sumetimais, ar dėl savo storžieviškumo. Elspetė apsigręžė eiti. Kaip tik tuo metu tarpdury išdygo inžinierius tepaluotu kostiumu.

— Štai senasis, Hari, — tarė jis.

Murzinoje rankoje jis laikė kodavimo įtaisą.

Elspetė tiksliai žinojo, jog tai koduoto susinaikinimo signalo imtuvas. Iš jo kyšančios vielos buvo sujungtos taip, kad tik toks signalas uždegtų Bikfordo virvelę.

Ji skubiai išnėrė lauk, kad Haris nepastebėtų triumfuojančios veido išraiškos. Besidaužančia iš susijaudinimo širdimi nuskubėjo prie džipo.

Atsisėdo už vairo ir mintyse numatė veiksmų planą. Norėdami apsisaugoti nuo sabotažo, keičia kodavimo įtaisą. Atitinkamas prietaisas bus pakeistas ir siųstuve. Nauja įranga greičiausiai atsiųsta ryte iš Hantsvilio.

Labai logiška. Ji džiaugėsi pagaliau susekusi, ką sumanė kariškiai. Tačiau kaip juos apmauti?

Tuos prietaisus visada gamindavo keturis, kad gedimo atveju būtų galima pakeisti atsarginiu. Atsarginius praeitą sekmadienį Elspetė ir išnarstė, perpiešė schemą, kad Teo galėtų pasiųsti tokį patį kodą ir susprogdinti raketą. Dabar viską teks pradėti iš naujo: prieiti prie atsarginių įtaisų, juos išardyti ir perpiešti schemą.

Ji užvedė variklį ir nurūko atgal prie angarų. Užuot ėjusi į savo darbo vietą R angare, pasuko į D angarą ir įžengė į telemetrijos skyrių. Praeitą sykį čia ir rado tuos atsarginius įtaisus.

Henkas Miuleris, palinkęs sykiu su kitais dviem kolegomis prie darbastalio, rimtai tyrinėjo sudėtingą elektroninį prietaisą. Išvydęs ją, visas nušvito ir tarė:

— Aštuoni tūkstančiai.

Jo kolegos tik atsiduso ir numojo ranka.

Elspetė sutramdė savo nekantravimą. Prieš pašnekesį su juo reikia pažaisti skaičiais.

— Tai dvidešimt kubu, — atsakė ji.

— Pernelyg paprasta.

Ji kurį laiką laužė galvą.

— Na, tai iš eilės einančių skaičių kubų suma: $11^3+12^3+13^3+$ $+14^3=8000$.

— Puikiai.

Jis ištiesė Elspetei dešimt centų ir laukdamas žvelgė į ją.

Ji pasuko galvą, ieškodama kokio įdomesnio skaičiaus, ir tarė:

— 16830.

Jis susiraukė nuo tokios nesąžiningos, jo nuomone, užduoties.

— Negaliu pasakyti, reikia kompiuterio! — pasipiktinęs tarė.

— Nežinote? Tai suma visų iš eilės kubų nuo 1,134 iki 2,133.

— Nesu girdėjęs tokio daikto!

— Kai mokiausi aukštojoje, tėvai gyveno 16 830-ajame name, taip ir sužinojau.

— Pirmas kartas, kai pasilieki mano dešimt centų.

Jis atrodė vaikiškai prislėgtas.

Negali knaisiotis po laboratoriją, reikia pasiteirauti jo. Laimė, kiti vyrai buvo kiek tolėliau. Ji išpylė vienu atsikvėpimu:

— Ar pas jus atsarginiai kodavimo įtaisai?

— Ne, — atsakė jis ir dar labiau nuliūdo. — Pasak jų, čia nesaugu, todėl užrakino seife.

Elspetė nudžiugo, kad jis nepasidomėjo, kam jai jų reikia.

— Kokiam seife?

— Man nesakė.

— Tiek to.

Ji apsimetė, kad kažką pasižymėjo savo užrašų knygelėje ir pasišalino.

Nuskubėjo į R angarą, aukštakulniais klampodama per smėlį. Jautė jėgų antplūdį. Tačiau dar teks daug ką nuveikti. Pastebėjo, kad jau temsta.

Ji žinojo vienintelį seifą pulkininko Haido kabinete.

Prisėdusi už rašomojo stalo, įdėjo voką į mašinėlę ir išspausdino „Dr. V. Fredriksonui — asmeniškai". Tada sulankstė du baltus popieriaus lapus, įkišo į voką ir užklijavo.

Priėjo prie Haido kabineto, pasibeldė ir įžengė vidun. Jis buvo vienas, sėdėjo už stalo ir dūmijo pypkę. Pakėlė galvą ir šyptelėjo: kaip ir daugelis vyrų, greta savęs mėgo dailius veidelius.

— Elspetė? — lėtai išpapsėjo jis. — Kuo galiu pagelbėti?

— Ar nepadėtumėt šito į seifą Viliui?

Ji ištiesė jam voką.

— Žinoma, — atsiliepė jis. — Kas čia?

— Man nesakė.

— Aišku.

Jis apsisuko su kėde ir atidarė dureles sienoje. Žvelgdama per petį, Elspetė išvydo antras plienines dureles su užraktu. Žengtelėjo arčiau. Skalė buvo sužymėta nuo 0 iki 99, tačiau skaitmenimis pažymėtos tik dešimtys — kitus numerius atstojo įrantos. Elspetė įsisiurbė žvilgsniu į skalę. Jos akys buvo aštrios kaip erelio, tačiau vis tiek buvo nelengva įžiūrėti, ties kur Haidas sustabdo skalę. Dar labiau pasidavė į priekį, net palinko virš stalo, kad geriau matytų. Pirmas skaičius matėsi aiškiai: 10. Paskui atsuko kažkur žemiau 30, 28 arba 29. Pagaliau suktelėjo skalę kažkur tarp 10 ir 15. Kombinacija turėjo būti kažkuo panaši į 10-29-13. Greičiausiai jo gimtadienis, 28-a ar 29-a spalio, 1911, 1912, 1913 ar 1914. Iš viso aštuoni variantai. Jeigu įsmuktų čia niekam nematant, per keletą minučių juos patikrintų.

Haidas atidarė dureles. Viduje gulėjo prietaisai.

— Eureka, — sušnibždėjo Elspetė.

— Ką? — paklausė Haidas.

— Nieko.

Jis kažką sumurmėjo, švystelėjo laišką į seifą, uždarė dureles ir suktelėjo užraktą.

Elspetė jau žengė pro duris.

— Dėkoju, pulkininke.

— Visada prašom.

Dabar teks lukteléti, kol išeis iš savo kabineto. Nuo savo stalo jo durų stebėti negalės. Tačiau jis įsikūręs koridoriaus gilumoje, taigi kur traukdamas neišvengiamai turės praeiti pro jos kabinetą. Ji paliko praviras duris.

Suskambo telefonas. Tai buvo Entonis.

— Po kelių minučių iš čia dingstam, — pranešė jis. — Ar turim ko reikia?

— Dar ne, bet bus.

Širdyje ji nebuvo tokia užtikrinta.

— Kokį automobilį nusipirkai?

— Šviesiai žalias fordas „Mercury", 54-ųjų laidos, seno dizaino.

— Pažinsiu. Kaip Teo?

— Klausinėja manęs, ką jam daryti po to.

— Maniau, jis skris į Europą ir toliau darbuosis *Le Monde*.

— Bijo, kad jį ten gali sučiupti.

— Gal ir taip. Tada tegu vyksta su tavimi.

— Nenori.

— Pažadėk jam ką nors, — nekantriai mestelėjo ji. — Tegu šiąnakt atidirba.

— Gerai.

Koridoriuje šmėkštelėjo pulkininkas Haidas.

— Man metas, — tarė ji ir padėjo ragelį.

Elspetė išėjo iš kabineto, bet Haidas dar stovėjo netoliese ir šnekėjosi su sekretorėmis. Dabar nepavyks įsmukti į jo kabinetą — pastebėtų. Elspetė dar kiek pasitrynė, mintyse melsdama, kad jis čia nestoviniuotų. Galų gale Haidas pajudėjo, bet pasuko atgal į savo kabinetą.

Po dviejų valandų sėdėjo vis ten pat.

Elspetė vos tvardėsi. Žino derinį, jai tereikia patekti vidun ir atrakinti seifą, o jis ten kiurkso nepajudėdamas. Nusiuntė sekretorę parnešti kavos. Nėjo net į tualetą. Elspetė ėmė regzti planą, kaip įveikti šią kliūtį. STT juos mokė, kaip smaugti nailonine kojine, tačiau ji to niekad nebandė. Be to, Haidas — stiprus vyras, daužysis kaip pašėlęs.

Ji irgi nesitraukė iš savo vietos. Tvarkaraščio reikalus nustūmė į šalį. Vilis Fredriksonas įsius, bet dabar jai nė motais.

Kas kelios minutės užmesdavo akį į savo laikroduką. Be penkių minučių pusę devintos Haidas pagaliau kažkur pasišalino. Ji stryktelėjo kaip atsilaisvinusi spyruoklė ir puolė prie durų. Jis lipo laiptais žemyn. Iki starto buvo likusios vos pora valandų, todėl greičiausiai patraukė į skrydžių valdymo centrą.

Koridoriumi jos link artėjo kažkoks vyras. Jis neryžtingai prabilo puikiai jai pažįstamu balsu:

— Elspete?

Moters širdis kone sustojo, ir ji pažvelgė jo pusėn.

Tai buvo Lukas.

20 val. 30 min.

Kiekvienas palydovo duomenų daviklis savo registruojamus duomenis siunčia skirtingo dažnio radijo bangomis.

Lukas baimingai laukė šitos akimirkos.

Jis pavėžėjo Bilę iki „Žvaigždėtojo". Ji ketino ten išsinuomoti kambarį, apsitvarkyti, o paskui taksi atvykti stebėti starto. Lukas pasuko tiesiai į skrydžių valdymo centrą ir sužinojo, kad startas numatytas be penkiolikos vienuoliktą. Vilis Fredriksonas jam papasakojo, kokių priemonių imtasi siekiant apsaugoti raketą nuo sabotažo. Išklausęs jo pasakojimo, Lukas nesijautė visiškai ramus. Būtų kur kas ramiau, jeigu Teo Pakmanas jau būtų sučiuptas, be to, neaišku, kur dabar Entonis. Tačiau, pasak Vilio, nežinodami kodo, jie nieko negalės padaryti, o nauji kodavimo įtaisai saugiai guli seife.

Pasišnekėjęs su Elspete, jis pasijustų saugesnis. Dar niekam neprasitarė apie savo įtarimus — iš dalies dėl to, kad buvo nesmagu ją kaltinti, iš dalies, kad neturėjo jokių įrodymų. Tačiau pažvelgęs jai tiesiai į akis ir paprašęs pasakyti tiesą, iš sykio supras, kaip yra iš tikrųjų.

Jis sunkia širdimi užkopė R angaro laiptais. Pasišnekės su Elspete apie jos išdavystę, o ir jis savo ruožtu turi prisipažinti savąją neištikimybę. Ir dar neaišku, kuri išdavystė baisesnė.

Užlipęs į viršų, prasilenkė su vyru pulkininko uniforma, kuris nesustodamas su juo pasisveikino:

— Sveikas, džiaugiuosi tave matydamas, susitiksim valdymo centre.

Tada išvydo, kaip iš vieno kabineto išnėrė aukšta raudonplaukė. Grakštus stovinčiosios tarpdury ir žvilgsniu palydinčios pulkininką kūnas buvo įsitempęs it styga. Atrodė dar žavingesnė nei nuotraukoje. Jos skaistus veidas žėrėjo raudoniu tarsi saulėlydžio nutvieksta jūra. Kai žvelgė į ją, Lukas pajuto aistrą.

Tiktai prabilęs atkreipė į save jos dėmesį.

— Lukai!

Ji tekina pripuolė artyn. Moters veidas švietė nuoširdžia šypsena, tačiau akyse tvyrojo baiminga nežinia. Apkabino Luką ir pabučiavo į lūpas. Jis sumojo, kad nieko čia stebėtina: juk ji — jo žmona, ir jiedu ištisą savaitę nesimatė. Kas gali būti natūraliau už apsikabinimą? Ji nė nenumanė, jog Lukas ją įtaria, todėl toliau dėjosi pasiilgusia žmona.

Jis atitraukė savo lūpas ir išsivadavo iš jos glėbio. Elspetė suraukė kaktą ir įdėmiai jį nužvelgė — stengėsi iš akių išskaityti, ką tai galėtų reikšti.

— Kas yra? — paklausė ji.

Tada porą sykių patraukė nosimi, ir ūmai jos veidą perkreipė pyktis.

— Šunsnuki, nuo tavęs trenkte trenkia kita moterimi. — Ji atstūmė jį nuo savęs. — Dulkinai Bilę Džozefson, kalės vaike!

Pro šalį ėjęs mokslininkas, išgirdęs tokius žodžius, išpūtė akis, tačiau ji nekreipė į tai jokio dėmesio.

— Krušotės tam sumautam traukiny!

Lukas neišmanė, ką ir besakyti. Jos išdavystė baisesnė nei jo, tačiau vis tiek buvo gėda. Kad ir ką dabar sakytų, skambės lyg pasiteisinimas, o toks vyras yra apgailėtinas. Jis tylėjo.

Jos nuotaika staiga persimainė.

— Neturiu dabar tam laiko, — prakošė ir neramiai apsižvalgė po koridorių.

Lukui tai pasirodė įtartina.

— Ką tokio svarbesnio už mudviejų pokalbį turi daryti?

— Savo darbą!

— Dėl to gali nesijaudinti.

— Ką tu čia mali? Man metas eiti. Pasišnekėsime vėliau.

— Ne, — kietai tarė jis.

Jos balse taip pat pasigirdo metalinės gaidelės:

— Kaip tai „ne"?

— Būdamas namie, atplėšiau tau adresuotą laišką. — Išsitraukė voką iš kišenės ir ištiesė jai. — Nuo gydytojos iš Atlantos.

Ji išbalo kaip drobė. Ištraukė laišką iš voko ir puolė skaityti.

— O Dieve, — sušnibždėjo.

— Sterilizavaisi likus šešioms savaitėms iki mūsų vestuvių, — pratarė jis.

Net ir dabar jam buvo sunku tuo patikėti.

Jos akys paplūdo ašaromis.

— Aš nenorėjau, — atsakė ji. — Neturėjau kitos išeities.

Jis prisiminė gydytojos žodžius apie Elspetės savijautą — nemiga, krintantis svoris, netikėti liūdesio priepuoliai, depresija — ir širdyje smilktelėjo užuojauta jai. Jis sušnibždėjo:

— Man labai gaila, kad tu nesijautei laiminga.

— Nebūk toks malonus, aš to nepakelsiu.

— Eime į tavo kabinetą.

Lukas paėmė ją už rankos, įsitraukė į vidų ir uždarė duris. Elspetė mašinaliai priėjo prie savo stalo, klestelėjo į kėdę, įkišo ranką į rankinę nosinės. Jis atsistūmė viršininko krėslą ir įsitaisė šalia.

Ji išsišnypštė nosį.

— Jau buvau beveik nutarusi to nedaryti, — prabilo ji. — Man dėl to plyšo iš skausmo širdis.

Lukas įdėmiai ją nužvelgė stengdamasis išlikti ramus ir neprarasti šalto proto.

— Greičiausiai jie tave privertė, — tarė jis.

Kiek patylėjo. Jos akys iš nuostabos suapvalėjo.

— KGB, — tęsė Lukas, o Elspetė, nepratardama nė žodžio, spitrijo į jį išpūtusi akis. — Nurodė tau už manęs ištekėti, kad galėtum šnipinėti kosmoso programą, ir sterilizuotis, kad nekliudytų sentimentai dėl vaikų.

Jos veidą iškreipė kančia, ir Lukas suprato, kad šis skausmas nesuvaidintas.

— Nemeluok, — skubiai pridūrė jis. — Aš nepatikėsiu.

— Gerai, — pratarė ji.

Elspetė prisipažino. Jis atsilošė. Na štai, viskas baigta. Užėmė kvapą, visą kūną gėlė ir maudė, tarsi būtų iškritęs iš medžio.

— Vis nepajėgiau galutinai apsispręsti, — prakalbo ji, o veidu kaip pupos ritosi ašaros. — Pabusdavau kupina ryžto sterilizuotis. Per pietus paskambindavau tau, ir tu pasakydavai ką nors apie namą su dideliu kiemu, kuriame galėtų siausti vaikai, ir aš nutardavau jų nurodymo neklausyti. Vartydavausi lovoje naktį ir mąstydavau, kokie gyvybiškai svarbūs jiems tie duomenys, kuriuos gaučiau už tavęs ištekėjusi, ir vėl linkdavau paklusti jų siūlymams.

— Negi negalėjai tų dalykų suderinti?

Ji papurtė galvą.

— Ir taip vos pajėgiau ištverti, nes mylėjau tave ir sykiu šnipinėjau. Jeigu būtume susilaukę vaikų, nebūčiau įstengusi taip gyventi.

— Kas tave galų gale privertė apsispręsti?

Ji nusišnypštė nosį ir nusibraukė ašaras.

— Tu nepatikėsi. Gvatemala. — Ji liūdnai nusijuokė. — Tie užguiti žmonės tenorėjo, kad jų vaikai galėtų mokytis. Taip pat sukurti profsąjungą, kuri juos gintų ir leistų užsidirbti pragyvenimui. Tačiau tokiu atveju bananai būtų pabrangę keliais centais, o Vaisių importo kompanija to nenorėjo. Ko gi ėmėsi JAV? Nuvertė vyriausybę ir pastatė fašistinę marionetę. Tuo metu dirbau CŽV, žinau, kaip viskas buvo. Aš taip įsiutau — tie grobuonys iš Vašingtono gali sau ramiausiai sujaukti skurdžią šalį ir dar išsijuosę meluoti, priversti spaudą amerikiečiams pūsti miglą į akis, neva tai buvo vietinis perversmas prieš komunistus. Sakysi, kad pernelyg dėl to jaudinuosi, tačiau man trūksta žodžių apsakyti tuometinius savo jausmus.

— Kad net ryžaisi sužaloti save?

— Ir išduoti tave, ir sugriauti savo vedybinį gyvenimą. — Ji išdidžiai pakėlė galvą. — Tačiau kokia kita viltis gali šviesti pasauliui, kai skurdi valstiečių tauta dar nespėja išlipti iš purvo, o ją tuoj pat atgal įmina Dėdės Semo batas? Gailiuosi tik vieno: kad neleidau tau susilaukti vaikų. Tai žiauru. Kitkuo tiktai didžiuojuosi.

Jis linktelėjo:

— Manau, kad tave suprantu.

— Tai jau nemažai. — Ji atsiduso. — Ką darysi? Skambinsi į FTB?

— O turėčiau?

— Jeigu praneši, baigsiu elektros kėdėje kaip Rozenbergai.

Jis sudejavo, tarsi jam kas būtų dūręs į širdį.

— Dieve mano.

— Yra kita galimybė.

— Kokia?

— Paleisk mane. Išskrisiu pirmu reisu. Į Paryžių, Frankfurtą, Madridą, kur nors į Europą. Iš ten — į Maskvą.

— Tu nori ten nugyventi savo gyvenimą?

— Taip. — Ji kreivai šyptelėjo. — Juk aš — KGB pulkininkė. JAV nieku gyvu netapčiau pulkininke.

— Tada mauk nieko nelaukdama, — pratarė jis.

— Gerai.

— Palydėsiu tave iki vartų, ir tu atiduosi man savo leidimą, kad negalėtum čia sugrįžti.

— Sutarta.

Jis pažvelgė jai į veidą, stengdamasis pasilikti atminčiai jos bruožus.

— Na, atrodo, jau atsisveikinome.

Ji pakėlė savo rankinę.

— Tik pirma užsuksiu į tualetą, gerai?

— Žinoma, — atsakė jis.

21 val. 30 min.

Pagrindinė palydovo mokslinė užduotis — matuoti kosminę radiaciją. Šį eksperimentą rengė dr. Džeimsas van Alenas iš Ajovos valstybinio universiteto. Svarbiausias palydovo įtaisas — Geigerio skaitiklis.

Elspetė išėjo į koridorių, pražingsniavo pro moterų tualetą ir įsmuko į pulkininko Haido kabinetą.

Jame nebuvo nė gyvos dvasios.

Ji uždarė paskui save duris ir, atsirėmusi į jas, su palengvėjimu atsiduso. Kabinetas apraibo, nes akys buvo pilnos ašarų. Sėkmė buvo ranka pasiekiama, tačiau ką tik nutrūko jos saitai su nuostabiausiu vyru pasaulyje, jai teks palikti gimtąją šalį ir likusį gyvenimą praleisti svetur.

Elspetė užsimerkė ir porą sykių lėtai ir giliai įkvėpė ir iškvėpė. Iš karto pasijuto geriau.

Užrakino kabineto duris. Tuomet priėjo prie durelių už Haido stalo ir atsiklaupė prie seifo. Jos rankos tirtėjo. Didelėmis valios pastangomis jas suvaldė. Kažkodėl prisiminė lotynų kalbos pamokas ir posakį „Festina lente" — skubėk lėtai.

Ėmė kartoti tai, ką stebėjo darant pulkininką Haidą. Iš pradžių keturis kartus pasuko skalę prieš laikrodžio rodyklę ir nustatė ją ant 10. Paskui tris kartus suktelėjo į priešingą pusę ir sustojo ties 19. Tada dusyk vėl prieš laikrodžio rodyklę iki 14. Pabandė atidaryti. Durelės — nė iš vietos.

Koridoriuje pasigirdo žingsniai ir moters balsas. Garsai, sklindantys iš koridoriaus, atrodė kažkokie netikroviški, aidėjo kaip sapne. Tačiau žingsniai nutolo ir balsas tolydžio nutilo.

Žinojo, kad pirmas skaičius tikrai 10. Iš naujo jį surinko. Antras turėtų būti 29 arba 28. Šįsyk pasirinko 28, paskui kaip ir pirmąsyk — 14.

Durelės nejudėjo.

Iš aštuonių patikrino dvi galimybes. Jos pirštai sudrėko nuo prakaito ir slidinėjo, todėl nusišluostė juos į suknelę. Dabar pabandė 10, 29, 13, paskui 10, 28, 13.

Liko keturios galimybės.

Išgirdo, kaip kažkur toli įspėjamai ūktelėjo sirena — trissyk iš eilės pakartojo du trumpus ir vieną ilgą ūktelėjimus. Tai buvo ženklas visiems pasišalinti iš starto aikštelės. Iki jo liko valanda. Ji nevalingai grįžtelėjo į duris ir vėl tęsė savo darbą.

Derinys 10, 29, 12 nesuveikė.

Tačiau 10, 28, 12 tiko.

Džiūgaudama patraukė rankeną ir pravėrė sunkias dureles.

Kodavimo įtaisai gulėjo viduje. Ji pergalingai nusišypsojo.

Nėra laiko juos išardyti ir perpiešti schemą. Teks nusigabenti į paplūdimį. Teo arba sujungs laidus pagal šitą pavyzdį, arba tiesiog pakeis juo senąjį kodatorių.

Žinojo, kad vaikšto kaip skustuvo ašmenimis. Ar per likusią valandą kas nors gali pastebėti, kad dingo atsarginiai prietaisai? Pulkininkas Haidas skrydžių valdymo centre ir greičiausiai iki starto nepasirodys. Teks rizikuoti.

Koridoriuje subildėjo žingsniai, ir kažkas pamėgino įeiti į pulkininko Haido kabinetą.

Elspetė sulaikė kvapą.

Kažkoks vyriškas balsas šūktelėjo:

— Ei, Bilai, ar esi?

Balsas lyg ir Hario Leino. Kokio velnio jam čia reikia? Jis paklebino durų rankeną. Elspetė sustingo.

Haris tarė:

— Paprastai Haidas juk nerakina savo kabineto, ar ne?

Kitas balsas atsiliepė:

— Nežinau, kontržvalgybos vadas tikriausiai turi teisę rakinti savo kabinetą.

Ji įtempusi ausis klausėsi nutolstančių žingsnių ir dar išgirdo Harį sakant:

— Kontržvalgyba, cha, velniai rautų, baiminasi, kad kas neišneštų jos viskio.

Ji pasičiupo iš seifo įtaisus ir susigrūdo juos rankinėn. Tuomet užsklendė dureles, pasuko skalę ir uždarė spintelę.

Priėjo prie kabineto durų, pasukusi raktą jas atrakino ir pravėrė.

Priešais ją stovėjo Haris Leinas.

— A! — išsigandusi aiktelėjo ji.

Jis įtariamai susiraukė.

— Ką ten veikei?

— A, nieko, — sulemeno ji ir pamėgino pro jį prasmukti.

Haris sugriebė jai už rankos.

— Jeigu nieko, tai kodėl užsirakinai? — Jis stipriai spustelėjo, kad net nutvilkė skausmas.

Ji įsiuto ir aršiai pratrūko:

— Paleisk ranką, besmegeni, arba tuoj iškabinsiu tau akis.

Jis sutrikęs ją paleido ir atsitraukė, tačiau nenorėjo nusileisti:

— Vis tiek būtų įdomu išgirsti, ką ten veikei.

Jos liežuvis ėmė dirbti pats savaime:

— Norėjau pasitaisyti nusmukusias kojines, o moterų tualetas užimtas, taigi užsukau į Bilo kabinetą, kadangi jo nėra. Esu tikra, kad jis neprieštarautų.

— A, — Haris sutriko. — Na, greičiausiai ne.

Elspetė tarė jau švelnesniu tonu:

— Žinau, kad turime neprarasti budrumo, bet dėl to nereikėtų man laužyti rankų.

— Aha, atsiprašau.

Ji sunkiai kvėpuodama pražingsniavo pro jį. Grįžo į savo kabinetą. Lukas ryžtingu veidu sėdėjo toje pat vietoje.

— Pasiruošusi, — pranešė ji.

Jis atsistojo.

— Iš čia važiuok tiesiai į viešbutį, — nurodė Lukas.

Stengėsi išlikti šaltas ir dalykiškas, tačiau Elspetė matė, kokie jausmai kunkuliuoja jo viduje. Ji pratarė:

— Žinoma.

Jis patenkintas linktelėjo. Jiedu kartu nulipo laiptais ir išėjo į šiltą nakties orą. Lukas palydėjo Elspetę iki jos automobilio. Kai ji jau ruošėsi lipti, jis tarė:

— Dabar duok savo leidimą.

Pravėrė rankinę ir staiga ją nutvilkė baimė. Joje, pačiame viršuje, ant kosmetinio geltono šilko krepšelio, gulėjo kodatoriai. Tačiau Lukas jų nepastebėjo. Žvelgė į šalį, mandagiai nekišo nosies į ledi rankinę. Ji išsitraukė leidimą į Kanaveralo kyšulį, ištiesė jį Lukui ir pliaukštelėdama uždarė rankinę.

Jis įsikišo leidimą į kišenę.

— Iki vartų palydėsiu savo džipu, — pasakė Lukas.

Jai smilktelėjo, kad jiedu matosi paskutinį sykį. Ūmai Elspetei sugniaužė gerklę. Ji įlipo į automobilį ir trinktelėjo durelėmis.

Nurijo ašaras ir pajudėjo iš vietos. Užpakalyje užsižiebė Luko džipo šviesos ir pajudėjo iš paskos. Pravažiuodama starto aikštelę išvydo, kaip bokštas lėtai rieda bėgiais atgal. Jis paliko milžinišką raketą neprilaikomą stovėti žibintų šviesoje, ir ji dabar atrodė apleista ir pažeidžiama. Elspetė dirstelėjo į laikrodį. Be minutės dešimta. Liko 46 minutės.

Net nestabtelėjusi išrūko iš bazės. Luko šviesos galinio vaizdo veidrodėlyje lėtai tolo, kol pagaliau, jai įlėkus į posūkį, visiškai pranyko.

— Lik sveikas, mano meile, — sušnibždėjo ji ir pratrūko verkti.

Šį sykį nepajėgė susivaldyti. Riedėdama keliu, vedančiu išilgai pajūrio, nepaliaujamai verkė, veidu srūte sruvo ašaros, o krūtinė kilnojosi nuo tramdomo kūkčiojimo. Priešais atvažiuojančių automobilių šviesos raibuliavo ir žėrėjo tūkstančiais vaivorykštės atspalvių. Ji vos nepralėkė posūkio į paplūdimį. Susizgribusi, kad metas sukti, nuspaudė stabdžius ir nučiuožė per kelią priešais eismą. Sucypė prasilenkiančio taksi stabdžiai, jis pypsėdamas metėsi į šoną ir išsilenkė per plauką neužkliudęs jos korvetės galo. Ji trenkėsi į smėlio kauburėlį ant keliuko į paplūdimį ir sustojo besidaužančia širdimi. Vos visko nesugadino.

Nusibraukė ašaras rankove ir jau lėčiau ėmė kastis jūros link.

>>><<<

Elspetei pranykus tamsoje, Lukas liko sėdėti prie vartų savo džipe ir laukti Bilės. Trūko kvapo, jautėsi apkvaitęs, kaip šlapiu maišu trenktas. Elspetė viską prisipažino. Per pastarąją parą neabejojo, kad ji dirba sovietams, tačiau jos patvirtinimas vis tiek jį pribloškė. Visi žinojo, kad čia esama šnipų, Etelė ir Julius Rozenbergai už tai gavo galą elektros kėdėje, tačiau apie tai tik skaitai laikraščiuose. O jis ketverius metus gyveno su šnipe susituokęs. Jam tai netilpo galvoje.

Penkiolika po dešimtos pasirodė Bilės taksi. Lukas paaiškino apsaugai, kas ji tokia, jiedu sulipo į džipą ir pasuko į skrydžių valdymo centrą.

— Elspetė išvyko, — prabilo Lukas.

— Regis, mačiau ją, — atsiliepė Bilė. — Ji vairuoja baltą korvetę?

— Taip.

— Taksi vos nesusidūrė su ja. Šoko tiesiai priešais mūsų nosį.

Lukas suraukė kaktą.

— Kur ji šoko tiesiai jums prieš nosį?

— Į šalutinį keliuką.

— Sakė, kad važiuos tiesiai į motelį.

Bilė papurtė galvą.

— Ne, ji lėkė jūros link.

— Jūros?

— Pasuko vienu iš tų keliukų tarp kopų.

— Mėšlas, — susikeikė Lukas ir apsisuko.

>>><<<

Elspetė lėtai riedėjo pajūriu, stebėdama būrelius smalsuolių, susirinkusių stebėti starto. Ties moterimis ir vaikais jos žvilgsnis nė nestabtelėdavo. Dažniausiai būriuodavosi vieni vyrai, apstoję savo automobilius su žiūronais ir kameromis, rūkė ir gurkšnojo alų ar kavą. Ji įdėmiai tyrinėjo jų automobilius, dairydamasi fordo „Mercury". Entonis sakė, kad tas automobilis žalias, tačiau tamsoje spalvos nesimato.

Ji pradėjo dairytis nuo ten, kur žmonių buvo tankiausia, arčiau bazės, tačiau Entonio ir Teo ten nebuvo ir ji sumetė, kad jiedu lūkuriuoja kur nuošaliau. Bijodama juos pražiopsoti, toliau važiavo laikydamasi pietų krypties.

Pagaliau išvydo aukštą vyrą su petnešomis, atsirėmusį į šviesiai žalią automobilį ir pro žiūronus stebintį plieskiantį Kanaveralo kyšulio šviesų margumyną. Elspetė sustojo ir iššoko.

— Entoni! — šūktelėjo ji.

Jis nuleido žiūronus, ir Elspetė pamatė, jog tai ne jis.

— Dovanokite, — sumurmėjo ji ir nuvažiavo toliau.

Ji dirstelėjo į laikrodį. Rodė pusę vienuolikos. Beveik neliko laiko. Ji turi kodatorius, viskas parengta, tereikia surasti pajūry du vyrus.

Automobilių vis retėjo, ir dabar jau jie stoviniavo išsimėtę kas šimtą jardų. Elspetė padidino greitį. Privažiavo prie automobilio, kuris atrodė panašus į nurodytąjį, tačiau jame nieko nebuvo. Ji vėl nuspaudė akceleratorių, kai tas automobilis pyptelėjo.

Ji pristabdė ir atsigręžė pasižiūrėti. Pro fordo langą galvą iškišo vyras ir mojo jai. Tai buvo Entonis.

— Dėkui Dievui! — tarstelėjo ji.

Apsisukusi privažiavo ir iššoko lauk.

— Gavau atsarginį įtaisą, — pranešė ji.

Iš kito automobilio išlindo Teo ir atidarė savo bagažinę.

— Duokš čia, — tarė jis. — Greičiau, dėl Dievo meilės.

22 val. 48 min.

Laikmatyje sušvinta nulis.

Skrydžių valdymo centre vadovas sukomanduoja: „Paleisti variklius!" Paleidėjas suima metalinį žiedą ir jį pasuka. Šiuo judesiu paleidžiama raketa.

Atidaromos kuro angos. Skysto deguonies vožtuvas uždaromas, ir balti kamuoliai apie raketą staiga dingsta.

Skrydžio vadovas praneša:

— Kuro talpoje slėgis normalus.

Dar vienuolika sekundžių — nieko.

Džipas švilpė palei jūrą visu greičiu, sukiodamasis į šonus, kad išvengtų šen bei ten išsibarsčiusių žmonių būrelių. Lukas akimis tyrinėjo automobilius, nekreipdamas dėmesio į pasipiktinimo šūksnius smėliui iš po ratų apibėrus kokį smalsuolį. Bilė, įsitvėrusi stiklo briaunos, stovėjo šalia. Jis šūktelėjo per vėjo švilpesį:

— Matai baltą korvetę?

Ji papurtė galvą.

— Turėtų matytis iš tolo!

— Aha, — atsiliepė Lukas. — Tai kur, po velnių, jie kiūto?

Nuo raketos atitraukiamas paskutinis laidas. Po sekundės užsidega kuras, ir pirmosios pakopos variklis sukriokia. Kylant slėgiui, apačioje išlenda milžiniškas oranžinis ugnies liežuvis.

Entonis šūktelėjo:

— Dėl dievo meilės, Teo, pasiskubink!

— Užsičiaupk, — riktelėjo jam Elspetė.

Jie pasilenkę prie „Mercury" bagažinės stebėjo, kaip Teo krapštosi prie savojo radijo siųstuvo. Jis junginėjo prie vieno kodatoriaus laidelius.

Pasigirdo lyg tolimos perkūnijos dundesys, ir jie pakėlė akis.

Lėtai lėtai *Explorer I* atsiplėšia nuo pakilimo aikštelės. Kažkas skrydžių valdymo centre šūkteli:

— Varyk, mažute!

Bilė pastebėjo greta tamsaus sedano stovinčią baltą korvetę.

— Ten! — riktelėjo ji.

Sedano gale, prie bagažinės, spietėsi trijulė. Bilė pažino Elspetę ir Entonį. Trečiasis greičiausiai buvo Teo Pakmanas. Tačiau jie žiūrėjo ne į bagažinę. Pakėlę galvas žvelgė Kanaveralo kyšulio link.

Bilė žaibiškai sumetė, kas čia vyksta. Siųstuvas bagažinėje. Jie rengiasi siųsti susinaikinimo signalą. Tačiau ko ten žiūri į tolį? Ji pasisuko Kanaveralo kyšulio link. Nieko nesimatė, tačiau girdėjosi žemas grumėjimas, tarsi milžiniškame malūne dundėtų girnos.

Raketa jau plėšėsi nuo žemės.

— Nespėsim! — šūktelėjo ji.

— Laikykis! — perspėjo Lukas.

Ji įsikabino stiklo briaunos, o jis pasuko džipą plačiu puslankiu.

Raketa žaibiškai įsibėgėja. Vieną akimirką atrodo pakibusi virš pakilimo aikštelės, o kitą jau švilpia kaip kulka, šviesdama nakties danguje liepsnos uodega.

Per raketos kriokimą Elspetės ausis pagavo kitą garsą — visu garsu atlekiančio automobilio variklio ūžesį. Po akimirkos „Mercury" nutvieskė žibintų šviesa. Ji pasuko galvą ir išvydo žaibiškai prie jų artėjantį džipą. Sumetė, kad ketina juos taranuoti.

— Greičiau! — sukliko ji.

Teo sujungė paskutinį laidelį.

Ant jo siųstuvo tebuvo du jungikliai: vienas — „Įjungti", kitas — „Sunaikinti".

Džipas buvo čia pat.

Teo įjungė siųstuvą.

Pajūryje tūkstančiai užvertę galvas stebėjo į viršų šaunančią raketą, ir iš tūkstančių krūtinių išsiveržė galingas sutartinis džiaugsmo šūksnis.

Lukas lėkė tiesiai į „Mercury" galą.

Pasisukęs džipas neteko kiek greičio, tačiau vis tiek dar važiavo kokiu 20 mylių per valandą greičiu. Bilė iššoko ir nusirideno į šalį.

Paskutinę akimirką Elspetė puolė į šalį. Pasigirdo kurtinamas trenksmas ir dūžtančių stiklų garsas.

„Mercury" galas susiplojo, automobilis šoktelėjo į priekį, o bagažinė užsitrenkė. Lukui šmėstelėjo mintis, kad sutraiškė Teo ar Entonį, bet nebuvo tuo tikras. Jį patį smarkiai bloškė į priekį. Vairas smogė į krūtinę, nudiegė lūžtantys šonkauliai. Galva atsimušė į vairo viršų ir pajuto, kaip per veidą plūstelėjo karšto kraujo srovelės.

Jis atsilošė ir pažvelgė į Bilę. Ji atsipirko lengviau, sėdėjo ant smėlio ir trynė alkūnes, tačiau, atrodo, nebuvo susižalojusi.

Lukas pažvelgė per džipo priešakį. Teo paslikas gulėjo ant žemės, atmetęs į šalis kojas ir rankas. Entonis klūpojo keturpėsčias, atrodė sutrenktas, bet nesužeistas. Elspetė išvengė susidūrimo ir dabar stojosi ant kojų. Ji pripuolė prie „Mercury" ir pamėgino atplėšti bagažinę.

Lukas iššoko iš džipo ir pasileido prie jos. Bagažinei jau prasivėrus, nubloškė ją šalin. Elspetė parkrito ant smėlio.

Entonis riktelėjo:

— Nejudėk!

Lukas grįžtelėjo į jį. Entonis stovėjo prie klūpančios Bilės įrėmęs pistoletą jai į pakaušį.

Lukas pakėlė akis į viršų. Tamsiame danguje švietė ryški tolstanti *Explorer I* žvaigždė. Kol ji matosi, raketą dar įmanoma susprogdinti. Pirmoji pakopa išdegs, kai raketa pakils į 60 mylių aukštį. Tada jos liepsnos jau nesimatys, — mažesnės antrosios pakopos degimas jau nebus toks ryškus, — o tada susinaikinimo sistema jau nebeveiks. Pirmoji pakopa, kurioje įtaisytas susinaikinimo mechanizmas, atsiskirs ir greičiausiai nukris į Atlanto vandenyną. Jai atsiskyrus, palydovui jau niekaip nepakenksi.

Pirmoji pakopa išdega per dvi minutes ir dvidešimt penkias sekundes po variklių paleidimo. Lukas mintyse sumetė, kad varikliai užkurti apytikriai prieš dvi minutes. Taigi liko dar kokios 25 sekundės. Marios laiko įjungti susinaikinimo jungiklį.

Elspetė vėl atsistojo.

Lukas žvelgė į Bilę. Ji klūpojo ant vieno kelio kaip bėgikė, sustingusi prie starto linijos, su įremtu Entonio pistoleto duslintuvu į juodas jos garbanas. Entonio ranka nevirpėjo.

Lukui šmėkštelėjo klausimas, ar jis paaukotų Bilę dėl raketos.

Ne.

Tačiau kas atsitiks, jeigu jis sujudės? Ar Entonis ryšis nušauti Bilę? Jis galėtų.

Elspetė vėl palinko prie bagažinės.

Tada Bilė puolė į šalį.

Ji suktelėjo galvą šalin, metėsi atgal ir trinktelėjo pečiais per Entonio kojas.

Lukas šoko ant Elspetės ir nustūmė nuo automobilio bagažinės.

Entoniui su Bile suvirtus į krūvą, kostelėjo duslintuvas.

Lukas nustėro. Entonis iššovė, tačiau ar kliudė Bilę? Ji nusiridено nuo jo, greičiausiai nesužeista, ir Lukas su palengvėjimu atsikvėpė. Tada Entonio ranka su ginklu nukrypo į Luką.

Lukas ramiai stovėjo priešais mirtiną pistoleto vamzdį, tarsi žvelgtų į viską iš šalies. Jis padarė tai, ką galėjo.

Kurį laiką jiedu tarsi sustingo vienas prieš kitą. Tada Entonis ėmė kosėti, ir jam iš burnos pasipylė kraujas. Lukui dingtelėjo, kad krisdamas iššovė į save. Pistoletas išslydo iš jo suglebusios rankos, o jis pats šlumštelėjo atatupstas į smėlį ir įsmeigė į dangų nieko neregintčias akis.

Elspetė stryktelėjo ant kojų ir trečiąsyk prišoko prie siųstuvo.

Lukas pakėlė galvą. Uodega vos blyksi. Po akimirkos ji visai pranyko.

Elspetė čakštelėjo jungiklį ir pakėlė akis į dangų, bet jau buvo per vėlu. Pirmoji pakopa išdegė ir nukrito. Bikfordo virvelė greičiausiai užsidegė, tačiau degalų jau nebėra, be to, palydovas atsiskyręs.

Lukas atsiduso. Viskas baigta. Jis apsaugojo raketą.

Bilė uždėjo ranką Entoniui ant krūtinės ir patikrino pulsą.

— Nieko, — pranešė ji. — Miręs.

Lukas su Bile sužiuro į Elspetę.

— Tu vėl melavai, — pasakė Lukas.

Elspetė spoksojo į jį keistai degančiomis akimis.

— Bet mes elgėmės teisingai! — suklykė ji. — Mes juk teisūs!

Smalsuoliai ir turistai jau krovėsi bagažines. Niekas neatkreipė dėmesio į grumtynes — visų akys buvo pakeltos į dangų.

Elspetė dar kurį laiką spitrijo į Luką su Bile, tarsi norėdama kažką pridurti, bet kiek pastovėjusi apsisuko, įlipo į automobilį, trinktelėjo durelėmis ir užvedė variklį.

Užuot važiavusi į kelią, pasuko vandenyno link. Lukas su Bile su siaubu stebėjo, kaip ji įlekia tiesiai į bangas.

Korvetė sustojo, jos šonus laižė bangos, ir Elspetė išlipo. Žibintų šviesoje Lukas su Bile stebėjo, kaip ji pasileidžia plaukti į jūrą.

Lukas jau norėjo mestis iš paskos, tačiau Bilė sugriebė jo ranką ir sulaikė.

— Ji nusiskandins! — sunkiai tarė jis.

— Dabar jos nesulaikysi, — pasakė Bilė. — Tik pats nuskęsi!

Bet Lukas vis tiek veržėsi. Per tą laiką Elspetė dideliais grybšniais išplaukė iš šviesų tako, ir jis suprato, kad tamsoje jos nieku gyvu neras. Lukas liūdnai nunėrė galvą.

Bilė apkabino jį. Po akimirkos jis atsakė tokiu pat gestu.

Praėjusios trys paros staiga užgriuvo jį visu svoriu, kaip švinas. Jis susverdėjo, ir jeigu ne Bilė, būtų parkritęs.

Netrukus pasijuto geriau. Apsiviję vienas kitą rankomis prie jūros kranto, jie vienu metu pakėlė akis į viršų.

Danguje žaidė tūkstančiai žvaigždžių.

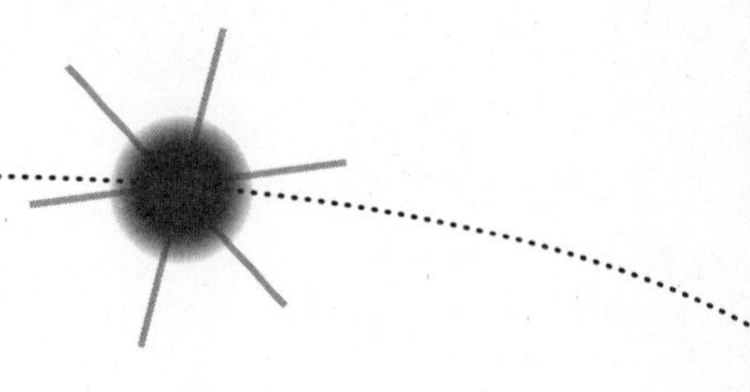

EPILOGAS

1968

Explorer I Geigerio matuoklis užfiksavo tūkstančius kartų didesnę kosminę radiaciją nei tikėtasi. Remdamiesi šiais duomenimis, mokslininkai nustatė, kad Žemę juosia radiacijos juostos, žinomos kaip van Aleno juostos, pavadintos mokslininko, rengusio eksperimentą, vardu.

Mikrometeoritų tyrimas atskleidė, jog kasmet Žemę pasiekia 2000 tonų kosminių dulkių.

Paaiškėjo, kad Žemė yra maždaug vienu laipsniu plokštesnė nei manyta.

Tačiau visiems būsimiems kosmoso užkariautojams buvo visų svarbiausia žinia, kad *Explorer I* matavimo duomenys paliudijo, jog įmanoma raketos viduje palaikyti tokią temperatūrą, kurioje galėtų išgyventi žmogus.

Lukas darbavosi toje NASA komandoje, kuri paleido *Apollo 11* į mėnulį.

Tada jis jau gyveno erdviame, jaukiame, sename name Hiustone su Bile, Beiloro universitete vadovaujančia kognityvinės psichologijos katedrai. Jiedu susilaukė trijų vaikų: Katerinos, Liuiso ir Džeinės. (Jo įsūnis, Laris, taip pat gyveno kartu, tačiau tą liepą viešėjo pas savo tėtį Bernį.)

Liepos 20-oji Lukui buvo išeiginė. Aišku, kad kelios minutės prieš 21 valandą, jis kartu su šeima stebėjo TV, kaip ir pusė žmonijos. Šalia ant plačios sofos susirangiusi sėdėjo Bilė, o ant kelių — jaunylė Džeinė. Kiti vaikai dūko ant kilimo su labradoru Sidniu.

Kai Neilas Armstrongas išlipo mėnulyje, Luko skruostu nuriedėjo ašara.

Bilė paėmė jo ranką ir suspaudė.

Į Bilę panaši devynmetė Katerina žvelgė į jį rimtomis rudomis akimis. Paskui šnibžtelėjo Bilei į ausį:

— Mamyte, kodėl tėtis verkia?

— Tai ilga istorija, širdele, — atsiliepė Bilė. — Kada nors aš tau papasakosiu.

Tikėtasi, kad *Explorer I* skries kosmose dvejus ar trejus metus, tačiau jis sukosi apie Žemę dvidešimt metų. 1970 m. kovo 31 d. jis pagaliau nukrito į atmosferą virš Ramiojo vandenyno netoli Velykų salos ir 5.47 val. sudegė, apskriejęs Žemę 58 376 kartus ir iš viso sukoręs 2 milijardus kilometrų.